D1096080

Una sorpresa para lord Jack

Una sorpresa para lord Jack. Libro 2 de la serie *La duquesa del amor*.

Título original: *Surprising Lord Jack.*

© de esta edición: Libros de Seda, S.L.
Paseo de Gracia 118, principal
08008 Barcelona
www.librosdeseda.com
www.facebook.com/librosdeseda
info@librosdeseda.com

Diseño de cubierta: Pepa y Pepe Diseño
Maquetación: Germán Algarra
Imagen de la cubierta: Russo Art & Design

Primera edición: abril de 2015

Depósito legal: B. 5.044-2015
ISBN: 978-84-15854-17-3

Impreso en España – Printed in Spain

SALLY MACKENZIE

Una sorpresa para lord Jack

Capítulo 1

Las apariencias engañan.
—de las *Notas de Venus,*
duquesa de Greycliffe.

Completamente a merced del viento y demás elementos atmosféricos, la señorita Frances Hadley no podía evitar bambolearse al avanzar hacia la puerta de la posada Crowing Cock. Cada paso era una dolorosa tortura para sus piernas, su trasero y sus pies.

¡Vaya por Dios, los hombres cabalgan siempre a horcajadas! ¿Cómo podía ella imaginarse que tal experiencia pudiera resultar tan dolorosa? Y tampoco ayudó el hecho de tener que recorrer la última media milla a pie, calzada con las viejas botas de Frederick, todo lo contrario. ¡Malditos caminos helados!

Aspiró con fuerza una bocanada del cortante aire invernal. Y sí, para colmo, Daisy estaba coja...

Echó una mirada torva a la puerta. Si su yegua estaba coja, no era capaz de imaginarse de qué manera iba a llegar hasta Londres. Qué diablos, si tenía que ir caminando, lo haría. No regresaría a su casa en Landsford. Y pensar que tía Viola se había puesto a disposición del señor Littleton para poner en práctica su malvado plan.

¡Oh! Cada vez que pensaba en ello, le entraban ganas de darle un golpe a algo, o a alguien.

Puso la mano sobre la puerta. Las risotadas de los borrachos eran tan estruendosas que podía oírlas desde allí fuera. ¡Patanes fanfarrones de taberna! Al menos los beodos tenían menos posibilidades que los sobrios de descubrir su disfraz. Casi le apetecía que alguno de ellos se le aproximara. Le encantaría reventarle la nariz.

Dio un empujón a la puerta y fue recibida por una insoportable cacofonía de voces y el olor hediondo que componían la cerveza derramada, el humo y la excesiva mezcla de sudores de muchos cuerpos masculinos. Una tabernera, cargada con seis o siete jarras de cerveza, salió a toda velocidad del cuarto situado a su izquierda.

—¿Dónde puedo encontrar una habitación para pasar la noche?

Frances tuvo que gritar para hacerse oír. Para ser una mujer, tenía la voz profunda, pero ¿era lo suficientemente profunda? Al parecer, sí. La muchacha apenas la miró.

—Vaya a ver al señor Findley —dijo al pasar, dando grandes zancadas y señalando con la cabeza la habitación de la que acababa de salir—. Aunque estamos completos.

Maldita sea. El estómago de Frances se encogió.

Pero no iba a desesperarse. En el peor de los casos, ya encontraría algún rincón para dormir en la sala común. O quizás el dueño de la posada le permitiera pernoctar en los establos. Incluso aunque Daisy hubiera sido capaz de llevarla, no podía seguir adelante a esas horas. Se hacía de noche.

Pasó por una puerta estrecha. Un hombre, grueso y completamente calvo, y una mujer, igual de gorda y de pelo gris, cenaban sentados a una mesa de madera llena de arañazos. Frances aspiró el aroma con deleite. Cordero con patatas. No era uno de sus platos favoritos, pero estaba tan hambrienta que para ella era como disfrutar del olor de la ambrosía.

—Esta noche es el baile de la duquesa, Archie —estaba diciendo la mujer. Agitó ante él un trozo de cordero—. ¿Crees que su excelencia encontrará pareja este año para lord Ned o lord Jack?

—No sé por qué este año iba a ser distinto del pasado o del anterior, Madge —dijo Archie resoplando.

—Supongo que tienes razón. Yo solo...

Frances carraspeó para hacerse notar.

—Perdonen la interrupción. ¿Tendrían una habitación libre para esta noche? —dijo Frances, en tono de disculpa.

—Me temo que todas las camas están ocupadas —indicó el hombre mirándola y frunciendo el ceño.

—Entiendo.

Se mordió el labio. Maldición.

—Vamos, Archie —dijo su mujer al tiempo que se levantaba—, seguro que podemos encontrar un hueco para este pobre muchacho. Parece agotado.

—Estoy agotado, señora, y mi caballo está cojo.

Frances casi rozó el servilismo. Descansar en una cama de verdad sería algo parecido al paraíso, sobre todo en comparación con lo que podía significar dormir sobre el duro suelo de la sala común, rodeada de borrachos, o sobre la paja del establo.

La señora Findley chasqueó la lengua.

—También parece que estás un poco hambriento, ¿no?

El estómago de Frances decidió hablar por ella y gruñó sonoramente. La chica se sonrojó. No había probado bocado desde el desayuno, y de eso hacía ya más de ocho horas. Tenía que haberse llevado un tentempié, pero no esperaba retrasarse tanto y, para ser sinceros, estaba demasiado furiosa como para pensar con claridad. De hecho, si hubiera tenido un cuchillo en sus manos, la tía Viola habría corrido peligro.

La señora Findley rió al oír el ruido.

—Vamos, siéntate con nosotros —dijo tomando a Frances del brazo y acercándola a la mesa.

—No, no me gustaría molestar. Si pudiera compartir con ustedes un trocito de cordero y una patata, les aseguro que me bastaría.

—Vamos, no seas ridículo —dijo la mujer acercando una silla y empezando a llenar un plato con el estofado—. Tienes que estar muerto de hambre.

El estómago de Frances, a lo suyo, gruñó de nuevo, y la señora Findley también volvió a reírse.

—Pobre —dijo poniendo el plato frente a ella—. Ahora come antes de que te desmayes de hambre. Estoy segura de que encontraremos un sitio donde puedas dormir.

El señor Findley parecía menos propenso a la caridad.

—Madge, la única habitación que tenemos libre es la reservada para los Valentine.

—Bueno, pero seguro que ninguno de ellos va a venir esta noche, ¿no? Es el baile de cumpleaños, ¿recuerdas? No se lo van a perder, por mucho que detesten acudir a él. Son buenos chicos.

¡Ja! Frances pinchó un trozo de patata con el tenedor. Jack, el hijo pequeño del duque de Greycliffe, era cualquier cosa menos «un buen chico». La tía Viola siempre lo ponía como ejemplo de todos los vicios propios de la gran ciudad. Era un calavera de primer orden y puede que también un proxeneta. De hecho, se decía que conocía, y muy a fondo, todos y cada uno de los burdeles de Londres.

—Supongo que tienes razón —concedió el señor Findley, e inmediatamente se dirigió a Frances—. ¿Quién eres, muchacho, y a dónde te diriges?

—Soy Frances Had...

Frances se interrumpió y tosió. Podía utilizar su nombre sin problemas, ya que sustituyendo la e por la i sonaba igual y se convertía en un nombre de varón, pero quizá debía ser cauta a la hora de utilizar su apellido.

—Me llamo Francis Haddon. Y me dirijo a Londres.

—¿A Londres?

Las cejas del señor Findley se dispararon hacia arriba y después se alinearon, formando casi una sola

—¿Qué edad tienes? No te habrás escapado de la escuela, ¿verdad?

—No, señor —aseguró Frances, y se concentró en cortar la carne para no tener que mirarlo a los ojos—. La verdad es que, eh, soy mayor de lo que parezco.

—¿Cuánto? ¿Tienes trece años en vez de doce? No intentes embaucarnos, caballerete. Hemos criado tres hijos. Ya se está acabando el día y no tienes la más mínima sombra de barba —dijo riendo la señora Findley.

Eso de fingir ser un hombre era mucho más difícil de lo que había pensado. Frances sonrió y se metió en la boca un gran pedazo de cordero.

—¿En qué estará pensando tu madre para dejarte viajar solo de esta manera?

La señora Findley volvió a chascar la lengua en una especie de cloqueo. Frances tragó comida y saliva.

—Mi madre murió hace unos años, señora. Vivo con mi anciana tía.

La tía Viola no se habría puesto nada contenta al escuchar esa descripción, pero la verdad era que ya había superado su sexagésimo cumpleaños.

—En cualquier caso, no puedo entender que nadie, ni siquiera una tía, por muy anciana que sea, deje que un jovencito como tú viaje solo a la capital.

Había algo más que un indicio de sospecha en la voz del señor Findley.

—A mi tía esto no le ha gustado nada, señor. Pero yo quería irme por encima de todo.

De hecho, Viola había dado tales gritos que era casi milagroso que no la hubiesen oído en la posada. Y Frances no estaba dispuesta a pasar ni un segundo más bajo el mismo techo que esa mujer traicionera.

—Voy a visitar a mi hermano. Habría llegado a Londres hace horas si las carreteras no estuvieran tan intransitables.

Lo que quería era pasar la noche con Frederick, ver a su administrador por la mañana e, inmediatamente, volver a Landsford y pasarle por las narices a Viola el cheque bancario por el valor de su dote. Finalmente, llevárselo, preparar las maletas e irse para siempre.

Frunció el entrecejo frente al plato. Todavía no sabía a dónde ir, pero por nada del mundo pasaría una noche más en Landsford. Pensar que el plan de Viola era drogarla con láudano, dejar entrar a Littleton en su dormitorio y después dar la alarma para que fuera descubierta en esa situación, para cotilleo de los sirvientes... ¡Condenada vieja!

Pinchó con tal rabia un trozo de patata que el tenedor chirrió al arañar el plato. La señora Findley agitó el dedo frente a su marido.

—No mires mal al chico, Archie. Le estás asustando.

Inmediatamente le llegó a Frances el turno de amonestación

—Y un muchacho de tu edad no debería viajar solo. Hay hombres..., y también mujeres, claro, perversos en cada recodo, ávidos de aprovecharse de un mozalbete como tú, recién salido del cascarón. Apuesto lo que sea a que tu hermano no tiene la más mínima idea acerca de cómo hacerse cargo de ti. ¿Qué edad tienes?

Frances parpadeó. Le gustaría ver a su hermano Frederick intentar hacerse cargo de ella. Si alguien tuviera que hacerse cargo de algo, sin duda le tocaría a ella.

—Veinticuatro.

Eran gemelos, pero ella era diez minutos mayor.

—No sé, Madge —insistió el señor Findley, todavía tenía el ceño fruncido—. Sigo pensando que la cosa huele un poco a chamusquina. Yo...

—Señor Findley —interrumpió agitada la tabernera desde el umbral de la puerta— está empezando una pelea.

—Maldición —Archie echó una mirada a su reloj—. A la hora en punto, la hora de los patanes borrachos.

Miró a su mujer mientras se ponía de pie.

—Supongo que tienes razón, Madge. Ninguno de los Valentine va a necesitar la habitación. Y no creo que te guste que el chico duerma ahí fuera con esa gentuza.

Oyeron un grito y algo que pareció una mesa volcándose, seguido de un estruendo de cristales rotos. El señor Findley suspiró.

—Ayuda al muchacho a acomodarse mientras yo hago chocar algunas cabezas —dijo agarrando un garrote de madera que estaba apoyado sobre la pared, e inmediatamente salió a batallar con los borrachos.

—¿Has acabado de cenar, Francis?

—Sí, señora, muchas gracias.

No quería concederle a la posadera la más mínima posibilidad de cambiar de idea. Masticó y tragó el último bocado y se puso de pie.

—Todavía no puedo entender cómo es posible que tu tía te haya dejado viajar solo —dijo la señora Findley—, sobre todo con esta terrible tormenta de nieve. Las carreteras estaban casi intransitables, bueno, intransitables del todo una vez que despejó y volvió a helar.

La señora Findley condujo a Frances fuera de la habitación y subió las escaleras delante de ella. En un momento dado, miró hacia atrás arrugando la frente.

—Supongo que no te escaparías mientras tu tía estaba distraída, ¿no?

—Por supuesto que no, señora. Mi tía me vio irme. «Mientras soltaba una retahíla de maldiciones.»

Miró hacia abajo para que la señora Findley no pudiera distinguir la furia en sus ojos. Gracias a Dios que esa mañana oyó por casualidad al canalla de Félix Littleton. Si no hubiera entrado en la tienda del señor Turner a leer la carta del señor Puddington, y si no se le hubiera caído la maldita nota del administrador y hubiera tenido que gatear por detrás de una caja de velas para recuperarla, nunca se habría enterado de la trampa que Viola había estado urdiendo con ese gusano repugnante.

En lo alto de las escaleras, la señora Findley torció a la izquierda, y Frances la siguió por el pasillo.

Littleton, a quien había reconocido por su vocecilla estridente, y su amigo, un tal señor Pettigrew, a quien no pudo ver pero sí oír, incluso con demasiada claridad, se habían reído comentando el complot. Littleton había estado en casa las últimas semanas, al parecer huyendo de sus acreedores, y había pagado por cortejarla. Él y Pettigrew se burlaban y se jactaban de lo sencillo que era conseguir que las solteras bobas, ingenuas y desesperadas entregaran su corazón.

Notó una oleada de calor que le subía desde el pecho a las mejillas. El señor Lousy Littleton se equivocaba completamente si pensaba que se había enamorado de él. Amor. ¡Bah! Estaba vacunada contra esa enfermedad. Sí, quizá pudo haber empezado a sentirse algo atraída por esa víbora, pues era bastante guapo y había sido extremadamente atento, pero su corazón siempre estuvo a salvo.

Y, con todo, ¿por qué Viola, que siempre le estaba diciendo que no había que confiar en los hombres, y estaba claro que el comportamiento de su hermano y su padre ausentes apoyaba dicha animadversión, habría consentido que Littleton fuera tras ella? Para ser franca, al principio no pudo creerlo, pero cuando llegó a casa y se enfrentó a su tía, vio que llevaba dibujada en la cara una inconfundible expresión de culpa.

—Bueno, pues esta es la habitación —dijo la señora Findley, deteniéndose ante la última puerta y abriéndola—. Es...

Las dos se sobresaltaron por el nuevo estruendo procedente del piso de abajo.

—Vaya, querido, será mejor que baje a ayudar a Archie. Con unas copas de más, los hombres se vuelven muy escandalosos, pero te aseguro que dentro de un momento se habrán calmado.

Sonrió y le dio una palmadita en el brazo a Frances.

—Que duermas bien.

Prácticamente salió corriendo escaleras abajo.

Frances entró en la habitación, y sus pies se hundieron en una gruesa alfombra. ¡Oh, qué gusto! No fue capaz de encontrar el más mínimo rastro de polvo o de nieve sucia o medio derretida en el suelo. Puso su sombrero y su vela en una mesa cercana, cerró la puerta y se apoyó en ella para quitarse de un tirón las botas de Frederick.

Ah, qué descanso. Movió los dedos de los pies para desentumecerlos y miró a su alrededor. Las paredes estaban cubiertas por papel de color rojo y tostado. Unas gruesas cortinas, también rojas, colgaban de las ventanas para impedir la entrada de la luz y, supuso, las miradas indiscretas. Junto a la chimenea, había una silla, por supuesto tapizada de rojo. Pero, con diferencia, lo mejor de la habitación era la enorme cama con dosel de caoba.

Cama que, con toda probabilidad, habría sido utilizada por lord Jack para recibir a un incontable número de mujeres. Arrugó la nariz al quitarse el abrigo y colgarlo en un gancho. Pese a que el pensamiento le resultaba muy desagradable, estaba tan cansada que se dejó de moralidades. Probablemente por la mañana estaría en las condiciones adecuadas para hacerlo, pero ahora lo primero era lo primero: tumbarse y descansar.

Así que, una vez libre del abrigo, empezó a desabrocharse el chaleco. Pero lo pensó mejor. Prefirió dejárselo puesto, igual que la camisa, los bombachos y los calcetines, todas ellas prendas usadas de Frederick. No era probable que ningún otro viajero llegara a esas horas o más tarde, pero no podía correr ningún riesgo.

Apartó la colcha y se metió en la cama, estirando su maltrecho y dolorido cuerpo sobre el suave, blando y maravilloso colchón de plumas.

Antes de apoyar la cabeza sobre la almohada ya estaba dormida.

Lord Jack Valentine, el tercer y más joven hijo del duque y la duquesa de Greycliffe, se escondió tras una columna en el castillo, su morada y la de muchas generaciones de sus ancestros. Era el último día de la fiesta anual de emparejamientos que organizaba su madre. La señorita Isabelle Wharton, una solterona, rastreaba el salón de baile en busca de su presa.

¿Por qué mamá tenía que ser la principal casamentera del lugar y someterlos a todos a esta tortura anual? Todo el mundo la llamaba la duquesa del amor. Incluso escribía una escandalosa hoja semanal de consejos matrimoniales, las *Notas de Venus*, que las mujeres, solteras y casadas, engullían como si fueran bombones. Era un milagro que él y sus hermanos no hubieran fallecido hace mucho tiempo de pura vergüenza.

—¿Qué, escondiéndote? —le preguntó Ash desde su derecha.

Condenado. ¿Acaso su hermano deseaba que la mujer lo encontrara? Le agarró del brazo y tiró de él para ocultarlo también.

—Por supuesto que me escondo. Ahora que Ned está pillado, la señorita Wharton va a por mí.

Ash se rió entre dientes.

—Ya me he dado cuenta.

Su hermano podía reírse tranquilo, pues él estaba a salvo. La bigamia era ilegal. Aunque Ash y su esposa llevaban años separados, todavía estaban oficialmente casados, por más que la mayoría de las madres con hijas en edad de merecer desearan fervientemente lo contrario.

—No tiene ninguna gracia. Mi libertad corre un gran peligro en este sitio.

Su hermano arrugó la frente.

—Jack, nadie puede obligarte a que te cases con la señorita Wharton.

—Ya lo sé.

Se asomó ligeramente alrededor de la columna. La masa de rizos rubios de la señorita Wharton se balanceaba con firmeza acompañando su recorrido por el salón, obviamente en su busca. Resultaba en cierto modo encantadora, o al menos eso se podría decir si se la juzgara desde un punto de vista perruno, pensó al observar la determinación con la que rastreaba, como si se tratara de la caza del zorro. No le extrañaría nada que incluso tratara de meterse en su cama esta noche mientras dormía.

Cáspita. Notó cómo una gota de sudor frío se deslizaba por su espalda. No podía correr ese riesgo.

—Vete a bailar con ella, Ash, por favor. Tengo que marcharme.

—¿Del baile?

—¡Del castillo! Me voy a Londres. Ya.

Ash arqueó las cejas asombrado.

—¿Te has vuelto loco?

La señorita Wharton se acercaba peligrosamente.

—No, no me he vuelto loco. Estoy desesperado. Y Londres está a una hora de aquí, a dos como máximo.

—No en una noche como esta. Hace mucho frío y está muy oscuro, y es probable que las carreteras estén tan resbaladizas como un estanque helado.

Era muy posible que tuviera razón, pero si comparaba el riesgo del viaje con el que le hacía correr la señorita Wharton, no cabían dudas sobre la elección.

—Si las carreteras están demasiado resbaladizas, me detendré en la posada Crowing Cock. Findley siempre nos tiene reservada esa habitación.

Ash tenía una gran virtud: nunca discutía con alguien a quien apreciaba. Simplemente levantó una ceja con escepticismo y preguntó.

—¿Se lo vas a decir a mamá?

—Ah —dijo, y la verdad es que no parecía que fuese una buena idea—. ¿No podrías decírselo tú? Y, por favor, no hagas referencia a la señorita Wharton.

—¿Y entonces qué diablos digo? ¿Por ejemplo que tú, de repente, en medio de una noche gélida en la que solo a los desesperados o a los locos se les ocurriría viajar, has decidido salir corriendo a Londres?

—Simplemente dile que tenía un asunto urgente que resolver en la capital.

—Mamá no se va a tragar eso.

—Ya lo sé.

En cualquier caso, no era únicamente una excusa, también era la verdad. Siempre había mujeres y niños que necesitaban su ayuda, y además ahora la situación era mucho peor. Un loco al que los tabloides llamaban el Degollador Silencioso había rebanado el gaznate a varias mujeres, sobre todo a prostitutas de Covent Garden. En las callejuelas de Londres, el pánico se respiraba con tanta intensidad como el hedor a vísceras podridas.

—Puedes encogerte de hombros y no decir nada. Ella no te presionará. Mamá nunca les había obligado a delatarse entre sí. Ash le miró durante un instante y se encogió de hombros.

—Muy bien, haré lo que me pides.

—¡Aquí está usted, lord Jack!

Los espantosos rizos de la señorita Wharton surgieron como de la nada. Maldición.

—Ah, señorita Wharton, es usted. ¿Le pitaban los oídos? Ash me estaba diciendo lo mucho que le apetecería solicitarle un baile.

—¿De verdad? —dijo la señorita Wharton, y se olvidó de cerrar la boca.

—¿De verdad? —la imitó Ash levantando ambas cejas.

Estaba poniendo en práctica el pitorreo habitual entre hermanos, pero Jack no estaba para bromas y le lanzó una mirada asesina.

—Por supuesto que sí —rectificó Ash—. Acababa de decírselo a Jack. Señorita Wharton, ¿sería tan amable de concederme el próximo baile?

Se las arregló para tomar la mano de la mujer, colocarla en su brazo y llevársela de allí antes de que ella se diera cuenta de lo que ocurría. Volvió la cabeza para echar una mirada a Jack, pero ya se había esfumado. Ash, el buen samaritano, había escogido para bailar el lugar más alejado del salón.

No había tiempo que perder. Jack se deslizó fuera a toda prisa, evitando con cuidado a su madre y a su padre, y se dirigió corriendo a su habitación. Metió algunas cosas en una maleta, agarró la billetera y el abrigo y bajó subrepticiamente por las escaleras de servicio.

Salió al exterior. El frío le cortó la respiración por un momento. Una gruesa capa de nieve cubría el césped y los jardines, mientras miles de estrellas brillaban en un cielo claro y gélido.

Se sentía londinense, pero le encantaba el campo. En Londres era constante el ruido de las ruedas de las carretas y de los cascos de los caballos sobre los adoquines, igual que los gritos y los cánticos de los borrachos. Era una ciudad sucia y estaba abarrotada de gente, no como el campo. No obstante, la tranquila paz campestre terminaría por obra de sus maldiciones si la señorita Wharton acababa cazándole. Ante tan horrible perspectiva, apretó el paso y se dirigió a los establos a grandes zancadas.

El hecho es que unos cuarenta minutos más tarde no paraba de maldecir, aunque la señorita Wharton no tenía nada que ver con ello. Había estado a punto de resbalar en la carretera por sexta vez.

Tenía que haberse quedado en casa y tomado sus precauciones, como por ejemplo montar una barricada en la puerta de su habitación o, incluso, pasar la noche en el suelo de la de Ash. La verdad es que su hermano roncaba tan fuerte como para despertar a los muertos, pero eso hubiera sido mejor que romperse el cuello, o el de su caballo, en aquella maldita carretera. No había ni la más mínima posibilidad de llegar a la condenada ciudad esa noche.

Cuando finalmente estuvo en Crowing Cock, en su vida se había alegrado tanto de poder poner los pies en una posada. Watkins, el mozo de cuadra, salió a ver quién llegaba tan tarde.

—¡Lord Jack! —inclinó la cabeza, aunque a Jack le dio tiempo más que de sobra a verle los ojos, abiertos como platos—. No le esperaba por aquí esta noche.

Por supuesto que no. Todo el mundo en muchas millas a la redonda sabía que hoy era el baile de cumpleaños de los Valentine, culminación de la fiesta de emparejamientos de la duquesa del amor.

—Tengo asuntos urgentes que atender en Londres, Watkins, y quería empezar el viaje.

Watkins parpadeó pero no mencionó lo obvio: solo estaba unas millas más cerca de Londres que si hubiera permanecido en el caldeado y confortable castillo.

—La posada está llena a rebosar, señor. Ha parado un montón de gente para protegerse de la helada.

—Ya lo veo.

Pese al frío, las ventanas estaban abiertas de par en par. La luz y el ruido de las voces y de las jarras entrechocando salían por ellas. Había pocas posibilidades de pasar desapercibido, pero tal vez tuviera suerte. Todo lo que deseaba era ver a Findley e irse a la cama. Los esfuerzos para dar esquinazo a la señorita Wharton y pelearse con los caballos en la carretera le habían dejado deshecho.

Dejó los animales en las expertas manos de Watkins, cruzó el patio y empujó la puerta.

—¡Mira quién está aquí! Acércate, Jack. Dantley ha ido al retrete y me temo que no volveré a verle.

Maldición, era la voz estentórea de Ollie Pettigrew. En la taberna se hizo un silencio mucho más espeso que el bullicio anterior y los ojos de todos los presentes convergieron en Jack. Por todos los diablos. Y eso que no quería llamar la atención.

Avanzó hacia Pettigrew, que se parecía de forma abrumadora a un enorme oso, y el rumor de las conversaciones volvió a levantarse y a ganar volumen. Se tomaría un trago rápido, e inmediatamente después buscaría a Findley.

—¿Qué le pasa a Dantley?

—Ha comido algo que no le ha sentado bien —dijo Pettigrew al tiempo que sacaba su reloj de bolsillo simulando que lo miraba—. ¿Ya ha terminado el baile?

—Me he ido un poco antes de que acabara.

—¡Vaya, vaya! ¿Así que has conseguido mantener intacta tu soltería un año más?

¿De verdad era necesario que aquel individuo hablase a gritos? Su tremendo vozarrón llegaba a todos los rincones de la taberna.

—Pues sí, lo he logrado —dijo Jack mientras sonreía a Bess, la tabernera, que le estaba sirviendo una jarra de cerveza—. ¿Por qué no estás allí?

Pettigrew levantó las manos como si fueran a detenerle.

—No me atrevo a arriesgar mi libertad en el baile de cumpleaños de los Valentine y de la duquesa del amor.

Jack podía comprender perfectamente esa postura.

—Y entonces, ¿por qué estás por la zona? Yo pensaba que odiabas el campo.

—Sí, lo odio. Desde luego que sí. Ha sido solo por un día. He venido a visitar a un amigo que huyó de Londres cuando los malditos acreedores decidieron acampar frente a su puerta —explicó Pettigrew resoplando—. El muy idiota pensó que podría arreglar sus maltrechas cuentas más fácilmente si se casaba que quedándose bajo la protección de su padre. Pero la chica averiguó sus planes y salió pitando —dijo sonriendo, y echó un trago de cerveza—. Mejor para él. No la conozco, pero su hermano dice que es una arpía de armas tomar.

Maldito canalla insensible. De las entrañas de Jack surgió un tremendo enfado y su puño estuvo a punto de adquirir voluntad propia y golpear la enorme cara de Pettigrew, pero se contuvo y fingió una carcajada. Estaba obligado a alimentar su reputación de calavera indecente. Así podía seguir manteniendo a la sociedad al margen de sus verdaderas actividades.

—¿Se iba a poner él mismo los grilletes? Suena a solución permanente para un problema temporal.

—Yo no lo haría, por supuesto, pero Littleton empezaba a desesperarse, y la tía de la chica prácticamente se la puso en bandeja. Además, como bien sabes, todas las mujeres son iguales cuando se apagan las velas.

—Sí, claro.

Le hubiera gustado tanto ver sangrar a Pettigrew por la nariz... pero tuvo que negarse el placer. Además de que iría en contra de la fama que con tanto trabajo se había labrado, estaba demasiado cansado como para iniciar una pelea en plan paladín de la justicia. Por no mencionar que a Findley no le gustaría nada el desastre resultante.

—Littleton había pensado que los parientes maternos de la chica podrían haber sido una fuente inagotable de fondos, aunque ya le advertí de que, en mi opinión, pinchaba en hueso. Ellos nunca la reconocerán —dijo

Pettigrew sonriendo—. Pero no te preocupes, Félix terminará poniendo los pies en la tierra. Seguro que su padre accede a solucionar con largueza sus actuales problemas, sobre todo después del escándalo que se ha montado con la huida de la muchacha.

Como si a él le importara algo lo que pudiera ocurrirle a ese desecho inútil de la nobleza. No obstante, la chica era harina de otro costal.

—¿A dónde ha huido la muchacha?

Seguramente, si había sido bien criada, tendría parientes a los que acudir en busca de ayuda. Pettigrew se encogió de hombros.

—Ni la menor idea.

—¿Habrá recurrido a su hermano?

—¡Ni en broma! Acaba de casarse. No querrá tener una arpía en casa junto a su esposa recién estrenada.

Por todos los diablos.

—¿Y qué hay de sus padres?

—Su madre murió y el padre se pasa más tiempo en el extranjero que aquí. No le importaría que Littleton se casara con ella —explicó Pettigrew, al tiempo que ponía una mirada lasciva—. Las mujeres solo sirven para una cosa, ya sabes.

Jack agarró la jarra con fuerza y se obligó a poner también cara de lujuria. A estas alturas, la joven tal vez hubiera sido violada o vendida a un burdel.

—¿Cuándo ha ocurrido todo esto? —inquirió pensando que quizá todavía había tiempo para salvarla— ¿Y cómo se llama la chica?

Maldición. Pettigrew había abierto mucho los ojos, sorprendido por su evidente interés.

—Igual me interesa para mi propio uso —dijo Jack rápidamente con un bien entrenado tono lascivo—, sobre todo si es virgen.

—Te gustan más sin estrenar, ¿no?

Hizo un esfuerzo para sonreír y dejar que Pettigrew pensara lo que quisiera. Odiaba tener que ocultar sus intenciones reales detrás de una máscara de libertino sin entrañas, pero ese subterfugio le permitía moverse por las peores zonas de Londres sin que todo el mundo se pusiera a hacer hipótesis acerca de sus verdaderos intereses.

Pettigrew estaba negando con la cabeza.

—Lo siento, pero tengo que mantener la boca cerrada. A Littleton no le gustaría que corriera el rumor de que una soltera ha salido por piernas huyendo de él. No sería una buena propaganda para sus cualidades amatorias, ¿no te parece? Y estoy seguro de que la chica no está a la altura de tu nivel de exigencia. Littleton me dijo que era demasiado alta y excesivamente delgada. Mejor déjalo correr.

Por desgracia parecía que tendría que hacerlo así, a falta de una información más concreta que le permitiera seguir el asunto. Sintió una punzada de arrepentimiento, pero hacía tiempo que había llegado a la conclusión de que le era imposible salvar a todas las jovencitas con problemas.

—Ah, aquí viene Dantley —dijo Pettigrew —. ¿Te has caído dentro, amigo?

Ralph Dantley, un hombre delgado y con aspecto de cigüeña, eructó sonoramente.

—Tengo pensado quejarme seriamente a Findley de la maldita cena.

Dantley saludó a Jack con la cabeza.

—Hola. ¿Qué haces aquí? ¿No deberías estar en el baile de tu madre?

Jack no tenía la menor intención de volver a tratar el asunto. Dejó a un lado la jarra de cerveza sin terminar y se puso de pie.

—Me fui pronto. Si me perdonáis, necesito ver a Findley para que me dé una habitación.

—Pues creo que no hay ni una, a no ser que el hijo de un duque, con su magia, pueda hacerla surgir de la nada —dijo Pettigrew, cuya voz se había vuelto acerada—. Te guardaremos una silla para el improbable caso de que tu elevado rango social no produzca el milagro.

—Espléndido.

Prefería dormir en los establos; los animales resultarían mucho más agradables que Pettigrew.

Jack encontró al posadero en el bar, llenando jarras febrilmente.

—Buenas noches, Findley.

—Sí, estaré con usted en un momen... —dijo Findley, pero cuando se dio la vuelta para ver quien le saludaba no acertó a terminar la frase—. ¡Milord!

Sonrió... y su cara se volvió del color de la cera.

—Eh, no le esperábamos esta noche.

—¿Quién es, Archie? —preguntó la señora Findley, que salía en ese momento de la cocina— ¡Oh, lord Jack!

Su cara primero enrojeció y después también se volvió blanca. Se mordió el labio.

—¿No es la noche del baile de la duquesa y de su cumpleaños? Todavía no habrá terminado, ¿verdad?

—No, pero tengo que volver a Londres.

Maldición, quizá tendría que dormir sobre la paja a fin de cuentas. Bueno, en peores garitas había hecho guardia... Findley resopló.

—No podrá seguir su camino esta noche. Las carreteras están intransitables. Pero supongo que ya lo sabe.

—Sí, lo sé.

Gracias a esa certeza le dolían intensamente los hombros y los brazos. Había hecho un esfuerzo infernal para mantener a los caballos en la carretera.

—Y seguro que no ha cenado —se lamentó la señora Findley sacudiendo la cabeza—. Le prepararé algo de comer.

Para la señora Findley, la comida siempre era la solución de cualquier problema, y por esa razón a él y a sus hermanos les gustaba tanto parar en Crowing Cock cuando eran jóvenes.

—La verdad es que tengo un poco de hambre.

—Pues claro. Siéntese, y estaré aquí en menos que canta un gallo con un plato de cordero con patatas —aseguró la señora Findley, y sus ojos centellearon— y un buen pedazo de tarta de manzana.

Sabía lo mucho que le gustaba su tarta de manzana. Inmediatamente desapareció en la cocina.

—Siento llegar tan tarde y sin avisar —dijo Jack mientras se sentaba a la mesa—. Y además estando ustedes tan ocupados.

—No se preocupe en absoluto, milord. Estamos encantados de recibirle —la expresión de preocupación volvió a instalarse en la cara de Findley—. Lo que ocurre es que...

—... le han dado a alguien la habitación que reservan para nosotros. Lo entiendo perfectamente. Con esta multitud, hubiera sido absurdo no hacerlo.

Jack sonrió cuando la señora Findley volvió con una bandeja rebosante de comida.

—Dormiré aquí con los demás, o si no lo haré fuera, en los establos.

—¡De ninguna manera! —exclamo Findley, cuya cara casi brillaba—. Será el muchacho el que duerma con la chusma. Voy a hacerle bajar ahora mismo.

—No, ni se le ocurra desalojarlo por mi causa —dijo Jack empezando a atacar el cordero. La señora Findley era una cocinera excelente—. Puedo prescindir de una cama blanda. No soy de mantequilla, ya lo saben.

—Oh, milord, Archie le dio la habitación al chico por mi culpa —se apresuró a explicar la señora Findley—, pero es que el pobrecillo parecía tan cansado.

La mujer dudó, y finalmente se decidió mientras se frotaba las manos algo nerviosa.

—Eh, estoy segura de que no es ni muchísimo menos algo a lo que esté usted acostumbrado, pero... ¿le importaría mucho compartir la habitación?

—¡Madge! Por supuesto que lord Jack no va a compartir una cama en nuestra posada.

No era un plan que a Jack le encantara, la verdad, pero ya lo había hecho en muchas ocasiones durante sus viajes y parecía que era la única solución factible para impedir que al pobre chico le despertaran de repente y le empujaran escaleras abajo.

—¡Es una solución excelente! Nos apañaremos bien.

La señora Findley por poco se desmaya de alivio.

—Bueno, es delgado y ligero como un susurro, milord. No creo que ocupe mucho sitio, la verdad.

Para ser sinceros, a la hora de compartir cama el tamaño del individuo era mucho menos importante que sus hábitos. Algunos hombres de lo más delgado habían resultado unos compañeros de cama insufribles, ya fuera porque se ponían a dar vueltas como derviches o bien porque roncaban tan estruendosamente que hacían temblar las vigas. Una vez terminó con un ojo morado tras compartir cama con un predicador pequeño y solo aparentemente débil.

Vaya por Dios. La señora Findley volvía a mirarle esperanzada. ¿De qué se trataría ahora?

—El chico parece demasiado joven para viajar solo, milord. Si mañana finalmente sale para Londres, ¿sería tan amable de cuidar de él hasta que llegue a casa de su hermano?

Maravilloso. No solo iba a tener un compañero de cama que probablemente gruñiría, se retorcería y le clavaría en la espalda los codos y las rodillas, seguramente afiladas, durante toda la noche. Además, tendría que cargar con el chico todo el camino.

—Estaré encantado de hacerlo, señora.

Y la verdad es que así sería, una vez que hubiera descansado algo. De ninguna manera quería que otro paleto anduviera vagabundeando solo por Londres. Mejor hacerse cargo de él ahora que intentar rescatarlo más adelante. Hurgó en el plato con el tenedor para no desperdiciar ni el último resto de tarta de manzana, se limpió la boca con la servilleta y se levantó.

—Entonces, ¿subo ya?

—Necesito más cerveza, señor Findley —dijo Bess desde el umbral de la puerta.

—Tengo un barril preparado para ti, Bess. Madge, acompaña a lord Jack arriba.

—No es necesario —contestó Jack—. Conozco el camino.

—Pero milord...

—No, señora Findley, insisto. Aquí la necesitan.

Jack se fue antes de que la mujer pudiera discutir más.

Cuando llegó a la habitación, abrió la puerta sin hacer ruido y protegió la vela para no despertar al chico. Dormía en su lado y las sábanas y la colcha se le habían deslizado hasta la cintura. ¡Dios mío, estaba completamente vestido! Bueno, no llevaba el abrigo, pero sí la camisa, el chaleco y los bombachos. Esperaba que al menos se hubiera quitado las botas. Ah, menos mal, ahí estaban, a los pies de la cama.

Sobre la cara le caían rizos rojizos, y algunas pecas le salpicaban la nariz. Sí que parecía muy joven. La luz era demasiado débil como para asegurarlo, pero Jack hubiera jurado que su rostro no tenía ni la más mínima pelusilla.

La verdad era que, probablemente para su desgracia, tenía un aspecto muy afeminado. Ojalá fuera un buen luchador, porque los chicos guapos como él generalmente recibían palizas en la escuela. O algo peor. Jack arrugó la frente.

Dejó la vela en el suelo y se quitó el pañuelo, la camisa, los zapatos y los calcetines. No dormiría con la ropa puesta. Se llevó las manos a los calzoncillos y se detuvo, mirando otra vez al chico. Se los dejó puestos.

Suspiró y apagó la vela con un soplo. Todo indicaba que, definitivamente, tendría compañía en su viaje. A no ser que el aspecto del muchacho resultase bastante más imponente cuando estuviera despierto, lo que no parecía probable después de lo que le había contado Findley, no duraría en la ciudad ni cinco minutos a salvo si se paseaba por allí sin compañía.

Capítulo 2

A veces tu cuerpo habla un lenguaje
que ni tú misma entiendes.
—de las *Notas de Venus*, duquesa de Greycliffe.

Frances estaba soñando. Yacía sobre un prado de hierba suave y mullida, escuchando el borboteo de un arroyo. La verdad es que era más parecido a un torrente que a un arroyo, y el ruido demasiado fuerte como para tratarse de un sueño. Además, el sonido se detuvo de repente y el suelo se movió...

No, era el colchón el que se movía. ¡Oh, Dios!, ya se acordaba. Estaba en la posada Crowing Cock. Seguramente los Findley se habían apiadado de otro pobre viajero y le habían permitido compartir la habitación. Aquel sonido solo podía ser el de un hombre utilizando un orinal.

Abrió un ojo con enormes precauciones. La luz del sol se filtraba entre las cortinas. Dios bendito, ya era de día.

Su corazón latía con fuerza contra su pecho. Muchas veces se había acostado completamente exhausta, pero nunca hasta ahora había dormido como un niño, de esa manera, sin enterarse de nada. ¿Habría adivinado el hombre que era una mujer? Y si lo había hecho, ¡Santo Dios!

Tranquilidad. Mentalmente hizo un balance rápido. Toda su ropa parecía estar en su sitio, no había ninguna diferencia respecto a lo que llevaba puesto cuando se acostó. Y lo más seguro es que la hubiera habido si el hombre hubiera hecho... algo.

Los hombres solían ser entrometidos, dominantes y zafios, pero la mayor parte de ellos no eran peligrosos. Y además, los Findley no meterían a un canalla violento en su mejor habitación.

Abrió el otro ojo y se movió muy despacio para poder ver a su compañero.

¡Madre mía, estaba desnudo!

Inmediatamente apretó los párpados hasta casi hacerse daño, pero le sirvió de poco. La imagen de ese cuerpo alto, delgado y poderoso, de potentes espaldas y hombros anchos quedó impresa en su retina como si hubiera estado mirando un buen rato la llama de una vela.

Por lo menos, no estaba completamente desnudo. Unos calzoncillos de franela cubrían sus estrechas caderas.

—No tengas miedo, chico. No voy a hacerte daño.

La voz era dulce y el tono suave, como el que se usaría para tranquilizar a un caballo asustado y a punto de salir disparado.

Le hubiera gustado echar a correr, pero él, de pie entre la puerta y la cama, le cerraba el paso. Por lo menos tenía una voz agradable y educada, y todavía no había descubierto que era una mujer.

—Te estás comportando como una tortuga asustada, ¿no te parece? —dijo sonriendo—. Puedes esconder la cabeza dentro del caparazón, pero te sigo viendo de todas formas.

Por supuesto, tenía toda la razón.

Abrió los ojos.

Error. Todavía estaba prácticamente desnudo y, para colmo, ahora lo tenía de frente. Nunca había visto a un hombre casi desnudo. Los músculos daban forma a sus brazos y una mata de pelo marrón brotaba de su pecho y se estrechaba hasta formar casi una delgada línea que bajaba a lo largo de su estómago plano hasta...

A toda prisa, levantó la mirada hacia la cara del hombre. Dios mío, al considerar guapo al señor Littleton se había equivocado de medio a medio. Littleton era simplemente agradable, de una forma que podría calificar de débil, comparable a un gato casero y mimado. Esto era un tigre.

Estudió su rostro. Ojos color de avellana, enmarcados por una pestañas quizá demasiado largas.

Desvió la mirada hacia la colcha. Sus hermosos ojos eran demasiado directos e inquisitivos y se sentía incómoda. Si no tenía mucho, pero mucho cuidado, descubriría su secreto.

—No quiero hacerte ningún daño, de verdad.

¡Ja! Seguro que eso es lo que le dice el tigre a su presa. ¿Por cierto, qué comen los tigres? Me juego algo a que lo que se les antoja.

¿Por qué demonios no se vestía? Vaya, finalmente echó mano de los pantalones. Con un ligerísimo movimiento de cabeza, pudo observar como introducía sus musculosas piernas en las perneras.

Pero bueno, ¿qué le estaba pasando? Solo era un hombre, es decir, una especie que nunca le había atraído especialmente y que, con su última experiencia, había jurado evitar por completo.

Y, encima, un hombre casi desnudo.

Tal vez ese era el problema. Seguro que se había puesto en funcionamiento algún tipo de magnetismo puramente animal. Puede que fuera eso lo que explicaba por qué muchas mujeres supuestamente inteligentes entregaban sus vidas con gusto a los hombres. Si había suerte, se vestiría rápido y se iría enseguida.

Se sentó en la cama, e inmediatamente se sintió algo más segura en esa postura.

—Los Findley creen que eres demasiado joven para ir a Londres por tu cuenta —dijo él.

—No, no lo soy —respondió Frances.

Desde luego, sería imposible ir a ninguna parte si Daisy estaba coja. La verdad es que todo el maldito asunto iba de desastre en desastre.

—Quieren que me asegure de que llegas sin problemas y a salvo a casa de tu hermano —dijo él, levantando una ceja pero sin replicar a su negativa anterior.

—¿Cómo? —gritó, y acto seguido se arrepintió. ¡Maldita sea! Había gritado como una cría.

—Eres muy joven, ¿verdad? —dijo, y se limitó a sonreír comprensivamente —¿Cuántos años tienes? ¿Trece? ¿Doce?

—No puedo viajar con usted, señor. Ni siquiera sé cómo se llama —dijo, dejando claro que esa posibilidad estaba fuera de toda discusión.

—Bueno, eso tiene fácil arreglo —replicó él acercándose un poco. Su pecho estaba a solo unos centímetros de ella. Se preguntó si el vello que lo cubría sería suave o duro. Parecía suave...

¿Dónde demonios estaba su camisa?

—Soy Jack Valentine —dijo extendiendo la mano abierta.

¡Dios mío, el famoso libertino!

La verdad es que no debería sorprenderse. Ese hombre exudaba seducción en lugar de sudor, a diferencia de la mayoría de personas. Seguro que con solo rascarse el trasero las mujeres caían a sus pies embelesadas. De hecho, tenía un magnífico trasero...¡Pero bueno, de ninguna manera podía permitirse pensar en ninguna parte de la anatomía de ese individuo y menos en aquella!

—Solo es una mano, chico —dijo, utilizando otra vez aquel tono suave y casi dulce, un tono que hacía que se derritiera por dentro—. Estréchala. No voy a hacerte daño, te lo prometo.

Creyó a pies juntillas que no le haría daño cualquier táctica de seducción que pusiera en práctica. Sin duda era capaz de conseguir que las patronas del club Almack hicieran lo que él quisiera sin rechistar.

—Frances Haddon —dijo por fin, extendiendo la mano hacia él para estrechársela.

Se la estrechó con firmeza, y el apretón fue cálido, seco y fuerte, tanto que logró relajarla. Notó un cosquilleo en la palma. Era la primera vez que tocaba la mano no enguantada de un hombre.

—¿Cómo llegó a Crowing Cock, señor Haddon? —preguntó Jack.

¿Por qué no se ponía la condenada camisa?

—Cabalgando, señor —contestó con toda la seguridad que pudo.

—¿Un largo camino?

—Pues... sí señor —asintió Frances dubitativa.

No estaba dispuesta a decirle de dónde venía. De vez en cuando leía las columnas de cotilleos y, si no recordaba mal, conocía a su primo. En todo caso, lord Trent no la habría mencionado en absoluto y hasta era posible que ni siquiera supiera de su existencia. Sus abuelos habían cortado todos los vínculos con su madre cuando esta huyó con Benedict Hadley.

Por fin él se apartó para ponerse la camisa. Gracias a Dios. Frances dejó escapar un profundo suspiro. ¡Vaya! ¿La habría oído?

No dio ninguna muestra de haberlo hecho aunque en ese momento no podía verle la cara. Hasta su estómago parecía cincelado por el mejor escultor.

—Yo he venido en un carruaje —dijo mientras asomaba la cabeza por el cuello de la camisa y señalaba la ventana— pero podemos atar tu caballo atrás y llegar a Londres hoy mismo. Ha salido el sol, así que las carreteras ya estarán transitables.

Se puso el pañuelo alrededor del cuello de la camisa y levantó una ceja.

—Por supuesto, siempre y cuando en algún momento decidas salir de la cama.

—Solo necesito lavarme un poco la cara —dijo pensando que lo que de verdad necesitaba era un baño espumoso, relajado, sin prisas.

Después de la horrible cabalgada de ayer sentía dolor en todos sus músculos, incluso en aquellos que ni siquiera sospechaba que tuviera, y sobre todo en la zona de la entrepierna. Ese pensamiento hizo que se sonrojara. Pero no podía permitirse ninguna debilidad. Saltó de la cama fingiendo mucha energía.

Él la miraba mientras se anudaba el pañuelo. Por favor, Dios mío, que funcionase el disfraz. Para algo tenía que servir al fin su figura estrecha y anodina.

—¿No quieres cambiarte? —preguntó Jack.

Pues claro que quería, pero era imposible hacerlo con él en la habitación, incluso si hubiera tenido ropa para hacerlo, cosa que obviamente no tenía.

—No he traído ninguna otra ropa —explicó.

Estaba demasiado furiosa como para pensar en hacer el equipaje cuando se fue de Landsford. Siempre había sido una persona tranquila, fría y racional. Nunca había perdido los estribos como le ocurrió ayer, y nunca volvería a ocurrirle. ¡Mira a dónde le había conducido su arrebato! A un dormitorio, ¡y a una cama!, con el mayor calavera de todo Londres. Su estómago se estremeció de puro enfado consigo misma.

Y en ese momento lord Jack se echó a reír. ¡Oh! Su estómago sintió un escalofrío, muy distinto al anterior. Tenía una risa cálida y seductora. ¡Seductora! Por supuesto.

—Creo recordar —dijo el rastrero vividor —que los muchachos jóvenes suelen preocuparse bastante por su aspecto, lo que confirma mi idea de que eres muy joven, mugriento amigo. Los chicos mayores suelen tener más interés en el agua y el jabón. No obstante, me temo que no puedo dejarme ver abajo con un muchacho de aspecto tan poco respetable.

Se acercó a ella, que reaccionó de forma instintiva dando un salto hacia atrás. Para su desgracia, se había olvidado de que, la noche anterior, dejó las botas a los pies de la cama: tropezó con ellas y cayó al suelo de espaldas, sobre su ya dolorido trasero. Para completar el cuadro estalló en lágrimas, de modo que la situación pasó de un simple desastre a convertirse en la pesadilla más absoluta.

Se sacudió la cara con las manos y luchó denodadamente por recuperar el autocontrol, pero el daño ya estaba hecho. Ahora él se daría cuenta con toda seguridad de que era una mujer. Y habían pasado la noche en la misma cama, y todavía estaban solos, y él era el rey de los depravados... Necesitaba recomponerse de inmediato, lo necesitaba desesperadamente.

—No llores, chico —dijo Jack mientras le daba un ligero toque en el hombro.

—No estoy llorando —balbuceó Frances con la cara entre las manos.

Se dio cuenta de que, además, se estaba comportando como una absoluta imbécil. Por supuesto que estaba llorando. Pero iba a parar ahora mismo. Ya estaba parando.

—Ya sé que no estás llorando —susurró de una manera sorprendentemente reconfortante, al tiempo que se agachaba para poner la cara a su misma altura—. No tienes por qué llorar. Conmigo estás a salvo.

¡Ja! Todo estaba perdido. Era estupendo el hecho de no haber tenido nunca la intención de casarse. De hecho, Littleton solo había sido una especie de aberración momentánea. Pero ahora se preguntaba si podría salir de esa habitación de una pieza y sin daños.

Lord Jack le estaba acariciando el hombro. Trató de liberarse, pero entonces la agarró del otro hombro y la sacudió un poco.

—Francis —le dijo—, juro por mi honor que estás a salvo. —Tras una leve pausa, continuó—. ¿Acaso te ha hecho daño alguno de los chicos de la escuela? ¿O el maestro? ¿Es esa la razón por la que huyes?

Sus ojos de color avellana brillaban, llenos de comprensión y calidez, mientras le acercaba un pañuelo.

—No debes sentirte avergonzado, ni tener miedo de que yo intente hacer contigo lo mismo.

¿De qué demonios estaba hablando? En todo caso, fuera lo que fuese, estaba claro que todavía pensaba que era un chico, y eso era lo único que le importaba ahora. Bueno, excepto que tampoco estaba dispuesta a aceptar una compasión que no había pedido.

—Estoy bien —musitó—. Lo único que pasa es que me caí de espaldas, y me he hecho mucho daño porque ya tenía el trasero dolorido.

Jack abrió unos ojos como platos, y de nuevo estalló en carcajadas. ¡Condenado! Aquella risa la afectó en lo más profundo. No había duda de por qué era un libertino con tanto éxito. Seguro que las mujeres caían a sus pies en cuanto la oían.

Salvo ella, por supuesto. Estaba hecha de un material austero y resistente. Pues sí, se había caído, pero por culpa de las malditas botas.

—Me duele mucho después de la cabalgada de ayer —dijo para evitar que pensara que era como un gatito timorato—. Normalmente no lloro.

—Por supuesto que no —dijo incorporándose y ofreciéndole la mano para ayudarla—. No estás acostumbrado a cabalgar durante todo un día, ¿verdad?

Asintió. Hizo un somero intento de levantarse por sí misma, pero estaba demasiado dolorida para lograrlo. Así que no tuvo más remedio que aceptar la mano, que aún esperaba pacientemente extendida, y dejarse ayudar para ponerse en pie. Tiró de ella como si fuera una pluma.

Era por lo menos quince centímetros más alto que ella, lo que hizo que se sintiera débil, vulnerable y, por supuesto, femenina. Pero no dependía de nadie, y mucho menos de este hombre.

Aunque probablemente estaba equivocada. Si Daisy no estaba bien, necesitaría que alguien la llevara a Londres. Maldición.

—No puedo ni imaginarme cómo has podido dormir con esa ropa —decía el muy sinvergüenza—, pero por lo menos arréglate un poco el pañuelo.

La primera vez que lo intentó apenas pudo conseguir un nudo más o menos adecuado, así que, ¿cómo demonios se las iba a apañar con lord Jack observándola? Seguramente fatal, pero de todos modos se acercó con valentía al espejo. El resultado fue un desastre total.

La expresión de lord Jack pasó rápidamente de la sorpresa a la consternación, después al regocijo y, al final, se mantuvo en una estudiada neutralidad. No pronunció una sola palabra, pero Frances sintió la necesidad de defenderse.

—Me pone usted nervioso.

—Sí, parece que muy nervioso —dijo el muy desgraciado, mientras a duras penas contenía la risa—. Te pido disculpas.

—Y el tejido tiene demasiada caída —explicó Frances.

—Ya lo creo que sí, no hay más que verlo. Cuando el tejido de un pañuelo está poco tieso resulta muy complicado hacer el nudo. Te prestaría uno mío, pero por desgracia solo tengo el que llevo puesto. Viajo con poco equipaje.

¿Y por qué demonios viajaba precisamente ese día y ayer por la noche? Seguro que se había marchado en mitad del baile de cumpleaños. Con toda probabilidad el asunto tendría que ver con algún escándalo.

Mejor no preguntar. De ninguna manera quería que la conversación derivara hacia sus propias razones para estar en la carretera.

—Déjame intentarlo —le dijo sonriendo de una forma agradablemente cómplice—, si es que no te importa que te eche una mano, por supuesto.

—Muy bien —concedió, convencida de que jamás sería capaz de hacerse por sí misma el nudo del pañuelo de una manera mínimamente presentable.

Lord Jack sonrió de nuevo, como si supiera que había aceptado su ayuda solo porque no tenía más remedio, y se acercó. Sus dedos, largos y hábiles, deshicieron el desastre previo y consiguieron elaborar con el lino un nudo capaz de conferir un aire de respetabilidad, aunque escaso dado el resto del atuendo.

Frances se mantuvo quieta y agarrotada. Su corazón había empezado a bombear rápido y sintió que perdía el aliento, atrapada entre su cuerpo y sus brazos, rodeada de su calor y su aroma, y con las manos a escasos centímetros de sus pechos. Debería sentirse molesta e impaciente, pero la verdad es que, para su disgusto, lo que estaba era excitada sin más.

Se maldijo a sí misma. ¡Estúpida! No quería nada con los hombres. No les haría ni caso, a ninguno, en cuanto lograra que Puddington le diera su dinero.

Y, de todos modos, esa explosión de sensaciones no era compartida. Lord Jack pensaba que era un chico.

—¿No aprecia mis esfuerzos, señor Haddon? —dijo Jack con retintín.

—¿Cómo dice? —preguntó Frances.

Su mirada voló hacia la imagen de Jack reflejada en el espejo. Una de sus cejas estaba ladeada, lo que le hacía parecer entre desconcertado y divertido. Volvió a dirigir la mirada al pañuelo. La verdad es que había obrado un auténtico milagro con el caído y desastrado lino.

—¡Ah! Por supuesto que sí. Ha quedado muy bien.

Jack dio un teatral suspiro de alivio y retrocedió.

—¡Qué alivio! Por la forma ceñuda de mirarme, estaba casi convencido de que me ibas a echar un rapapolvo. Y ahora ponte las botas y vamos a ver qué nos pueden ofrecer para desayunar. Tienes que estar hambriento, y debo admitir que yo también lo estoy.

—Sí... sí, vamos.

Frances agachó la cabeza y fue a recoger las botas que su hermano había desechado hacía años. Sentía un poco de frío ahora que lord Jack no estaba tan cerca de ella. Cuanto más pronto se alejara de ese hombre, mucho mejor. Al ponerse las botas hizo una mueca.

—¿Ocurre algo?

Maldición, estaba en todo. Menos mal que se libraría de él en pocas horas, o incluso antes si Daisy no estaba bien.

—Creo que tengo una ampolla de ayer —contestó—. Tuve que arrastrar el caballo por lo menos dos kilómetros.

—¿Quieres que le eche un vistazo al pie?

—¡No! No es nada, no se preocupe.

A Frances le horrorizó la posibilidad de que lord Jack le tocara el pie, tanto que sintió un estremecimiento a todo lo largo de la espalda. Él la miró arrugando el entrecejo.

—Las ampollas no son ninguna broma. Por suerte hoy no vas a tener que estar de pie ni andar en casi todo el día, pero prométeme que, si no la tienes mejor, le pedirás a tu hermano que le eche un vistazo cuando llegues a su casa en Londres.

—De acuerdo.

Tampoco tenía la menor intención de enseñarle el pie a Frederick, de ninguna manera. Incluso si la viera herida y sangrando, su hermano no se dignaría acompañarla al hospital.

Y, por cierto, se dio cuenta de que tenía un hambre canina.

—¿Había dicho usted algo acerca del desayuno?

Jack estudió con detenimiento la alta y delgada figura del chico mientras le seguía al bajar las escaleras, pensando que, con absoluta seguridad, estaba ocultando algo. Sus ropas eran de calidad, aunque bastante usadas, y las botas no eran de su talla. O bien sus pies habían crecido mucho y nadie se había preocupado de que le hicieran unas nuevas, o bien las botas eran de otra persona. Y, la verdad, parecía que el muchacho se había cortado el pelo él mismo, y a toda prisa. Era bueno para él que lo tuviera tan rizado, disimulaba más.

¿Cuál sería el secreto del muchacho? En un primer momento pensó que había sido sodomizado, cosa que, por desgracia, ocurría con cierta frecuencia cuando los chicos iban internos a la escuela, y sobre todo a los que tenían el aspecto de Francis. Pero cuando indagó sobre ello, igual que había hecho muchas otras veces con otros muchachos a los que había ayudado en Londres, le quedó claro que Francis no tenía la menor idea de lo que le insinuaba.

Quizá lo único que pasaba era que le tenía miedo, algo que no resultaba sorprendente en absoluto. Después de todo, se había despertado de un sueño muy profundo para encontrarse con un extraño, un hombre mucho mayor y más fuerte que él, metido en su misma cama.

Pero estaba seguro de que eso no era todo. Sí, por supuesto que Francis tenía miedo, pero apostaría cualquier cosa a que tenía menos miedo de él que de lo que pudiera descubrir. Lo que le llevaba de nuevo, como en un círculo vicioso, a la pregunta original: ¿Qué secreto estaba ocultando?

Bueno, lo averiguaría antes o después. Se había pasado años perfeccionando su habilidad para conseguir que los jóvenes más reacios le contaran al fin la verdad. El pobre Francis no tenía nada que hacer con él, así que lo llevaría con su hermano o bien de vuelta con su familia.

Frances le esperaba al final de las escaleras.

—No tengo mucha hambre, señor. Creo que es mejor que vaya a ver cómo está mi caballo —le dijo.

—Tonterías. Los jóvenes siempre tienen hambre —respondió Jack algo sorprendido.

¿Y ahora qué diantre pasaba? Francis estaba mucho más pálido que cuando salieron de la habitación.

—Bueno, pues yo no tengo hambre —dijo el chico tras echar una mirada furtiva a la taberna de la posada.

Estaba absolutamente atestada y el ruido era tremendo. Jack estudió la sala con mucha atención, buscando un sitio más o menos tranquilo… hasta que oyó un vozarrón estentóreo.

—¡Jack! ¡Ven aquí, tenemos dos sillas libres!

Maldición, ahí estaba otra vez Pettigrew, agitando los brazos como un poseso desde la misma mesa de la noche anterior. Y otra vez se pararon las conversaciones mientras todo el mundo se volvía a mirar a Jack y a Francis. ¿Por qué demonios tenía que ser Pettigrew tan ruidoso? Y, al parecer, esas dos sillas eran las únicas libres.

—Bueno, vamos para allá, señor Haddon —suspiró Jack

—No, señor, la verdad es que no... —balbuceó Frances.

—Todavía queda más de una hora de camino hasta Londres —dijo Jack agarrando con firmeza su brazo —y sé por experiencia propia que es insufrible viajar con chicos hambrientos. Gimotean, se quejan y llega un momento en que te gustaría ahogarlos metiéndoles su propio pañuelo hasta la garganta.

En condiciones normales, Jack no habría presionado al muchacho, pero sabía que Francis no había probado bocado desde la noche anterior, y además él también tenía hambre. Quería desayunar y bajo ningún concepto permitiría que el chico se le escapara estando bajo su custodia.

Por fortuna, la señora Findley salió de la cocina en ese mismo momento.

—Buenos días, señor. Espero que haya dormido bien.

—He dormido perfectamente, gracias. Y, como puede ver, el joven señor Haddon no me ha asesinado; de hecho, ni siquiera me ha robado la cartera.

El joven señor Haddon lo miró con furia mal reprimida.

—Espero que no le haya molestado —dijo la señora Findley arrugando un poco el entrecejo.

—Por supuesto que no. La verdad es que apenas ronca.

—Yo no ronco en absoluto —protestó Francis, intentando liberar el brazo del control de Jack.

—¿Y eso cómo lo sabes? Son mis oídos los que lo han sufrido, no los tuyos.

Jack observó como el chico estuvo a punto de continuar la discusión, aunque se mordió la lengua en el último momento.

—Compórtese con lord Jack, señor Haddon —dijo la señora Findley—. Es muy amable al acompañarle a Londres.

—Sí, señora —dijo Frances con cortesía, aunque sus dientes se apretaron aún más y la rigidez de su cuerpo se acentuó.

La señora Findley asintió satisfecha y se volvió a mirar a Jack.

—Pero ¿por qué está usted aquí de pie, señor? ¿Acaso no puede encontrar un sitio? —dijo mirando a la sala— ¡Vaya! Está un poco abarrotada, ¿no?

—No se preocupe —contestó Jack—. En la mesa de Pettigrew hay dos sillas libres. Estaba intentando convencer al señor Haddon de que me acompañara.

—No tengo hambre —dijo Francis— y además tengo que ver qué tal está mi caballo.

—Tonterías —dijo la señora Findley con voz severa, que con toda seguridad había perfeccionado tras años de práctica con sus hijos—. Si ahora no tiene hambre, pronto la tendrá, jovencito. Vaya y siéntese. Su caballo no irá a ninguna parte sin usted.

—Pero... —intentó replicar Francis.

—¡Vamos! —espetó la señora Findley, como si fuera a llevar al chico de la oreja—. Voy a preparar un estupendo plato de gachas, un par de huevos con jamón y varias tostadas.

El muchacho pretendía seguir discutiendo, pero se dio cuenta de que iba a ser inútil. La señora Findley no le dejaría marchar sin haber desayunado.

—De acuerdo —dijo de forma un tanto arisca—, pero que conste que no tengo hambre.

—Bueno, pero yo sí, y mucha —dijo Jack con una sonrisa para la señora Findley—. Gracias por salvarme de morir de inanición, señora. Vamos, Francis.

Francis lo acompañó a regañadientes.

—Ya nos estábamos preguntando qué demonios te pasaba —voceó Pettigrew cuando Jack llegó por fin a la mesa—. Ya veo que ser hijo de un duque ha vuelto a surtir efecto.

Miró al chico y frunció el entrecejo.

—¿Quién es el muchacho?

—Me gustaría presentaros al señor Francis Haddon. Señor Haddon, le presento a los señores Oliver Pettigrew y Ralph Dantley.

Mal asunto. Los ojos de Pettigrew primero se abrieron un poco más de lo normal y después se entrecerraron.

—Encantado de conocerles —farfulló Francis mientras ejecutaba una torpe y breve inclinación antes de dejarse caer de golpe en la silla.

Pettigrew miraba a Francis de hito en hito y sin ningún recato, mientras que Francis se concentraba en estudiar los muchos arañazos de la mesa.

—¿Vosotros dos os conocéis? —preguntó Jack, algo escamado.

—No.

—Nunca he visto al... chico —dijo Pettigrew, hablando al mismo tiempo que Francis.

Y ahora, ¿por qué demonios había hecho Pettigrew esa pausa al contestar? Había sido casi imperceptible, pero por la preocupación con que Francis miró a Pettigrew, advirtió que él también se había dado cuenta.

—¿Dónde lo has encontrado? —preguntó Dantley.

—Ya estaba en la habitación que me dio anoche la señora Findley.

—¡Ah! Así que vosotros dos habéis compartido cama —concluyó Pettigrew con su habitual sonrisa lasciva.

Por todos los diablos. ¿Sería posible que Pettigrew pensara que se había tomado ciertas libertades con el muchacho? En todo caso, tenía mucha práctica a la hora de lidiar con individuos mucho más peligrosos y ofensivos que Ollie Pettigrew. Su voz, al contestar, sonó dura y desafiante.

—Sí, claro. ¿Tienes alguna objeción?

—No, por supuesto que no —dijo el hombre poniéndose un poco pálido y bajando la mirada para concentrarla en sus manos.

—¿Y cómo te las apañaste para conseguir un mullido colchón de plumas mientras que Pettigrew y yo hemos tenido que pasar toda la maldita noche sufriendo en estas horribles sillas, chico? —preguntó Dantley— ¿También eres hijo de un duque?

—No —contestó el joven sonrojándose—. Imagino que a la señora Findley le dio pena de mí.

—Bueno, ya hubiera preferido que se apiadara de mí —gruñó Dantley removiéndose incómodo en la silla—. Creo que jamás voy a recuperar la sensibilidad en el maldito trasero.

Pettigrew rió entre dientes, recuperando su habitual socarronería.

—Eso es porque tienes alambres en vez de piernas.

—Bueno, también es cierto que tu culo es más grande que la mayoría de las camas, Ollie.

—Vigila tu lenguaje y compórtate, Ralph Dantley —dijo la señora Findley al poner sobre la mesa el café y el desayuno para Francis y Jack—. No des mal ejemplo al señor Haddon. Por si no te acuerdas, conozco a tu madre.

—Sí, señora Findley —susurró Dantley, rojo como un tomate.

Cuando la señora Findley se alejó de la mesa, Dantley miró con intensidad a Francis.

—Juraría que me resultas familiar, muchacho... ¿Dices que te llamas Haddon?

Francis palideció y asintió con la cabeza. ¿Qué demonios pasaba ahora?

—¿A ti no te suena su cara, Ollie? Insisto, juraría que le hemos visto en alguna parte.

—¿Y dónde podríamos haberle visto, Ralph? —preguntó Pettigrew.

Aunque aquella odiosa y malévola expresión había vuelto a su rostro. Definitivamente, el hombre estaba ocultando algo.

—No pretenderás hacernos creer que pasas parte de tu tiempo con colegiales —dijo, e hizo una pausa significativa—. ¿Qué edad tienes, chico?

—Voy... voy para dieciséis —contestó él, muy concentrado en su plato.

—O sea, que ya debes de tener unos cuantos pelos en la barba —dijo Pettigrew burlonamente.

—Pues no tiene ni uno, Ollie —dijo Dantley tras observar sus mejillas con los cristales de sus impertinentes.

Las orejas del chico se pusieron de color rojo encendido. Su expresión era una mezcla de enfado, vergüenza y nerviosismo. Y apenas había tocado la comida.

—Francis, termínate el desayuno —dijo Jack con tranquilidad— y nos pondremos en marcha enseguida.

Francis tomó una tostada y la mordisqueó sin ganas.

—¿Así que lo llevas contigo?

Maldición. Pettigrew seguía barruntando algo. A Jack le hubiera gustado llamarle bocazas y ponerle en su sitio, pero Francis prácticamente temblaba de pura tensión.

—Sí. La señora Findley me pidió que le acompañara a Londres y que me asegurara de que llegaba sano y salvo a casa de su hermano.

—¡Eso es! ¡Seguro que conozco a su hermano! ¿Cómo se llama? —exclamó Dantley chasqueando los dedos.

Francis empezó a toser violentamente, como si se hubiera atragantado con un trozo de tostada. Jack le golpeó en la espalda y se ganó una mirada furibunda. El chico bebió un trago de café y se aclaró la garganta.

—Fre... Frederick —respondió.

—Frederick —repitió Dantley meneando la cabeza— Frederick Haddon... No, no conozco a ningún Frederick Haddon, pero sí a un Frederick Hadley.

Aunque resultaba difícil, Francis se puso todavía más pálido. Jack apoyó la mano en su hombro con firmeza. El hecho de que el chico no hiciera nada por apartarla le dio la medida de su preocupación.

—Es cierto —dijo Pettigrew sonriendo arteramente—, yo también le conozco. Y ahora que lo mencionas, sí que se parecen. Este chico tiene el mismo pelo rizado.

—Un montón de hombres tienen el pelo rizado —dijo Jack.

Demonios, la cara de Francis estaba casi verde. ¿Acaso iba a desaprovechar el escaso desayuno que se había tomado?

—Sí, claro, tienes razón. Debe de tratarse de una coincidencia —dijo Pettigrew sonriendo mientras miraba a Francis—. Estoy seguro de que Frederick Hadley tiene solo una hermana, una gemela, si no recuerdo mal.

Capítulo 3

Las sorpresas acechan en cada esquina.
—de las *Notas de Venus*,
duquesa de Greycliffe.

¡Pettigrew lo sabe! Frances estaba sentada en el carruaje de lord Jack mientras avanzaba tranquilamente por la carretera de Londres. Había salido el sol, el hielo se había fundido y se sentía cómoda y calentita, arropada por una gruesa manta de viaje.

Salvo por el frío que surgía de sus entrañas.

Apretó los puños. Así que Pettigrew lo sabía, o quizá solo lo sospechara. No podía estar segura. ¿Quién se iba a imaginar que la señorita Frances Hadley de Landsford se había disfrazado de hombre? Cualquiera.

Demonios, había oído los malditos cotilleos. No estaba sorda, aunque parecía que mucha gente lo pensaba. Durante muchos años la gente había cotilleado acerca de sus modales de hombre y de que seguramente los pantalones le sentarían mejor que las faldas. Pero todo era envidia. Era más inteligente y más capaz que todos los hombres del lugar y el hecho de que no lo ocultara molestaba a todo el mundo.

Y, por supuesto, la tía Viola la había visto salir vestida con la ropa de Frederick. Naturalmente que a Viola jamás se le ocurriría cotillear con los pueblerinos, pero había gritado con tal fuerza que Jeremy, el lacayo, y Anna, su sirvienta, acudieron a toda prisa, y también presenciaron su huida. Y esos dos sí que eran aficionados al cotilleo.

—¿Estás seguro de que no conoces al señor Pettigrew, Francis?

Pegó un brinco. Por Dios, ¿se habría dado cuenta lord Jack? Era condenadamente observador.

Le miró. Por supuesto que se había dado cuenta. La estaba estudiando como si fuera un montón de piezas de un rompecabezas y no tuviera otra cosa que hacer que resolverlo.

—Quizá debería prestarle algo más de atención a la carretera, milord.

Sus ojos se estrecharon hasta casi formar una línea, e inmediatamente sonrió.

—Gracias por el consejo, señor Haddon.

Maldición, su estómago sufrió un pequeño estremecimiento. Tenía un hoyuelo, por el amor de Dios.

—Solo lo digo porque no me gustaría acabar en la cuneta —contestó.

No parecía que, en ese momento, hubiera el más mínimo peligro de que sucediera algo así, pero le había llegado el rumor de que, uno o dos meses antes, lord Jack había estrellado su carruaje mientras corría por el hielo. Verse envuelta en un accidente sería el colmo. Un médico descubriría de inmediato sus pechos vendados.

—Haré todo lo que pueda para que no nos salgamos de la carretera.

—Se lo agradezco —contestó, y volvió a observar el paisaje que desfilaba ante sus ojos.

En realidad miraba el paisaje, pero sin concentrarse en él. Su atención estaba centrada por completo en el hombre que estaba sentado junto a ella.

No vestía como un calavera, o al menos como ella pensaba que vestiría un individuo así. Antes al contrario, el amplio y confortable abrigo, los guantes de conducir, la bufanda y el sombrero de piel de conejo eran ropa de lo más normal, aunque de gran calidad. Y, por supuesto, era tan extraordinariamente guapo que aunque llevara harapos, o nada en absoluto, seguiría resultando pecaminosamente atractivo.

Sobre todo si no llevara nada, o casi nada, como bien sabía desde que lo vio por primera vez y de esa guisa en la mejor habitación de los Findley.

Se removió inquieta en el asiento del carruaje. ¿Pero qué diantre le estaba pasando? Nunca antes había prestado tanta atención a la apariencia de un hombre. Pues claro que lord Jack era atractivo. Era un vividor. Si tuviera la apariencia de un sapo su capacidad de seducción sería nula.

No iba a caer bajo su hechizo de la misma manera que todas las demás mujeres, no era tan estúpida.

—No has contestado a mi pregunta.

—¿Qué pregunta?

Maldición. Tenía que mantenerse alerta y concentrada. Un paso en falso y el hombre caería sobre ella... como un tigre.

Y, por supuesto, bajo ningún concepto debía sentir ni la más mínima excitación al pensar en esa posibilidad.

Se estaba volviendo loca. Cuanto antes se librara de la presencia de este libertino, mejor para ella.

—Estás resultando ser bastante insolente, muchacho —dijo lord Jack de forma algo acerada—. En fin, vamos con ello, y esta vez por lo derecho. ¿Dónde conociste al señor Pettigrew?

Si pensaba que iba a asustarla, se equivocaba de medio a medio. Lo más seguro es que estuviera acostumbrado a utilizar su atractivo personal o el rango de nobleza de su padre para intimidar a la gente, pero ella estaba hecha de una pasta más resistente.

—Ya oyó usted al señor Pettigrew. Dijo que nunca me había visto, y yo nunca le he visto.

Lo que, en realidad, era del todo cierto. Cuando el señor Pettigrew estaba en la tienda del señor Turner, ella se encontraba completamente tapada por la caja de velas.

—Francis, vas a descubrir que no tolero que me mientan —insistió Jack, y su voz era cortante como el filo de una cuchilla.

—¡No... no estoy mintiendo! —dijo Frances, maldiciendo para sí por el temblor de su voz. ¡Pero, en sentido estricto, no estaba mintiendo!

Apretó las manos y dio un sonoro suspiro. Estaba dejándose amedrentar por él. ¡Estúpida! No era una mujer tímida, dependiente y débil. Había gestionado Landsford durante los últimos diez años. Podía enfrentarse sin dificultades a un lord libertino.

—Tal vez, pero tampoco estás diciendo toda la verdad. Vamos, sincérate de una vez. Quiero saber exactamente cuál es tu relación con Pettigrew.

¡Qué hombre tan descarado! No tenía ninguna autoridad sobre ella.

—No tengo ninguna relación con él. Como ya le he dicho, no le conozco. Me gustaría que usted... —empezó a decir, pero se mordió la lengua.

Sí, se había manejado bien en Landsford, pero ahora simulaba ser un jovencito, así que no debía mostrarse tan desafiante.

Se produjo un silencio incómodo, tan solo roto por el sonido de los cascos de los caballos avanzando con firmeza por la carretera.

—Lo voy a averiguar, Francis —dijo al fin lord Jack—. Puedes estar seguro de que lo voy a hacer. Y cuando eso ocurra, no te va a ir nada bien.

¡Cómo se atrevía a hablar de mentiras!

—Usted dijo que no me haría daño.

—Pero no dije que fuera a dejar que me trataras como un trapo. Sospecho que tu tía te ha consentido demasiado.

—¡De ninguna manera!

¿Consentirla la tía Viola? Si él supiera... Viola siempre había sido dura y exigente. Insistía en que Frances lo hiciera todo perfecto. Frances había tenido que aprender tanta lengua y tantas matemáticas como Frederick, de hecho más que Frederick, aunque la verdad es que tampoco había sido tan difícil. Frederick jamás puso interés en los estudios. Pero hasta cuando el tutor la felicitaba, la tía Viola se las apañaba para encontrar algo que mejorar.

La verdad es que esa exigencia le había venido muy bien. Y al menos Viola no la había obligado a perder el tiempo con habilidades propias de mujeres, como el baile o la costura.

Aparentemente, lord Jack había decidido no seguir insistiendo en la relación con Pettigrew, al menos por el momento.

—¿Enviará tu hermano a alguien para que recoja el caballo?

—Sí —contestó Frances.

En eso sí que mentía. A Frederick ni se le ocurriría gastar un minuto de su tiempo en hacer algo que la concernía solo a ella. Ya recogería a Daisy cuando regresara a Landsford.

La pobre Daisy estaba bastante coja. Tuvo que dejarla atrás, en Crowing Cock, pero a la yegua no pareció importarle. Se quedó en un establo cómodo y acogedor, en lugar de tener que cabalgar otra vez por las carreteras. Y el señor Watkins, el mozo de cuadra, parecía muy competente. Afirmó muy seguro que Daisy se recuperaría en poco tiempo.

—¿Cuánto tiempo te vas a quedar en Londres? —volvió a preguntar Jack.

—No demasiado —contestó Frances, tan escuetamente como siempre.

Un día, dos como máximo. Una vez que se pusiera en contacto con Puddington y consiguiera su dinero volvería a ponerse en camino, aunque no le iba a contar nada de eso a lord Jack. Cuanto menos supiera sobre ella y sobre sus planes, mucho mejor.

Por fin notó que él volvía a concentrarse por completo en los caballos, gracias a Dios. Si había suerte, a lo mejor no le dirigía más la palabra en lo que quedaba de camino. Y, de todas formas, ¿por qué iba a querer hablar con ella? Pensaba que era un muchacho, un chico al que acompañaba para hacerle un favor a la señora Findley. No era más que un paquete que tenía que entregar.

Contempló los campos llenos de nieve. Los crujidos del carruaje, el tintineo del arnés, el firme sonido de los cascos de los caballos contribuyeron a relajarla. Cada vez se acercaban más a la ciudad,

—¿Sabe tu hermano que vas a su casa?

—Eh... —balbuceó Frances.

Se había quedado con la mente en blanco. Condenado individuo. Había esperado a lanzar el siguiente golpe justo en el momento en que tenía la guardia baja.

—No exactamente —acertó a decir por fin Frances.

—O sea, que no tiene ni idea —bufó él—. Seguro que ni sabes si tu hermano está en casa, ¿verdad?

Por supuesto que Frederick estaría en casa. ¿Dónde iba a estar si no?

Pero la intranquilidad empezó a corroerla. Dada la horrorosa suerte que había tenido en los últimos tiempos, igual se había marchado a los Mares del Sur, como su padre.

El carruaje iba más despacio. Las casas empezaban a abundar a ambos lados de la carretera, y la nieve que se amontonaba por aquí y por allá estaba ennegrecida por el hollín. Hasta el aire parecía más espeso, o tal vez era el sentimiento de culpabilidad, que no le permitía respirar profundamente.

Lord Jack evitó un enorme carro lleno de verduras con un hábil movimiento de las riendas.

—¿Dónde vive? —preguntó.

Si se lo decía, era muy probable que insistiera en ver a Frederick, y averiguaría que ella era una mujer disfrazada de chico. Pero ¿qué alternativa tenía? De hecho, las únicas direcciones que conocía eran la de Frederick y la de Puddington.

Tendría que ser hábil y puede que tal vez hasta rápida de piernas, para encontrarse con Frederick antes que lord Jack.

—Vive en una casa de huéspedes, en la calle Hart.

—¿En la calle Hart? —le preguntó asombrado —¿En Covent Garden?

—Sí. ¡Tenga cuidado con ese perro!

Jack maldijo y tiró fuerte de las riendas, pasando a centímetros del chucho.

—No puedo entender cómo ha conseguido la fama de buen conductor que tiene —dijo mientras el animal corría despavorido.

Ahora entendía por qué lord Jack había estrellado su carruaje. Esperaba que no ocurriera lo mismo yendo ella de pasajera.

El hombre le dirigió una mirada de enfado, pero no dijo una palabra. Por supuesto que no, pues ella tenía razón. Aunque reconoció que era una virtud no responder a lo obvio. La mayoría de los hombres insistirían en que el cielo era verde si una mujer dijera que era azul.

No obstante, tampoco iba a concederle demasiado reconocimiento, dado que no sabía que era una mujer.

—¿Me equivoco si pienso que nunca has visitado a tu hermano? —dijo cuando los caballos se calmaron. Parecía que estaba controlando su temperamento del mismo modo que había controlado las riendas hacía un momento.

—Pues no, no se equivoca. Es la primera vez que vengo a visitarle. ¿Por qué?

—Porque la calle Hart es estrecha y sucia, y está llena de tabernas, de burdeles y de todo tipo de antros de mala muerte. Si vas por tu cuenta, no durarás allí ni cinco minutos —le dijo al tiempo que le lanzaba una mirada muy punzante.

La verdad es que eso no casaba de ninguna manera con el tipo de sitio en el que viviría su formal y aburrido hermano.

—Debe de estar confundido.

—Y tú debes de ser tonto —dijo Jack, y sus mandíbulas se apretaron—. Es la primera vez que vienes a la ciudad, pero te crees que lo sabes todo sobre ella.

—Conozco a mi hermano —espetó Frances.

—Me temo que no muy bien —respondió aceradamente Jack.

La verdad es que no podía negar esa suposición.

—Londres no tiene nada que ver con el campo, señor Haddon. Aquí hay hombres, y también mujeres, que viven de explotar a jovencitos pueblerinos como tú. No tienen la más mínima conciencia. Son capaces de robarte el dinero, o de acabar con tu vida, o de ambas cosas, sin pararse siquiera a pensarlo —explicó muy seriamente traspasándola con la mirada—. Te vas a quedar a mi lado, quieto como si estuvieras pegado con cola al asiento, hasta que te haya puesto en manos de tu pariente.

El típico hombre inventándose pesadillas para intentar asustarla y así lograr que hiciera lo que él quisiera.

—No lo haré —espetó Frances.

—Pues entonces no te acercaré adonde vive tu hermano. Te llevaré a la mansión Greycliffe para que pase por allí a buscarte —replicó Jack tranquilamente.

—¡De ninguna manera! —explotó Frances.

Eso sí que sería un absoluto desastre. Si lord Jack le llevara a la pensión de Frederick todavía tendría alguna posibilidad de mantener la mascarada.

—Esto... la verdad... yo... creo que tiene razón —balbuceó con tono compungido.

La adulación casi siempre funcionaba. A los hombres les gusta sentirse superiores.

—Seguramente Frederick se enfadará conmigo si me presento de repente, sin avisar —dijo en tono algo lastimero y asustadizo—, pero se pondrá furioso si tiene que reorganizar sus planes para venir a recogerme y la verdad es que no me gusta mucho estar con él cuando se enfada.

Igual tenía cualidades para el teatro, porque las cejas de lord Jack se fruncieron, mostrando preocupación.

—¿Te suele pegar? —preguntó en un tono cortante como el acero.

—¡Por supuesto que no! —contestó rápido, pues no quería ni pensar que aquel hombre que recibiera a Frederick a puñetazos—. Pero me echará una bronca de aúpa.

—Y te la habrás ganado a pulso, de principio a fin —dijo, aunque su expresión ceñuda se relajó un poco.

Se introdujo en una calle muy estrecha, que enseguida desembocó en una amplia plaza.

—Esto es Covent Garden —anunció.

Los caballos empezaron a sortear grandes montones de nieve, sacos abandonados de patatas a medio pudrir y hojas de repollo por aquí y por allá.

—Hemos llegado en el momento adecuado. Por la mañana hay montones de gente comprando y vendiendo fruta, hortalizas y otros alimentos frescos. Pero por la noche... —dijo volviéndose a mirarla—, mejor será que no te cuente lo que se vende aquí por la noche, aunque a lo mejor te lo imaginas.

Observó el bonito pórtico que circundaba la plaza y el revoltijo de puestos que la inundaban. La plaza podía compararse con una señora elegante venida a menos, que hubiera permitido que los estragos del tiempo y los embates de la vida la echaran a perder sin oponer resistencia.

Ella sabía perfectamente cuál era la mercancía con la que se comerciaba por las noches en aquel lugar. Era el punto de encuentro preferido para los imbéciles y viciosos que iban en busca de prostitutas. De repente, pensó en su padre y en el propio lord Jack.

—Dejaré el carruaje en la taberna Nag's Head —dijo Jack al salir de la plaza— la calle Hart es demasiado estrecha para poder entrar por ella. ¿En qué número está la casa de huéspedes de tu hermano?

—En el treinta y cuatro.

—Esperemos que no esté muy lejos.

Jack detuvo el coche de caballos frente a la taberna y avisó a un chico que estaba de pie ante la puerta de entrada.

—Hola, Henry. Vigila mis caballos, si haces el favor.

El chico sonrió de oreja a oreja y se apresuró de buena gana.

—Eso está hecho, milord.

Jack se bajó del carruaje con un movimiento grácil. A Frances le costó bastante más.

Miró alrededor. ¿Sería capaz de escabullirse en ese momento y llegar corriendo adonde vivía Frederick? Seguro que no. La calle Hart iba tanto a la derecha como a la izquierda. No sabía en qué dirección correr y, después de la sorpresa inicial, con toda seguridad lord Jack la perseguiría, no tardaría en alcanzarla y la llevaría de vuelta agarrada de la oreja. Se sonrojó solo de pensarlo. Sería una vergüenza.

—Cuida bien de los caballos —le estaba diciendo Jack a Henry cuando Frances se unió a ellos— y si lo haces te habrás ganado un chelín.

—Pues claro, señor —dijo el chico ensanchando aún más la sonrisa—. Estas preciosidades estarán muy bien conmigo, no se preocupe.

—Espléndido. Vamos, Francis —dijo Jack volviéndose hacia ella—. No te alejes. Como te he dicho, esto no es el campo.

Desde luego que no lo era. Hubiera sacado el pañuelo del bolsillo para ponérselo en la nariz si no pensara que era un gesto demasiado afeminado. Lo que hizo fue intentar respirar por la boca, para evitar en lo posible el hedor. Gracias a Dios que hacía frío. No hubiera podido soportar tal pestilencia con el calor del verano. Se abrió camino entre verduras medio podridas, heces de caballo y una especie de lodo gelatinoso, de color entre pardo y verduzco, que no se atrevió ni siquiera a intentar adivinar de qué se trataba.

—¡Hola, caballeros! ¿Buscan diversión? —gritó una mujer mayor desde una puerta. Tenía la cara horriblemente pintarrajeada y el corpiño tan bajo que dejaba al aire sus ajados atributos femeninos.

¡Oh, Dios mío! ¿De verdad se había coloreado los pezones? Aparecían marchitos, pero rojos como la sangre. Debía de estar helada. ¿Por qué no se ponía un abrigo?

Pero claro, era obvio el porqué, aunque debía de estar loca si pensaba que el hecho de dejar al aire sus muy marchitos encantos podía encandilar a ningún hombre.

Jack se interpuso entre Frances y la mujer, con la intención de impedir que la viera.

—¡Belinda! ¿Qué estás haciendo aquí?

Cielos, ¿acaso este calavera se juntaba también con prostitutas pobres y ajadas como ella?

El estómago de Frances se revolvió. Corría el peligro de unirse a la suciedad de los alrededores, y en todos los sentidos. No podía imaginar que ningún hombre pudiera ser capaz de acudir a la llamada de una mujer como aquella. Seguramente lord Jack podía aspirar a algo muchísimo mejor. Pero ¿qué sabía ella? Igual a un depravado como él le valía cualquiera, con tal de que fuera una mujer.

—¡Lord Jack! No le había reconocido —dijo la mujer, con una exclamación a medias entre una blasfemia y un grito de susto.

—Será que no llevas las lentes. ¿Las has vuelto a perder? —preguntó Jack.

—Probablemente... —concedió la mujer.

Jack suspiró y movió la cabeza en un gesto que parecía de enfado.

—Te conseguiré otro par. Y ahora dime, ¿por qué no estás en el Golden Leg? —preguntó, añadiendo al enfado una nota de frustración en la voz—. Me prometiste que dejarías de hacer la calle después de que les convenciera para que te contrataran para limpiar las cocinas.

La verdad es que la conversación era bastante rara, si se tenía en cuenta que se producía entre un vividor y una prostituta. Aunque la verdad es que no era su problema. Ahora que sabía que iba en la dirección adecuada, podía escabullirse hacia la casa de huéspedes de Frederick, sobre todo si lord Jack estaba atendiendo otros asuntos.

Frances miró a su alrededor. Vaya, por una vez parecía tener un poco de suerte. El lugar se encontraba justo al otro lado de la calle, a tres o cuatro puertas. Era una oportunidad de oro. Se movió muy deprisa y sin hacer ruido.

—Este es un trabajo más sencillo, milord, y la paga es mejor —dijo Belinda encogiéndose de hombros.

—¿Y... ? —preguntó Jack. Conocía a Belinda. El cuento no se acababa ahí.

Ella miró hacia el Nag's Head como si fuera a salir volando en dirección a la taberna.

—Y me pillaron echándole una mano a un caballero en la posada, si quiere saberlo. Así que me pusieron de patitas en la calle.

Jack soltó un profundo suspiro. Sabía lo que significaba «echarle una mano» a los caballeros: la habían sorprendido realizando algún tipo de favor sexual.

—Maldición, Belinda, ya hemos hablado de esto. No puedes «echarles una mano» a los caballeros —dijo Jack, intentando mantener el control.

Debía tener en cuenta que la mujer no había tenido ni de lejos las ventajas de las que él había gozado gracias a su educación. No razonaba de la misma forma que él, ni ella ni nadie que hubiera crecido en Covent Garden. Si había la más mínima oportunidad de ganar un penique, o de robarlo, estos desgraciados la aprovechaban. Vivían el momento, porque no se podían permitir el lujo de pensar en el futuro. En realidad, muy pocos de ellos tenían futuro.

Respecto a los niños, solía tener más suerte con ellos, pero también volvían a hundirse muchas veces en la desesperación del crimen y de la pobreza.

Había muchos momentos en los que se planteaba muy seriamente darse por vencido y volver a convertirse en el irresponsable, insensible y negligente individuo que había sido hasta que se topó con su primer niño abandonado, poco después de que el hijo de Ned muriera al nacer.

—Te buscaré trabajo en un convento —dijo mirando a Belinda.

—En un convento no, por favor, milord —suplicó la mujer.

Una ráfaga de viento helado sacudió la estrecha calle e hizo que Belinda tiritara y se encogiera.

—¿Por qué no en una tienda de ropa? —dijo la mujer con cierta esperanza—. Me gustaría trabajar en una tienda de ropa. Soy buena con la aguja y el hilo, de verdad.

Una tienda de ropa. ¿Dónde demonios iba a encontrar una tienda de ropa que admitiera a un personaje como Belinda entre sus empleados? Bueno, probaría, merecía la pena. Al menos en ese tipo de establecimiento habría menos posibilidades de que se topara con hombres que buscaran sus otras habilidades.

—Está bien, veré lo que puedo hacer. ¿Dónde paras ahora?

—Aquí y allá —contestó Belinda bajando la cabeza.

Lo que significaba en la calle, ni más ni menos, un lugar muy peligroso, sobre todo ahora que alguien estaba rebanando el gaznate de bastantes mujeres. Jack sacó unas monedas de la cartera.

—Toma. Meg, la de la posada The Spotted Dog te alojará durante uno o dos días.

—Muchas gracias, milord —susurró guardándose el dinero bajo el corpiño, y después se quejó—. Si Mamá Wilton no fuera tan exigente...

—Belinda, no insistas en eso. Sabes que eres demasiado mayor para ese tipo de trabajo —dijo Jack con firmeza, aunque con un punto de paciencia.

—¡Y un jamón! Una mujer nunca es demasiado vieja para ofrecer cierto tipo de diversión —dijo riendo, y mostrando de paso unas encías de dientes amarillos, rotos o simplemente inexistentes—, y estaría encantada de demostrárselo a usted o al jovencito que le acompañaba.

—Que me acompañaba... —dijo Jack volviéndose a toda prisa.

Demonios. Francis no estaba allí. ¡No se habría escapado! Pero sí, eso había hecho precisamente. El maldito y desobediente chico estaba en el número treinta y cuatro, hablando con una mujer que, con toda probabilidad, era la patrona de la casa de huéspedes de su hermano.

La mujer alta, huesuda y de pelo blanco que finalmente abrió la puerta tras las insistentes y casi desesperadas llamadas de Frances se quedó mirándola ceñuda.

—¿Qué diablos quieres? —espetó malhumorada.

—Quiero ver a mi hermano, que vive aquí. Se llama Frederick Hadley —dijo Frances, muy decidida.

—Ya no vive aquí —contestó, mientras que su mirada iba adquiriendo un tinte de furia. De hecho, empezó a cerrar la puerta.

—¿Cómo dice? —dijo Frances sorprendida mientras sujetaba la puerta con todas sus fuerzas—. Pero estoy seguro de que esta es su dirección.

—Lo era. Se ha casado, y se mudó la semana pasada —indicó la mujer a regañadientes, al tiempo que intentaba cerrar la puerta de nuevo, pero Frances era más fuerte.

—¿Casado? —exclamó asombrada.

—Sí, casado. Y yo no alquilo habitaciones a individuos casados. Solo a solteros, y no están permitidas las visitas femeninas. Ya hay suficiente actividad sexual en esta calle como para permitir que también se produzca bajo mi propio techo. ¿Me dejas cerrar la puerta de una maldita vez?

—Tiene que estar equivocada —dijo Frances casi para sí. Esa mujer no podía estar hablando de Frederick.

—Ni mucho menos —dijo desdeñosamente la mujer—. Se lió con una ramera medio actriz o algo así. De buena me he librado, le dije, y lo despaché tan contenta. ¡Así que lárgate!

Esta vez tiró de la puerta con mucha más fuerza para intentar cerrarla. Con el rabillo del ojo, Frances vio a Jack acercarse. No parecía estar muy contento con ella.

—¿Dijo a dónde se trasladaba? —preguntó Frances con pocas esperanzas.

—No, y yo tampoco lo pregunté. Y ahora, si no me dejas cerrar la puerta, llamaré al maldito guardia.

Frances dudaba de que el guardia estuviera cerca, pero estaba bastante claro que la patrona no podría ayudarla más, y Jack estaba ya muy cerca. No quería que él tuviese la oportunidad de oír cuál era su verdadero apellido.

—Muy bien. Muchas gracias —intentó decir, pero la mujer dio un portazo sin escucharla.

Jack llegó justo en el momento en el que la puerta se cerraba con un sonoro portazo. Agarró el brazo del chico y tiró de él.

—¿Qué pretendías...?

Se detuvo. La cara de Francis estaba roja de ira.

—¿Qué es lo que pasa? —le preguntó— ¿Quieres que eche la puerta abajo? Si de verdad necesitas entrar, no dudes de que lo haré.

—No, no importa —contestó Francis.

—¿Qué quieres decir con que no importa? —preguntó Jack totalmente desconcertado— ¿No es aquí donde vive tu hermano?

—Donde vivía. Se ha casado —respondió Francis, cuya voz sonaba cansada de repente.

Ah, maldición. Desde el primer momento se temió que algo de esto podría ocurrir.

—Y, vamos a ver, ¿no sabes nada más de él? —preguntó con suavidad y, de forma casi instantánea, Francis sacudió la cabeza por toda respuesta.

—Ya veo.

Aunque, la verdad, no veía salida. Él no estaba muy encima de las vidas de sus propios hermanos, ni viceversa, pero no podía imaginarse que no se informaran entre ellos de algo tan importante como un matrimonio.

—Aunque supongo que ya sabrías que estaba prometido, ¿no? —preguntó, aunque se temía la respuesta. Y acertaba.

—No, no tenía ni la menor idea. Frederick nunca escribe, al menos a mí —contestó Francis, y torció el gesto—. Debería haberme escrito. Yo tenía derecho a saberlo, maldita sea.

—Sí, por supuesto que lo tenías —concedió Jack, también muy enfadado.

Le acompañó a la calle. Pobre chico. Seguramente veneraba a su hermano como a un héroe de cuento. Entre él y Ash solo había cuatro años de diferencia, pero tenía que admitir que él mismo había sentido una cierta admiración reverencial por su hermano mayor, sobre todo cuando tenía la edad del chico y Ash dieciséis o diecisiete, es decir, todo un hombre a sus ojos de muchacho. Y la diferencia de edad entre Frances y su hermano era bastante mayor. Seguro que Francis nunca había sospechado que su hermano tuviera los pies de barro.

—Puede que no haya tenido tiempo de escribir una carta. O puede que la haya escrito y se haya perdido. Son cosas que pasan. También podría ser que hubiera escrito a tu tía y estuviera esperando a decírtelo en persona —dijo buscando desesperadamente una forma de consolarle.

—No. Estoy seguro de que Frederick ni ha escrito ni ha avisado. Es tan despreciable como nuestro padre, siempre huyendo de sus responsabilidades —dijo el chico con resignada seguridad.

Y, de repente, Francis le miró esperanzado.

—A no ser que..., sí, podría ser —dijo el muchacho hablando rápido y de una forma sorprendentemente reflexiva—. Puddington tiene que estar al tanto. Por eso ha sido tan vago y tan evasivo en sus últimas cartas. Y la tía Viola recibió una justo antes del temporal de nieve, y la mantuvo muy en secreto. Claro, diantre, por eso intentó venderme al señor...

El chico se detuvo bruscamente y dirigió a Jack una mirada culpable.

—¡Francis! —dijo Jack mientras le sujetaba firmemente por los hombros.

Seguramente no había entendido bien, pero si lo había hecho buscaría a la tía del chico y le dejaría meridianamente claro que no iba a permitir el tráfico de niños. Así se explicaba el porqué del miedo de Francis cuando estuvo solo con él en la habitación de la posada Crowing Cock.

—Si tu tía tenía la intención de venderte, me encargaré de que sea castigada. No debe preocuparte el que te vuelva a llevar con ella —le dijo Jack con el tono más tranquilizador que pudo.

Francis se quedó mirándolo boquiabierto.

—¡Oh, no! Yo no quería decir..., o sea... —acertó a balbucear.

Generalmente, los niños tendían a no acusar a los que abusaban de ellos o los maltrataban. Había aprendido eso a lo largo de los últimos cuatro años. No tenía ni idea de lo oscura y maligna que podía llegar a ser la mente humana hasta que empezó a hacerse cargo de niños abandonados y a ayudar a prostitutas pobres. Parecía que la tía de la que hablaban era la única familia que tenía Francis aparte de su hermano. ¿O no?

—Has mencionado a tu padre. Yo había pensado que no, pero ¿entonces está vivo?

—Eso creo, aunque no le he visto desde hace años —contestó Francis encogiéndose de hombros.

Así que el padre tampoco ayudaría. Qué asco, a algunos hombres habría que castrarlos, aunque si ese hubiera sido el caso Francis no estaría allí. Eso era lo que siempre se recordaba a sí mismo cuando se cansaba o se descorazonaba. Las personas, hombres y mujeres, hacían cosas horribles, pero con los niños siempre había alguna esperanza.

—¿Y tu madre? —preguntó.

—Murió cuando yo era joven —dijo, y le dio un acceso de tos—. Más joven, quiero decir.

Parecía claro que el círculo disponible se limitaba a la tía y al hermano. Aunque de pronto recordó un nombre.

—¿Y quién es el tal Puddington? —inquirió.

Oh, maldición, la madeja empezaba a embrollarse demasiado. Difícilmente iba a salir de esta.

—Es un amigo..., quiero decir... un conocido de la familia. Un tipo bastante pesado que tuvo tratos con mi padre. Seguro que a usted no le gustaría nada —acertó a decir, pero se dio cuenta de que la explicación resultaba confusa y poco convincente.

—¿Vive en Londres? —preguntó lord Jack con evidente escepticismo.

—Sí, eso creo, pero no sé dónde —respondió Frances, y era verdad—. ¿Por qué lo pregunta?

Se estaba acostumbrando a decir medias verdades. Sabía la dirección de la oficina de Puddington.

—Pues porque ahora que tu hermano se ha mudado, y si lo que se te ha escapado antes es cierto, me niego a llevarte con tu tía. Vamos a tener que buscar un sitio en el que puedas quedarte. Por lo menos hasta que encuentre la pista de tu hermano —dio Jack con firmeza.

Evidentemente, tenía toda la razón del mundo. Ahora que Frederick se había esfumado, no tenía donde quedarse. Era muy propio de su hermano dejarla en la estacada de esa manera.

—No te preocupes —dijo Jack con ánimo de tranquilizarla y mientras empezaba a caminar hacia el carruaje—. Puedes quedarte conmigo por ahora.

—¿Cómo dice? —preguntó al tiempo que daba un traspiés y Jack la sujetaba con firmeza.

Se sacudió de él y siguió andando. No podía permanecer con Jack. Compartir la habitación con él había sido algo escandaloso, pero al menos eso había ocurrido en una pequeña posada del campo, en medio de ninguna parte. Nadie lo sabía, excepto los Findley y, por supuesto, Pettigrew.

¡Ah!, y el señor Dantley, pero él no había relacionado a Frederick Hadley con Francis Haddon. Pettigrew sí, y ese asqueroso individuo era perfectamente capaz de divulgar la historia por todos los rincones y encima a voz en grito.

Además, Pettigrew vivía en Londres. Seguramente había vuelto a la ciudad poco después que ellos.

El asunto de su estancia en Crowing Cock ya era lo bastante malo, o mejor dicho, no podía concebir el modo de empeorarlo, pero si se iba a vivir de forma abierta y descarada con lord Jack en Londres, sería la ruina total.

—No puedo permanecer con usted —le dijo, concluyendo la conversación consigo misma. Pero hablaba con él...

—Por supuesto que puedes. La casa Greycliffe tiene un número incontable de habitaciones.

—Ah, ya —dijo algo aliviada.

Bueno, quizá después de todo no fuera tan malo. La otra opción era que la ayudara a volver a Crowing Cock, y había pocas posibilidades de encontrar un transporte hasta allí. Además, apenas tenía dinero, por lo que tendría que pedirle prestado el coste del viaje. Para colmo, ahora que se le había metido en la cabeza la peregrina idea de que su tía traficaba con niños, no había nada que hacer.

Y, por supuesto, ni se planteaba aclararle el asunto de su sexo. ¡Menudo embrollo, por Dios!

En fin, seguro que sería capaz de mantener la farsa al menos hasta mañana. Ya se las apañaría para que la llevara hasta la oficina de Puddington. De ninguna manera podía permitirle entrar con ella a ver al personaje, ya que en ese caso descubriría que era una mujer. Pero una vez que viera a Puddington y consiguiera su dinero, los problemas se habrían terminado de una santa vez.

Volvió a tropezar al pasar por un callejón estrecho, esta vez con algo que se parecía a un hueso de cordero, ojalá lo fuera de verdad. Jack volvió a sujetarla del brazo.

—Fíjate en donde pones los pies —le advirtió, pero sin reñirla.

—No quería tropezar, lo siento —dijo.

Jack levantó el brazo que tenía libre con una expresión repentinamente atenta.

—No hables, escucha un momento. ¿No oyes eso? —preguntó.

—¿El qué? —respondió, y aguzó el oído.

Desde luego, Jack tenía el oído muy fino, como tantas otras cosas. Enseguida oyó un sonido, parecido a un maullido lastimero.

—¿Se refiere al gato? —inquirió Frances.

—¡Eso no es un gato! —dijo Jack mirando a su alrededor — ¡Por todos los diablos! ¿De dónde sale?

Frances consiguió oír de nuevo el sonido.

—Creo que viene del callejón —dijo.

—¡Es cierto! —respondió Jack, y se lanzó hacia aquel lugar oscuro, estrecho, sucio y húmedo.

Frances intentó retroceder, pues el sitio apestaba como un vertedero, pero los dedos de Jack la seguían sujetando con cierta firmeza, por lo que no tuvo más remedio que adentrarse con él en aquel sitio infecto. Menos mal que llevaba ropas viejas de Frederick, que por supuesto tiraría a la basura en cuanto encontrara otra cosa que ponerse.

Se alegraba de no saber lo que pisaba. Resbaló sobre algo grande y blanduzco y no paró de patinar hasta que se detuvo contra el cuerpo de lord Jack. Él la rodeó con su brazo y la estrechó contra su cuerpo.

Del montón de basura acumulada surgió un perro ladrando con fiereza, que saltó hacia lord Jack. Sus pantalones también se habían metido de lleno en la basura, y eran de mucha más calidad que los de Frederick.

Jack lanzó un juramento, pero no se dirigía al perro.

—Quédate aquí —le dijo mientras iba a rebuscar entre la basura.

El perro centró su atención en Frances. Había luz suficiente como para ver que era de tamaño medio y raza indefinida, con unas orejas bastante grandes y una cola peluda y retorcida. Lo alejó sin problemas, tratando de no pensar en las pulgas y demás plagas que podía estarle transmitiendo.

—¿Por qué pierde el tiempo en este basurero? ¡Oh, Santo Cielo!

De la oscuridad surgió un llanto, esta vez muy evidente.

—¡Oh Dios mío! ¡Es un bebé! —exclamó Frances.

Capítulo 4

Las mentiras siempre vuelven para perseguirte.
—de las *Notas de Venus,* duquesa de Greycliffe.

—Sí —dijo Jack muy tenso. Demostraba crispación y enfado, pero no sorpresa ni desconcierto. Portaba el bulto con toda soltura, como si estuviera muy acostumbrado a manejar recién nacidos.

—Es un niño, y parece que tiene entre uno y dos meses. Ha tenido suerte de que el perro anduviera por aquí, porque si no se hubiera muerto de frío. Ven conmigo.

Corrió tras él, con el perro moviéndose alrededor. Una vez que salieron del callejón, Jack torció a la derecha y llamó con fuerza a la primera puerta que encontró.

Al abrirse, asomó un verdadero gigante, que le sacaba una cabeza al propio Jack y, como poco, le doblaba en peso. Tenía una cicatriz por encima del ojo derecho y su nariz estaba achatada como la de un boxeador que hubiera recibido demasiados golpes en ella.

—¿Qué demonios quiere? —empezó a decir el gigante, pero se paró en seco y abrió unos ojos como platos cuando vio a Jack.

—Eeh... ¿qué hace usted aquí, milord? —preguntó cada vez más pálido, mientras bajaba la vista hacia el bebé que sujetaba Jack en el brazo derecho.

—¿Qué crees tú que estoy haciendo, Albert? Tengo que hablar con tu jefa de inmediato.

—No es posible, milord. Está muy ocupada —explicó Albert—. Seguro que si vuelve usted mañana ella...

—Me da igual si está atendiendo al mismísimo príncipe de Gales, voy a verla ahora mismo —espetó Jack con rudeza, pasando dentro a toda prisa.

Frances le siguió sin dudar. No le apetecía nada entrar en esa casa, sobre todo porque se imaginaba perfectamente lo que era, pero era preferible a quedarse sola en la calle.

—¡Tú no puedes entrar aquí, perro asqueroso!

Frances arrugó el entrecejo dispuesta a contestar, pero enseguida se dio cuenta de que Albert no se dirigía a ella, sino al chucho, al que el gigante lanzó una patada. El pobre animal debía de tener bastante experiencia con esta clase de recibimientos, porque la esquivó y salió corriendo dando aullidos. Albert cerró la puerta.

El niño empezó a llorar otra vez, emitiendo un sonido quedo, débil y lastimero.

—Supongo que Nan está en su habitación, ¿no? —dijo Jack mientras recorría el vestíbulo en dirección a una puerta cerrada.

—Pues, esto, sí, milord, pero... —Albert se retorcía las manazas como si quisiera exprimirlas.

—No hace falta que me anuncies —dijo Jack agarrando el pomo con la mano libre, mientras echaba una mirada a Frances—. Tú quédate aquí.

Frances echó un vistazo al ostentoso vestíbulo y se le pusieron los pelos de punta. Las paredes estaban decoradas con papel rojo sangre y estaba lleno de candelabros dorados y adornos más o menos obscenos, además de una gran variedad de cuadros de desnudos.

—Y no mires las obras de arte —le advirtió Jack en tono admonitorio.

—Voy con usted —dijo Frances, volviéndose bruscamente hacia Jack.

—No, de ninguna manera —negó este, señalando hacia un banco de respaldo alto que se encontraba situado junto a la pared—. Volveré enseguida, te lo prometo.

Y dicho esto, abrió la puerta sin miramientos y entró en el cuarto como un ciclón.

—¡Milord —exclamó Albert casi sin aliento—, la señora montará una bronca monumental! Lleva días intentando encontrar al duque de...

—¡Pero qué demonios pasa aquí! —tronó una voz de hombre desde el interior de la habitación—. ¿Es que no puede una persona tener un poco de privacidad, por el amor de Dios?

—Tranquilo, Ruland, estoy segura de que... —dijo otra voz, femenina en este caso.

—¡Yo estoy seguro de que me voy y también de que no voy a volver nunca, señora!

—¡Vaya, maldición! —espetó Albert.

Un hombre grueso y medio calvo, con unas cejas grises enormes y pobladas como arbustos, salió dando tumbos de la habitación y cerró con un sonoro portazo.

El hombre se quedó mirando a Frances frunciendo el ceño, de modo que sus cejas formaron una especie de seto. Al mismo tiempo, intentaba abrocharse la ropa, con poco éxito por cierto.

—¿Qué miras con tanto interés, chico? —preguntó furibundo.

Ella abrió la boca para explicarle con claridad meridiana lo que pensaba de los hombres, y sobre todo de aquellos que, siendo viejos como él, frecuentaban los burdeles. Pero captó la mirada preocupada de Albert antes de empezar su discurso.

Ah, vaya. Tendría que morderse la lengua. Estaba disfrazada de chico, después de todo.

—No miro nada, milord —dijo con tono neutral.

Algo muy pesado golpeó la puerta de la habitación, que seguía bien cerrada. Igual al fin y al cabo había sido una buena idea no entrar en ella.

Ruland la miró de arriba abajo con expresión confundida.

—¿Y tú quién eres? Ni tienes el aspecto ni hablas como esos asquerosos golfillos de Covent Garden —dijo entrecerrando los ojos—. Has venido con Jack, ¿a que sí?

—Sí, señor —respondió Frances.

El hombre debía de estar memorizando sus rasgos. Deseó poder echar mano de una obscena estatua de una mujer embarazada rodeada de serpientes lascivas que reposaba sobre una mesa a su derecha y golpear con ella la calva cabeza de aquel individuo repelente.

—Averiguaré quién eres, niñato —dijo una vez que, finalmente, logró abrocharse toda la ropa— y, lo que casi seguro que es más interesante, qué es lo que Jack está haciendo contigo. Lamentará haberme interrumpido.

Se puso el abrigo y se volvió hacia Albert, que le ofrecía el sombrero y el bastón.

—¡Ábreme la puerta, estúpido! —le ordenó con desdén mientras le arrancaba sus cosas.

—Sí, milord —respondió Albert sumiso.

Albert hizo una reverencia al hombre según salía, y después cerró la puerta y se apoyó contra ella con un gesto de impotencia.

—¡Madre de Dios, ahora sí que la hemos hecho buena! —exclamó con la cara de preocupación.

—¿Por qué? —preguntó Frances sorprendida.

Pese a su aspecto de auténtico matón, Albert se estaba comportando como un ratoncillo casero.

—Vamos a ver... —continuó Frances—. Ha tenido que ser, esto, tremendo, el momento en el que lord Jack ha entrado en la habitación en la que estaban su jefa y este caballero, pero no parecía que hubieran, eh..., que ya estuvieran... en medio de nada, quiero decir, ¿no cree? Más bien me parece que milord no hacía más que fanfarronear.

Se dio cuenta de que se estaba metiendo en camisa de once varas. Albert la miraba como si estuviera loca de remate.

—No, chico —dijo Albert meneando la cabeza—. Ruland es tan peligroso como parece, o incluso más. Nan cree que es el que está asesinando mujeres; iba a tratar de averiguarlo esta noche, pero ha venido lord Jack y ha fastidiado el plan.

—¿Están asesinando mujeres? —empezó a decir Frances.

¡Es verdad! Había leído algo en los periódicos sobre varias prostitutas y una o dos jóvenes de la alta sociedad a las que les habían rebanado la garganta, aunque no había llegado a entender del todo la tragedia que eso suponía. Por supuesto que el asesinato era algo inadmisible, pero estaba claro que esas mujeres se dedicaban por voluntad propia a una profesión peligrosa en sí misma, así que, ¿qué podían esperar? Según recordaba de lo que decían los periódicos, las chicas que no eran prostitutas también se estaban comportando como si lo fueran.

Pero, por supuesto, Albert y los demás residentes de la casa en la que se encontraba tenían muchas razones para estar preocupados. Sus vidas eran las que más peligro corrían.

—¿Y no podría ir tu jefa a las autoridades y contarles sus sospechas? —inquirió Frances, pero vio como Albert se encogía de hombros en un gesto de negación.

—A las autoridades les importa un bledo que mueran unas cuantas prostitutas. Nan dice que incluso se alegran de que alguien limpie un poco las calles de basura. Por eso investiga por su cuenta.

—Ah, ya —dijo Frances, y se sintió como pillada en falta.

Resultaba algo desconcertante oír como Albert repetía su propia teoría, aunque en este caso explicada con meridiana claridad por alguien que conocía cuál era su papel en la sociedad y que asumía resignadamente los riesgos que conllevaba.

—Albert, ¿quién ha venido? —preguntó una voz femenina.

—Lord Jack —respondió el gigante.

Frances se volvió y vio dos mujeres en el rellano que estaba justo por encima de ella. Tendrían más o menos su edad y llevaban ropa ligera, casi transparente, de cierta calidad, pero de alguna manera semejante al atuendo de Belinda, la vieja prostituta con la que Jack había hablado en la calle.

Se le revolvió el estómago. Más prostitutas. Miró hacia la puerta, todavía cerrada, de la habitación de Nan. ¿En el nombre de Dios, y pidió perdón para sí por utilizar Su nombre en esta situación, cuándo iba a salir Jack de allí? Lo único que iba a hacer era hablar con la mujer..., ¿o no?

Y entonces se le volvió a revolver el estómago.

¡No! No, por supuesto que lo que había pensado por un momento no era posible, y menos con el niño. Ni siquiera los mujeriegos como Jack podían hacer lo que fuese que hicieran con un bebé en los alrededores. Y la forma en la que entró en la habitación de la mujer no tenía nada de romántica ni de lasciva.

—¿Dónde está ese cerdo de Ruland? —preguntó la muchacha más baja.

—Acaba de largarse —gruño Albert.

—¡Gracias a Dios! —dijo la fulana, y las dos empezaron a bajar por las escaleras. En ese momento, repararon en Frances.

—¿Y este quién es?

Vaya por Dios. Frances volvió a mirar hacia la puerta, ya casi desesperada. ¡Jack tenía que aparecer de un momento a otro!

—Francis Haddon —respondió Albert—. Dice que lord Jack lo acompaña a buscar a su hermano.

—Y ahora tienes que esperar y aburrirte, mientras que lord Jack resuelve sus asuntos, ¿no? —dijo la chica sonriendo.

Frances retrocedió al ver que la muchacha se acercaba con cierto contoneo.

—¿Quieres que te ayude a entretenerte?

Estaba claro que la mujer no se refería a mantener una agradable charla frente a una taza de té. Frances retrocedió otro paso y tropezó con el banco.

—No, muchas gracias—balbuceó.

—Creo que le estás asustando, Bessie —dijo riendo la chica más alta.

Maldición, no estaba asustada en absoluto. Lo único que pasaba era que tenía que mantener el equívoco. Afortunadamente, Albert acudió en su ayuda.

—A lord Jack no le va a gustar nada que asustes al muchacho —advirtió.

—¡Anda ya! —dijo Bessie—. Solo voy a hacerle pasar un buen rato, lo mismo que te los hago pasar a ti, Albert.

—¡No es más que un crío! —dijo Albert, ¡y se sonrojó!

—Es bastante más alto que yo —respondió Bessie—. Vamos a comprobar si está interesado.

Alargó la mano hacia la entrepierna de Frances. ¡Santo Dios! Frances saltó hacia atrás, perdió el equilibrio y cayó como un fardo sobre el banco. Bessie estalló en carcajadas.

—¿Qué pasa, que todavía eres virgen? —le preguntó, aunque no parecía tener la menor duda.

—Sí, lo soy—dijo Frances mirándolos a todos con un gesto de furia.

—Tranquila, Nan, tranquila —dijo Jack intentando aplacar el enorme enfado de la mujer. Nan le miró llena de rabia y después se agachó para recoger el candelabro que había arrojado contra la puerta.

—¿Por qué diablos has tenido que venir por aquí hoy, Jack? Tenía a Ruland exactamente donde quería —se lamentó.

—¿Con los pantalones en los tobillos? No sabía que sintieras tal deseo por ese caballero —ironizó Jack.

—Y no lo siento —respondió dejando el candelabro en su sitio con más fuerza de la necesaria—. Es insufrible, egoísta, arrogante y está gordo, pero creo que es el Degollador Silencioso. Iba a intentar averiguarlo esta noche.

La mujer le miraba furiosa, pero también había miedo en sus ojos.

—Mientras estabas fuera Martha, la de Maiden Lane, ha aparecido muerta en un callejón, al lado de la taberna Bucket of Blood.

—¿Martha? ¡Maldición! —exclamó Jack.

Martha estaba ahorrando para alquilar una casita en el campo y ya casi tenía dinero suficiente para irse. Había sido lista y precavida, y casi siempre se las había apañado para evitar la taberna Bucket of Blood, pues allí siempre había broncas y peleas.

Del fardo que sujetaba en el brazo surgió un quejido, y Nan se dio cuenta de lo que era.

—¡Oh, Dios! ¿Dónde lo has encontrado? —preguntó Nan.

—En el callejón de al lado. ¿No será de alguna de tus chicas? —inquirió Jack con cierta dureza.

—Por supuesto que no. Todas mis chicas toman precauciones, y a las que cometen un error las envío a ese sitio que tienes en Bromley, ya lo sabes.

En efecto, así era. Nan dirigía un burdel, pero se preocupaba sinceramente por las mujeres que trabajaban para ella y procuraba que su negocio fuera limpio y seguro.

—Sí, lo suponía, pero esperaba equivocarme. Este bebé necesita que le den de mamar ya. Dame una mantilla limpia, por favor —le rogó.

—De acuerdo, pero si me prometes que me comprarás una nueva —concedió Nan.

—Siempre lo hago, ya lo sabes. Dame una de las más viejas. Estará más suave —sugirió.

—Deberías dejarlo morir —dijo Nan al tiempo que entraba en otra habitación para recoger la mantilla.

Nan siempre repetía aquello. Jack entendía perfectamente que fuera tan dura, aunque se negaba a compartir su sentimiento. No podía, y menos desde que el niño de Ned murió en el parto. Fue incapaz de hacer nada para salvar la vida de su sobrino y tampoco pudo aliviar el dolor de Ned. Sufría por la impotencia que había sentido en aquel momento y que aún sentía. Pero le ayudaba el hacerse cargo de los niños que se abandonaban en Londres todos los días, por lo menos de algunos. Eso le servía para sentirse útil y no quedarse contemplando lleno de rabia y frustración los horrores de la ciudad; así ayudaba a alguien, en lugar de limitarse a llorar de pena.

Gracias a Dios, tenía un don especial para invertir el dinero con inteligencia y obtener pingües beneficios, por lo que disponía de fondos suficientes. Prefería emplear ese capital en crear y mantener casas de caridad que gastarlo en caballos o carruajes nuevos que no necesitaba.

—Sabes que soy incapaz de hacer eso, Nan —respondió.

La mujer volvió con un chal de color rojo brillante, acorde con su estridente sentido de la estética.

—Pues deberías. El mundo no necesita otro bastardo y el pobre niño no merece sufrir la pobreza, el hambre y la crueldad del mundo —dijo Nan con voz triste.

Jack se arrodilló para extender el chal en el suelo. Le quitó al bebé los harapos en los que estaba envuelto. Su delgadez era extrema.

—Mis niños no pasan hambre y nadie los trata con crueldad. Cuando son lo suficientemente mayores aprenden un oficio para poder abrirse camino en la vida —dijo con un deje de orgullo.

—Eres un soñador, Jack. Llevas haciendo esto al menos tres o cuatro años. Pronto te casarás y tendrás tus propios hijos, y te olvidarás de este pasatiempo de nobles ricos —contestó Nan, aunque sin el menor sarcasmo.

—No, no lo haré —dijo Jack con firmeza.

La mujer que se casara con él tendría que aceptar la importancia que tenían para su vida sus casas de Bromley. Pero, en todo caso, eso no sucedería pronto. Para empezar, aún tenía que aparecer una mujer capaz de prescindir de sus vestidos y joyas para atender adecuadamente a sus chicos. Y además, aunque su madre y su padre habían tenido la suerte de ser felices tras un matrimonio muy temprano, sus hermanos no. Él esperaría hasta cumplir los treinta, y eso como poco, para siquiera considerar la posibilidad de casarse.

Nan observaba con los brazos cruzados mientras envolvía al niño en su chal. Tenía una expresión de pena y de resignación en la mirada.

—Sabes que lo más probable es que muera —dijo con lástima.

—Puede salir adelante —replicó Jack esperanzado.

Aunque en realidad pensaba que no había muchas posibilidades. El niño tendría que estar pateando y llorando a voz en grito por el hambre, pero en vez de eso solo gemía un poco de vez en cuando, y el resto del tiempo estaba en estado letárgico. Jack terminó de arroparlo con pericia.

—Háblame de lo de Martha —le pidió a Nan.

—Murió exactamente igual que las demás, con la garganta rajada de oreja a oreja —dijo Nan estremeciéndose.

Contando a Martha, las mujeres asesinadas ya ascendían a siete, nada menos. Cinco prostitutas que vivían y trabajaban en la zona de Covent Garden y dos mujeres de la alta sociedad: la señorita Fielding, una joven y al parecer atrevida debutante de quien se rumoreaba que se pasaba de la raya con los jóvenes en zonas ocultas durante los bailes de sociedad, y la viuda Hubble, una mujer relativamente joven, bastante famosa por sus devaneos.

—¿Por qué crees que Ruland es el asesino? —preguntó Jack.

—¿Quién podría ser si no? —respondió Nan con una mueca—. Es un hombre perverso como él solo.

Jack pensó que la desesperación le estaba nublando el entendimiento.

—Estoy de acuerdo en que no es en absoluto agradable, pero los hay peores —dijo tras reflexionar un momento.

Ruland siempre le había parecido un estúpido que se aprovechaba y hasta abusaba de su posición social, pero en el fondo lo consideraba un cobarde.

—Pero piensa un poco, Jack. No se pierde un solo evento social, y es un habitual de los burdeles —explicó Nan.

—Eso mismo se podría decir de prácticamente todos los hombres de la alta sociedad, Nan —respondió Jack con una sonrisa amarga.

Las cejas de Nan se fruncieron y abrió la boca como si fuera a contestar, pero se paró en seco y suspiró en lugar de hablar.

—Tienes razón, claro —dijo tras un largo silencio.

—Y, por otro lado, ¿qué demonios hacías sola con él si de verdad creías que podía ser el asesino? ¿Acaso tienes ganas de morir? —le recriminó Jack.

—Albert hubiera entrado si le hubiera llamado —contestó, pero bajó la cabeza sin poder sostenerle la mirada.

—Aunque Albert hubiera llegado a tiempo para ayudarte, y sabes perfectamente que la rapidez no es su fuerte, todo el mundo sabe, incluyendo a Ruland, que basta con darle un golpecito en la mandíbula para dejarlo noqueado —dijo Jack, cada vez más enfadado.

Nan se iba poniendo cada vez más pálida, de modo que el colorete de sus mejillas resaltaba como si tuviera fiebre.

—¿Pero qué pasará si la próxima víctima es una de mis chicas, Jack? No puedo quedarme de brazos cruzados y dejar que eso ocurra. Debo hacer algo —dijo, y su voz tenía un punto de desesperación.

—Te entiendo, Nan. Yo también estoy muy frustrado y muy furioso. Pero actuar sin inteligencia no nos ayudará a capturar al asesino. Yo...

El niño volvió a gemir. Tenía que llevarlo inmediatamente a su casa de acogida para niños en Bromley. Úrsula, la mujer que la dirigía, podría encontrar una nodriza.

—Tengo que marcharme, Nan, pero voy a permanecer en Londres durante un tiempo. Trataré de descubrir la identidad del asesino, así que, por favor, ponte en contacto conmigo si tú o alguna de tus chicas os enteráis de algo —dijo atropelladamente.

—Sí, por supuesto, Jack, descuida —respondió Nan con un gesto de asentimiento.

Abrió la puerta y vio a Francis sentado en el banco, atrapado entre dos de las chicas de Nan, con la cara roja como un tomate y las manos protegiéndose la entrepierna como si estuviera a punto de ser castrado. Albert estaba de pie muy cerca, mostrando preocupación pero sin hacer nada.

—Os repito que no me interesa —decía el chico, con voz a la vez enfadada y desesperada.

—¡Bessie, Alice, dejad en paz al pobre muchacho! —tronó Jack, maldiciéndose a sí mismo por no haber previsto lo que estaba pasando.

—Ya os decía yo que esto no le gustaría nada a lord Jack —dijo Albert.

—Solo intentábamos que el chico se lo pasara bien mientras usted estaba ocupado, lord Jack —dijo Bessie pasando el brazo por los hombros del joven y dándole un besito en la mejilla.

Francis se sacudió los hombros y le soltó un codazo en el estómago a la chica, pero inmediatamente volvió a taparse las partes pudendas con ambas manos.

—¡Aaay! —gritó Bessie mirándolo con furia.

—¡Largo de aquí! —gritó a su vez Francis.

Jack abrió la boca para reñir a Bessie, pero Nan, que lo había seguido hasta el vestíbulo, se le adelantó.

—¡Ya está bien! Vosotras dos, para arriba inmediatamente. ¿No os dais cuenta de que al muchacho no le apetece?

Alice subió a toda prisa, pero Bessie se quedó donde estaba, todavía con una mueca de dolor en el rostro.

—¡Pues debería apetecerle, como a todos los hombres! —replicó.

—Pero a él no —insistió Nan—, es demasiado joven. ¿No ves que ni siquiera tiene barba todavía?

Bessie alzó la mano para tocarle la mejilla, pero él se apartó de un salto, se alejó del banco junto al que se encontraba y caminó a grandes zancadas hacia la puerta de salida.

—Me voy —dijo muy decidido.

—Pero no sin mí —intervino Jack, agarrándolo del brazo antes de que pudiera escaparse.

—Ya te contaré si me entero de algo —dijo mirando hacia Nan—, y no corras riesgos parecidos al de hoy, no hagas más estupideces.

Albert le abrió la puerta solícito, y allí estaba el chucho, esperando fuera. Se puso a ladrar, a saltar y a corretear alrededor de ellos.

—¡Estate quieto! —dijo Jack con firmeza.

El animal sin duda captó la autoridad de la voz e inmediatamente se sentó, alzó la cabeza y miró esperanzado a Jack.

—Albert, tal vez necesites un perro para que te ayude a mantener a raya a la chusma —dijo dirigiéndose al gigante.

—No, milord —dijo Albert, mirando al animal cubierto de mugre—. No me gustan los perros. Además, él también es chusma, es solo un chucho.

—Estoy seguro de que con un buen baño parecería otro, pero no importa —se resignó Jack. Quizá, si había suerte, el perro se quedaría a la puerta de Nan.

No hubo suerte, claro.

—Nos está siguiendo —dijo Francis.

—Ya lo veo —contestó Jack.

El pobre chico debía de estar preocupado por lo que había ocurrido en el prostíbulo de Nan. ¡Condenada Bessie! Pasó el bebé al otro brazo. ¿Acaso no se había dado cuenta de que Francis no era más que un crío?

—Siento que esas mujeres te molestaran —le dijo.

El muchacho se sonrojó y farfulló algo ininteligible. Jack se aclaró la garganta y tragó saliva. No podía permitir que el chico se hiciera un lío a propósito de sus propias reacciones y sentimientos.

—Vamos a ver, Francis. Tal vez tu hermano te ha dicho algo acerca de, eh, los cambios que ocurren cuando un niño se va convirtiendo en un hombre, ¿no?

—¡No! —gritó por toda respuesta.

Enrojeció hasta las orejas y empezó a andar más deprisa.

—No debes avergonzarte de nada, aunque ya sé que puedes sentirte un poco confundido. Cuando yo... —empezó Jack, pero no terminó la frase.

—¡Aquí está el carruaje! —dijo Francis cambiando de tema de manera apresurada.

Jack recordó vívidamente los sentimientos y emociones, tan contradictorias, que vivió a esa edad: el deseo que sentía pero no reconocía, la vergüenza, la confusión, el ansia, la timidez, todo ello entremezclado y sin control.

—Francis, es lógico que en el fondo desearas que Bessie te acariciase ahí...

—¡Oh! —gritó Francis—. ¡Vamos, deprisa! Habrá que llevar al niño cuanto antes a donde quiera que sea que vaya a llevarlo. Voy corriendo a subirme al carruaje, ¿de acuerdo? Así podremos salir de inmediato —dijo, y se las arregló para soltarse y salir corriendo como alma que lleva el diablo.

Jack suspiró y miró al perro.

—Estos son los peores años, ya sabes, cuando has dejado de ser un niño pero todavía tampoco eres un hombre —dijo reflexivamente. El perro ladró, como si quisiera subrayar así que estaba de acuerdo, y meneó la cola en señal de comprensión.

Cuando llegaron a Nag's Head, Francis estaba sentado, más tieso que un palo, en el asiento del pasajero. También parecía como si llevara un cartel colgado al cuello: NO QUIERO HABLAR DE BESSIE.

Por Dios Santo, la mascarada estaba absolutamente fuera de control. Lord Jack había estado a punto de... casi le había explicado... en fin, había intentado aplacar los miedos y aclarar los sentimientos de un muchacho, ¡pero ella no era un chico, era una mujer!

Se agarró con fuerza al asiento del vehículo. No dejaría que le hablara de... algo tan privado. Pero ¿qué podía hacer si volvía a sacar el tema cuando estuvieran de camino a donde quiera que fuese?

Ella no quería ir a ninguna parte con aquel hombre. Era un libertino despreciable. Su familiaridad con la vieja prostituta y con el terrible Albert resultaba muy significativa. Y había entrado sin dudarlo a la zona privada de Nan, la madama del prostíbulo, cuando la mujer estaba en plena faena con ese asqueroso individuo, lord Ruland. Y respecto a las dos chicas que le habían estado haciendo proposiciones, conocía perfectamente sus nombres.

Estaba cruzando la calle. Era grande y fuerte, pero sostenía al bebé con gran pericia, una mezcla de cuidado y dulzura. Estaba claro que los vividores lo sabían todo acerca de los niños. Y ahora estaba subiendo al carruaje y sentándose a su lado.

—Vamos, Francis, toma en brazos al niño, por favor —le dijo.

Oh, Dios. Miró el fardo rojo y el corazón le latió con fuerza, como si fuera a salírsele del pecho. Nunca había tenido un niño en brazos, y este era tan chiquitín...

—No puedo —dijo asustada.

—Tienes que hacerlo —replicó Jack con tono seco e impaciente—. Tú mismo lo has dicho, tenemos mucha prisa. El bebé necesita una nodriza cuanto antes.

Ella tampoco sabía nada de nodrizas. Viola había evitado cualquier conversación relacionada con cualidades o asuntos femeninos. Pero estaba claro que el pobre niñito necesitaba algo, y pronto. Con sumo cuidado, lo tomó entre sus brazos.

—Tranquilo, que no muerde. Al menos de momento —dijo Jack con un mínimo deje de ironía—. Sujétalo de forma que esté bien seguro.

—¿Bien seguro?

—Sí. Que pueda apoyar la cabecita, porque los recién nacidos tienen el cuello muy frágil. Hazlo así —explicó Jack, y ajustó la postura del niño de forma que su cabeza reposara sobre la articulación del brazo de Frances.

La verdad es que apenas había nada que sujetar, pues el fardo pesaba poquísimo. Ella miró la minúscula criatura, medio tapada por el llamativo chal. Se preguntó si tan siquiera respiraba.

—¿Son todos los bebés así de pequeñitos y se están tan quietos? —preguntó sorprendida.

—Ni mucho menos. Este pequeñín no está nada bien, y por eso hay que llevarlo a algún sitio en el que puedan cuidar de él, y muy deprisa —respondió Jack.

—Oh, creo que me ha sonreído —dijo Frances al ver los párpados del niño agitarse por un instante, y sus pequeños labios fruncirse un poco. Y sintió una repentina y sorprendente oleada de satisfacción.

—Seguramente era un gas —gruñó Jack.

Fue a tomar las riendas que sujetaba Henry y a darle las monedas que le había prometido. En el momento en que Jack se fue, el chucho saltó al asiento de al lado de Frances, que sujetó al bebé con más fuerza.

—¡Aparta! ¡Baja inmediatamente!

Jack echó una mirada para ver cuál era el problema.

—¡Ven aquí, chucho! —dijo de manera autoritaria.

El perro agachó la cabeza y aulló de forma lastimera. Miró primero a Jack y después a Frances con ojos suplicantes y muy abiertos. Movía la cola despacio, como si tuviera cierta esperanza.

Tenía el pelo sucio, olía a humedad y a cosas bastante peores y, con toda seguridad, albergaba toda una colonia de pulgas, pero su aspecto de súplica era tan persuasivo que Frances no fue capaz de decir una palabra para echarlo.

—Se llama *Shakespeare,* milord —dijo Henry—. Era de Dick Dutton, que trabajaba en el teatro, pero Dick se marchó hace unos días, y desde entonces *Shakespeare* ha estado viviendo en la calle.

—Ya veo. No parece que quieras convertirte en su nuevo dueño, ¿no? —preguntó Jack.

—Pues no, señor —respondió Henry negando con la cabeza—. Mi patrona me pondría de patitas en la calle si llevara un perro.

—No me sorprende —suspiró Jack asintiendo.

Dio la vuelta alrededor del carruaje para subir a su asiento y volvió a mirar a *Shakespeare*. La cola del perro empezó a moverse otra vez, como si tuviera un resorte.

—Bueno, creo que te has ganado una recompensa por haber cuidado del bebé, ¿no te parece? —dijo Jack amistosamente.

La cola se movió todavía más rápido, golpeando la pierna de Frances.

—Y también supongo que no tienes un apego especial por esta poco agradable zona de Londres, claro —continuó, como si el perro pudiera entender lo que decía.

Shakespeare ladró, como si confirmara una por una las suposiciones de Jack acerca de su escaso apego por el vecindario, y le puso una pata sobre los pantalones. Jack levantó las cejas y, de inmediato, el perro apartó la pata.

—Eso está mejor. Henry, deja paso, que nos vamos —anunció Jack.

Abandonaron aquella calle tan estrecha y entraron en otra bastante más amplia, aunque llena de vehículos más lentos que se dirigían a las afueras de Londres.

Jack conducía a una velocidad casi alarmante. Frances se sujetó con más fuerza al vehículo y también abrazó un poco más al niño cuando el carruaje dio un salto.

—¡Más despacio! —exclamó alarmada.

—No es posible, tenemos que llegar a Bromley lo más rápido que podamos —respondió Jack sin apartar los ojos de la calle.

—No va a poder ayudar a nadie si terminamos en la cuneta —espetó Frances.

Apretó los dientes y se agarró aún más fuerte al lateral del carruaje, asegurando los pies en el suelo. Masculló una blasfemia cuando pasaron a un milímetro de un carro que surgió de repente delante de ellos.

Echó una rápida mirada a Jack. Sus vidas estaban en sus manos, pero parecía mantener perfectamente el control, y estaba claro que no ralentizaría la marcha. Si se ponía a discutir lo único que lograría sería que perdiera la concentración. A ella también le molestaba que la distrajeran de lo que consideraba que debía hacer, aunque a los demás no les pareciera bien. Así que no dijo una palabra más. Pero se puso a rezar.

Pudieron ir todavía más deprisa una vez libres del infernal tráfico de Londres. El viento agitaba las orejas de *Shakespeare* y la lengua le asomaba entre las comisuras de la boca, de modo que parecía que sonreía.

Y entonces una ráfaga se llevó volando el sombrero de Frances, que no podía usar las manos para sujetarlo.

—No te preocupes —dijo Jack riendo—. Te conseguiremos otro.

El viejo sombrero de Frederick apenas servía ni para proporcionar un nido a un ratón.

—¿Cómo consigue que el suyo no salga volando? —preguntó intrigada.

—Me está mejor, es de mi talla —dijo mirándola de soslayo—. Francamente, me sorprende la escasa calidad de la ropa que se confecciona en el campo, si es que la tuya es un ejemplo. Mientras estés en Londres, te conseguiremos algo de ropa nueva.

Sí, por supuesto, no tenía otra cosa que hacer que ir a un sastre con lord Jack. Ni de broma.

En cualquier caso, estaría bien poder visitar algunos de los lugares emblemáticos de la capital mientras permaneciera allí, y sobre todo si este iba a ser su único viaje a Londres. Si al menos pudiera hacer una visita a la familia de su madre...

Pero no. Su orgullo no le permitía arrastrarse a los pies de esa gente que no le había hecho ni caso durante toda su vida. Sus abuelos eran muy mayores, y con toda probabilidad no vivirían en Londres. Y sus tíos también se habían lavado las manos con respecto a ella. E incluso, aunque en algún momento hubieran estado dispuestos a reconocerla, ahora le darían con la puerta en las narices. La verdad es que era un escándalo andante.

Le echó otra mirada la bebé. Ay, madre. La carita del pobre niño estaba muy pálida. Su corazón se aceleró otra vez y hasta sintió una especie de mareo. ¿Acaso ya era demasiado tarde? Pero no podía dejar de agarrarse al vehículo el tiempo suficiente como para tocarlo y comprobar si todavía respiraba.

¿Por qué estaba tan preocupada? Después de todo, su madre se había comportado como una cualquiera y su padre, en la mejor versión que se le podía ocurrir, como un libertino irresponsable. Si este niño sobrevivía, a lo máximo que podía aspirar era a ser un raterillo de mala muerte, o algo peor.

Su carita, su nariz y su boca eran tan pequeñas y tan perfectas... No era nada más que un bebé que no le importaba a nadie. Echó una mirada a Jack. Salvo a Jack. Por alguna razón que no alcanzaba a entender, a Jack sí le importaba.

Oyó un sonido casi imperceptible y miró de nuevo al bebé. ¿Había vuelto a mover las pestañas? Lo escrutó fijamente, para no perderse ni el más mínimo movimiento. ¡Sí! Movía un poquito los párpados y también la boca, como si pretendiera succionar. Soltó un largo suspiro.

—El niño aún está vivo, milord —informó con alivio.

—Excelente, ya casi estamos en Bromley —dijo Jack sonriendo.

—¿Qué es exactamente Bromley?

Antes de hablar le lanzó una mirada rápida, aunque a ella le pareció que sopesaba si responder o no.

—Te lo voy a explicar, pero tienes que jurarme que no le dirás absolutamente nada a nadie —dijo Jack con extrema seriedad.

—Lo prometo —respondió Frances, pensando a la vez que era raro que Jack se pusiera tan serio.

—En realidad tengo dos casas allí. Una para las mujeres que quieran ir y —comenzó, e hizo una pausa para mirarla—, eh, cambiar voluntariamente de profesión, y otra para niños abandonados, y ahí es a donde vamos ahora. No es muy grande, y esa es una de las razones por las que debo mantener el secreto de su existencia. No me sería posible llevar allí a todos los niños que dejaran abandonados a la puerta de mi casa en cuanto todo el mundo supiera de su existencia.

—Entiendo —dijo Frances, aunque en realidad no entendía una palabra. ¿Por qué el hijo pequeño de un duque se preocupaba por ayudar a prostitutas y a niños bastardos? Tenía que haber algo más, por supuesto. La casa debía ser un lugar en el que esconder el resultado de sus muchos malos pasos. Aunque este bebé no era suyo, no podía serlo.

Sacudió la cabeza. Era imposible tratar de entender la forma de pensar de los hombres. Según Viola, los hombres solo tomaban decisiones en función de los impulsos de su miembro viril. Ahí estaba su padre, retozando en el Pacífico Sur. O peor aún, Frederick. Se había casado nada menos que con una ramera que se dedicaba al teatro, y probablemente dentro de poco la dejaría tirada en Landsford.

Bueno, si dejaba a su esposa en Landsford no era asunto suyo. Ella no estaría por allí para resolver el desaguisado. A partir de ahora Frederick tomaría las riendas de la hacienda y se las arreglaría con la tía Viola, que no estaría nada contenta de tener que cargar con una cualquiera.

Jack empezó a retener el galope de los caballos y los condujo por un largo camino de grava hasta llegar a una amplia casa de campo, hecha de piedra y de ladrillo rojo.

—¿El niño sigue bien? —preguntó con cierta ansiedad.

Finalmente Frances pudo soltarse del asiento, y acarició la mejilla del bebé, que se volvió bastante deprisa.

—¡Oh! —exclamó retirando la mano —¡Se ha puesto a chuparme el dedo!

—¡Estupendo! Eso es buena señal. Mira, aquí está el comité de bienvenida —señaló Jack.

Un hombre corpulento de pelo gris y con una nariz enorme salió de la casa, acompañado por una pequeña multitud de niñas y una joven mujer morena, vestida con un severo atuendo gris. Las niñas, vestidas con ropas de colores alegres, corrieron acercándose al carruaje. Si no hubiera sido febrero y no hubiera habido nieve por todas partes, el aspecto habría sido el de un jardín primaveral, lleno de flores en movimiento.

De ninguna manera podían ser todas estas niñas hijas de Jack. Aunque fuera el mujeriego más activo de todo Londres, era imposible que tuviera tal cantidad de hijas. No obstante, todas y cada una de ellas parecían tan contentas de verle que era como si estuvieran recibiendo a su propio padre.

O al menos eso pensaba Frances aunque, para su desgracia, no podía saberlo a ciencia cierta: ella jamás había visto a su propio padre.

Shakespeare bajó de un salto y empezó a ladrar alborozado.

—Tranquilo, chucho, tranquilo —dijo Jack con su habitual voz autoritaria para perros, o al menos para ese perro.

Y, sin rechistar, el perro volvió a su asiento, muy formal, aunque sin dejar de mover la cola sin parar. Se notaba que se uniría a la multitud de un salto en cuanto le dieran permiso para hacerlo.

—¡Milord, milord Jack! —gritaban las niñas, prácticamente todas al mismo tiempo.

—¡Mirad, milord Jack ha traído un perrito! —dijo una niña con trenzas rubias, que inmediatamente se fijó en Frances—. Y otro chico —aunque esto no lo dijo con tanto entusiasmo.

—Niñas, por favor —dijo al llegar la mujer del vestido gris—. Seguro que lord Jack quiere ver lo bien que os portáis.

—No, seguro que no, señorita Bea —dijo una niña regordeta con un montón de rizos negros mirando a la mujer con el ceño fruncido—. Él no quiere ver lo bien que nos portamos. Quiere que vernos a nosotras.

—Quiere veros a vosotras, Jenny, sin «que» —corrigió riendo la mujer; su cara se relajó y mostró su belleza—. Vaya, querida, siempre me estás buscando las vueltas.

Debía de ser la tutora de las niñas. Parecía tener su misma edad.

—Vamos, las dos tenéis razón —dijo Jack—, quiero ver lo bien que os portáis, pero también quiero veros a vosotras.

Oh. Por alguna razón sintió una gran pena en su corazón. Si su padre hubiera...

¡Estúpida! Era una mujer hecha y derecha. No necesitaba un padre. Le había ido bien sin él durante veinticuatro años.

—Milord —el hombre fornido consiguió finalmente alcanzarlos. Resoplaba y su cara estaba roja por el esfuerzo— no le esperábamos.

Logró hacerse con el control de los caballos.

—Yo tampoco había pensado venir, Joseph —dijo Jack saltando al suelo.

Las niñas se abalanzaron sobre él, intentando tocar cualquier parte de su cuerpo que estuviera a su alcance.

—¡Vamos, niñas! —dijo riendo— ¡Pero si ya estuve aquí la semana pasada!

Tomó en brazos a la que parecía la más pequeña de todas, que tendría unos tres años como máximo.

—¿Cómo está la pequeña Anna? —preguntó cariñoso.

Anna sonrió mientras se chupaba con fruición el dedo gordo, y apoyó la cabeza sobre el hombro de Jack.

—Siento de verdad haber interrumpido su clase, señorita Weatherby —dijo sonriendo a la profesora.

La joven se sonrojó de inmediato. ¿Cómo no iba a hacerlo? Jack la miraba con intensidad, con una sonrisa cálida y personal, no con esa expresión gélida e indirecta con la que un lord se dirige a un sirviente.

Vaya, vaya. La mujer parecía ser algo más que una simple profesora para Jack. Frances se sintió de repente muy, pero que muy enfadada.

Capítulo 5

La verdad siempre termina por imponerse.
—de las *Notas de Venus,* duquesa de Greycliffe.

—¿Podría recoger al niño que lleva Francis, señorita Weatherby? —le pidió Jack. Menos mal que había aparecido Bea. Todos sus profesores eran buenos, pero no todos hábiles con los bebés. Bea sí que lo era, aunque no pudiera ayudar al niño con lo que más necesitaba en este momento.

—Y por favor, dígale a la señorita Understadt que vamos a necesitar de inmediato una nodriza.

—¿Un bebé? —dijo Bea mirando el bulto que llevaba Francis— ¡Oh, Dios mío!

Se apresuró a recoger al niño y después miró con el ceño un poco fruncido a las niñas entusiasmadas y parlanchinas que daban saltos a su alrededor.

—No se preocupe, que ya me hago cargo yo de sus alumnas —dijo Jack tranquilizándola.

—Gracias, milord —dijo dedicándole una de sus fugaces sonrisas, y salió corriendo en busca de la eficiente dama que dirigía la casa en nombre de lord Jack.

Fue un buen día el que encontró a Bea en el Blue Maiden, uno de los mejores burdeles de la ciudad. La esposa y el hijo de Ned acababan de morir, y él estaba absolutamente deprimido. Bea le había dado exactamente lo que necesitaba, tranquilidad y descanso. Por desgracia, pocos hombres agradecían ese tipo de comportamiento en una compañera de cama. Tres meses después de su primer encuentro, justo tras comprar la casa de Bromley, paró frente al Blue Maiden en el preciso momento en el que Celestine, la madama, estaba echando a la calle a Bea. Por fortuna, era mucho mejor maestra que prostituta.

—¿Nos ha traído golosinas, milord Jack? —preguntó Jenny tirándole de los pantalones para llamar su atención.

—Esta vez no, Jenny. La verdad es que tenía mucha prisa por llegar —se excusó Jack.

Jenny, que iba de azul, su color favorito, le sonrió de todas maneras. Tenía seis años, pelo oscuro, ojos azules y una voluntad indomable, gracias a Dios. Esa voluntad, y unos pulmones lo bastante fuertes, la habían salvado de la muerte. Hacía un año había oído su llanto cuando lord Botsley, de quien la alta sociedad aseguraba que le gustaban las niñas pequeñas bastante más de lo debido, la estaba obligando a subir a su carruaje. Había mordido con tal fuerza a aquel desgraciado que hasta le hizo sangre.

Botsley no quería soltar su trofeo, pero Jack terminó por persuadirle. Eso sí, a puñetazo limpio. Lo dejó inconsciente en medio del barro, junto a una alcantarilla de Londres. Maldito hijo de perra, la verdad es que se quedó muy a gusto haciéndolo.

Botsley tuvo que huir al Continente unas semanas más tarde, después de haber forzado a la hija de un noble en lugar de a una prostituta, pero se rumoreaba que había regresado a la ciudad. ¿Podría ser él el Degollador Silencioso? Por lo que Jack sabía, nunca había matado a nadie, pero su alma era lo suficientemente negra como para ser capaz de hacerlo.

Alguien, quizá la pequeña Eliza, estaba tirándole de la pernera del pantalón sin parar.

—¿Puedo acariciar al perrito? —decía la niña.

Echó un vistazo al carruaje. *Shakespeare* seguía quieto en el asiento. Francis, ahora libre del bebé, lo sujetaba como podía pasándole un brazo por el lomo para evitar que bajara y se pusiera a jugar con las niñas. Se arriesgaba a pillar las pulgas que, sin duda, tenía el perro, que ladró e intentó saltar cuando vio que Jack lo miraba.

—No, Eliza. Primero tenemos que asegurarnos de que tiene buenos modales. Lo he recogido hace una hora o dos en la calle Hart.

—Ah, ya —asintió Eliza.

Jack también la había recogido a ella en la calle Hart, cuando tenía unos tres años. Ninguna de las mujeres de Covent Garden había visto antes a esa niña pelirroja, por lo que dieron por hecho que su madre la había abandonado en a calle, en vez de llevarla a la inclusa de Londres. Quizá la madre había oído que los niños que se dejaban abandonados en la calle Hart desaparecían y con eso le bastara.

Jack miró hacia abajo para observar la cara de Eliza, sonrosada y llena de pecas, y se preguntó por enésima vez cómo era posible que una madre o un padre fueran capaces de abandonar a su hija, sobre todo a una niña tan dulce como Eliza.

—¿Quién es el chico que está con el perrito? —preguntó Jenny.

—Se llama Francis —contestó Jack mirándolo y dirigiéndose a él—. Baja y ven con nosotros a la casa, Francis. Debes de estar hambriento. Tomaremos algo antes de volver a la ciudad.

—¿Y qué hacemos con *Shakespeare*? —preguntó, un poco remiso a dejar el asiento.

—Puede quedarse aquí fuera, junto al carruaje. Seguro que el señor Understadt le echará un ojo mientras estemos dentro, ¿verdad, Joseph? —sugirió Jack.

—Por supuesto que sí, milord. ¿Le digo a uno de los chicos que cuiden del carruaje? —preguntó a su vez Joseph.

—Sí, por favor. Aunque me temo que solo podremos quedarnos media hora, o una como mucho, por lo que no tiene sentido llevar los caballos al establo —indicó.

Se volvió hacia el grupo de niñas, que no paraban de moverse dando saltitos a su alrededor.

—Y ahora, jovencitas, seguro que tenéis frío, y la señorita Weatherby no me lo perdonaría si no os llevara dentro, así que vamos para allá —les dijo sonriente.

Frances observó al hombre, tan alto como era, moverse como pez en el agua entre el grupo de niñas que no paraban de saltar, reírse y charlar. La pequeña a la que llevaba en brazos, Anna la había llamado, le acariciaba la mejilla con su manita, la que no tenía pegada a la boca por el dedo pulgar, e inmediatamente apoyó la cabeza en su hombro. ¿Sería suya alguna de las pequeñas? ¿Quizá la propia Anna?

—Sería mejor que bajara del carruaje, señor —dijo el señor Understadt—. Y aquí, la señorita Eliza, se ha quedado para esperarlo y acompañarlo a casa para que llegue sano y salvo.

Y así era. La pequeña pelirroja y pecosa le esperaba solícita. Así que Frances se bajó despacio del carruaje y se quedó de pie junto a ella.

—Parece un perrito muy listo —dijo Eliza —. ¿Sabe hacer algún truco?

—La verdad es que no lo sé —contestó Frances—. Como ha dicho lord Jack, acabamos de recogerlo.

Frances miró al perro y después a cualquier sitio para evitar la mirada de Eliza, directa y franca.

¿Por qué se había quedado atrás la niña? Los niños eran absolutamente impredecibles y la ponían nerviosa. Siempre tenía problemas cuando hablaba con ellos. Todo lo contrario que Jack. Viéndole, parecía que tratar con niñas que no dejaban de hablar y hacer ruido fuera lo más sencillo del mundo.

Frunció el ceño. Tal vez es que los mujeriegos como él eran capaces de hechizar a todas las hembras, tuvieran la edad que tuvieran.

—Pase dentro, por favor, señorita Eliza —dijo el señor Understadt—. No querrá que milord tenga que volver a por usted.

—Pero yo estoy acompañando al señor Francis —dijo Eliza con una sonrisa traviesa, y extendió la mano hacia *Shakespeare*—. ¿Me das la mano, perrito?

Antes de que a Frances le diera tiempo a retirar la manita de la niña, *Shakespeare* había extendido su pata derecha para dársela.

Eliza se puso muy contenta, y acarició la cabeza del perro.

—¡Sí que sabe hacer trucos, señor Francis! Vamos a enseñárselo a todo el mundo —exclamó encantada—. ¡Muy bien, perrito!

—Eliza, me da la impresión de que a lord Jack no le gustaría que el perro entrase aún —dijo Frances mirando al señor Understadt para que confirmara lo que decía—. Yo puedo quedarme fuera con él.

Prefería quedarse fuera. Ya había sido bastante complicado fingir ser un muchacho estando sola con Jack. El incidente con las prostitutas había sido una auténtica pesadilla, pero al menos había durado poco. Pero si entraba en la casa estaría rodeado de niñas y de profesores. La descubrirían en cuestión de minutos.

—El perro no parece peligroso. Entren. Si el perro les sigue tampoco pasa nada —dijo el señor Understadt encogiéndose de hombros.

—No sé. Yo creo que... —empezó a decir, y de repente miró hacia abajo sorprendido. Una manita se había deslizado en la suya.

—Vamos, señor Francis —dijo Eliza tratando de tirar de él hacia la casa—. Nos vamos a perder el almuerzo.

Frances se rindió y se dejó llevar por Eliza. Tendría que dar lo mejor de sí misma para mantener la farsa. Quizá pudiera quedarse al margen y pasar desapercibida.

Qué cosa más rara. Le gustaba tener la mano de Eliza entre la suya. La niñita no era como otros niños que había conocido. Se portaba muy bien, de una forma inusualmente madura. Y aunque se daba cuenta de que era un sentimiento del todo absurdo, sintió una especie de camaradería y familiaridad con ella, tal vez porque las dos eran pelirrojas y tenían pecas.

—¿Milord Jack le ha encontrado también en la calle? —le preguntó Eliza levantando la vista—. A mí me encontró allí.

—Ah, no —respondió sintiendo auténtica pena de la pobre niña—. Yo estaba en una posada, de camino hacia Londres.

—Sí, claro —respondió Eliza asintiendo con la cabeza—. Muchos de los chicos y de las chicas mayores van allí para ser aprendices de alguien. ¿Iba allí para ser aprendiz?

—No, iba a visitar a mi hermano —respondió Frances.

—Ah —dijo, y pareció cohibirse un poco, pero enseguida siguió—. Jenny quiere ser aprendiz con un sastre. Pero yo todavía no sé qué es lo que quiero hacer. Solo tengo cuatro años... bueno, la verdad es que no estoy segura del todo de cuántos años tengo. Milord Jack cree que tengo cuatro. ¿Cuántos años tienes? —le preguntó ya con mucha confianza: se notaba en su mirada.

No quería mentirle a la niña, pero tampoco podía decirle la verdad. Eliza podía decírselo a Jack en cuanto le viera.

—Pues, tengo más de cuatro —le dijo sonriendo.

Eliza aceptó la respuesta sin ningún reparo, y pasó a otro tema.

—Tenemos que elegir un día de cumpleaños. Yo he elegido el 1 de julio, porque me gusta mucho el verano. ¿Cuándo es tu cumpleaños? —le preguntó. Definitivamente le había tomado confianza.

—El 4 de abril —respondió.

Nunca había pensado que alguien no supiera el día en que había nacido, pero por supuesto el niño que habían encontrado hoy no lo sabría nunca.

Y tampoco tendría ninguna necesidad de saberlo. El día del cumpleaños era como cualquier otro. Nadie se había preocupado nunca de celebrar el cumpleaños de ella o de Frederick, ni les habían felicitado. No obstante, no parecía normal que alguien desconociera un dato tan básico acerca de sí mismo.

Cuando llegaron a la casa, Eliza la condujo a través de la puerta y del recibidor. Era un lugar grande y aireado, mucho más agradable de lo que Frances se había imaginado.

Oyó un sonido chirriante y miró hacia atrás. *Shakespeare* las seguía. Bueno, si al señor Understadt no le preocupaba la presencia del perro en la casa, a ella tampoco. Lord Jack podría echar al chucho en cuanto quisiera.

Eliza lo llevó a una habitación amplia y ruidosa. Había cuatro grandes mesas redondas con unos diez niños en cada una de ellas, dos de chicas y dos de chicos. Eliza fue corriendo a sentarse en una de las mesas de las niñas, en la que estaba la señorita Weatherby, dejando a Frances de pie en medio de la habitación y sin saber qué hacer. No se veía al bebé por ninguna parte; seguramente la señorita Weatherby ya lo habría dejado en manos de la señora Understadt. ¿Y dónde estaba Jack?

—¡Frances! —llamó Jack —. ¡Aquí hay sitio!

Estaba sentado con los chicos mayores y con su tutor, un hombre más o menos de la edad de ella. ¡Maldición! Eran todavía niños, pues el mayor no tendría más de doce años, pero parecían vivos e inteligentes y, con toda seguridad, su tutor era un experto en el trato con chicos de esa edad. Si no tenía mucho, pero mucho cuidado, la farsa llegaría a su fin y de una manera muy embarazosa.

Tendría que mantener los ojos en el plato en todo momento. Por lo menos lord Jack había reservado un sitio para ella justo a su lado.

—¡Mirad! ¡Tiene un perro! —exclamó uno de los chicos.

Todos los muchachos alzaron la vista para mirar al animal, e incluso alguno se levantó para ver mejor, hasta que sus profesores les dijeron que se sentaran a la mesa de nuevo. Pero, por suerte, a ella no le hicieron mucho caso, por lo que se deslizó en su asiento tratando de llamar la atención lo menos posible.

—Lo siento mucho, milord —dijo compungida—. *Shakespeare* me ha seguido, y el señor Understadt dijo que no pasaba nada porque entrara en la casa.

—Bueno, ya ves que está causando una pequeña conmoción —dijo Jack sonriente—. Siéntate y compórtate, *Shakespeare*.

Shakespeare se sentó y empezó a mirar alternativamente a Jack y a Frances, atento y con ojos apenados.

—Creo que tiene hambre —dijo el muchacho que se sentaba al otro lado de Jack.

Las orejas de *Shakespeare* se pusieron tiesas y el rabo empezó a moverse, mostrando interés y esperanza.

¿Se parecía a Jack el pequeño que había hablado? No, era imposible, el muchacho debía tener unos doce años, lo que implicaba que Jack lo habría tenido a los catorce...

Miró un momento a Jack y tomó un bocado. ¿Era físicamente posible que los chicos de catorce años tuvieran hijos?

Tomó otro bocado. La comida era excelente, muchísimo mejor que la que solía haber en Landsford. Si se hubiera tratado de una visita anunciada, habría pensado que la cocinera se había esmerado con esa comida en concreto, pero la presencia de Jack era absolutamente inesperada. Parecía que Jack era un benefactor más que generoso.

—¿Sabe pedir comida? —preguntó el chico que estaba sentado junto a Frances.

—Pues no lo... —empezó a responder.

Pero él no esperó a que terminara de contestar. Tomó un buen trozo de pan y se lo enseñó a *Shakespeare*. Inmediatamente, el perro levantó las patas delanteras.

—Parece que sí —concluyó Frances.

El chico le echó el pan a *Shakespeare*, que lo devoró en dos bocados. Después agachó la cabeza, como si estuviera haciendo una reverencia.

—Antes era el perro de un actor —explicó Jack riendo—. No me extrañaría que el señor Dutton se ganara uno o dos chelines gracias a las actuaciones de *Shakespeare*.

—¿Me puede pedir comida a mí?

—¡No, a mí!

Los chicos se levantaban de las sillas divertidos y entusiasmados. Ella nunca había visto a Frederick comportarse de esa manera cuando era pequeño, aunque por supuesto que no habría podido aunque quisiera. Viola les obligaba a mantener los modales de manera muy estricta, pero en cualquier caso él nunca comía con ellas. Siempre estaba en el campo buscando plantas.

Todos aquellos muchachos procedían del arroyo y casi seguro que eran hijos de prostitutas. Sin embargo, todos parecían felices y gozaban de buena salud.

El tutor levantó el brazo para pedir tranquilidad.

—Chicos, si todos le dais de comer a la vez el pobre animal va a explotar —dijo con sentido del humor y sin regañarles.

—Sí, señor Pedley —dijeron obedientes, aunque un poco decepcionados.

—Aunque quizá sepa hacer otros trucos, ¿verdad, señor? —preguntó el señor Pedley.

—Que yo sepa, no —respondió Jack—. ¿Sabes tú si tiene otras habilidades, Francis?

—Sabe dar la mano —respondió con timidez.

Jack también parecía estar a gusto con los muchachos, y ellos con él. Debía de ir con bastante frecuencia. El hecho de visitar un lugar como aquel parecía una actividad bastante extraña para un mujeriego. Su padre, por ejemplo, jamás se había tomado la molestia de ir a ver a sus propios hijos.

—Espléndido —dijo lord Jack riendo, y se dirigió a una niña delgada de unos diez años—. ¿Mary, serías tan amable de darle la mano a *Shakespeare*?

Y Mary, con toda solemnidad, le tendió la mano al perro, que levantó la pata al momento.

Los chicos estallaron en carcajadas y empezaron a probar otros trucos. *Shakespeare* sabía hacer prácticamente de todo: dar vueltas, caminar sobre las patas traseras, hacer como si hablara, ladrar siguiendo un ritmo y hasta morderse la cola. A uno de los chicos mayores se le ocurrió la sugerencia final.

—¡Hazte el muerto, *Shakespeare*! —ordenó.

El perro levantó las orejas e inmediatamente cayó como fulminado. Los chicos rieron y aplaudieron encantados. Pasaron unos largos segundos, y *Shakespeare* seguía en el suelo, aparentemente sin vida.

—¿Qué creéis que hay que hacer para que resucite? —preguntó Jack.

Los chicos habían empezado a susurrar, mientras algunas de las niñas parecían a punto de echarse a llorar. Evidentemente había que hacer algo, pero Jack no mostraba la más mínima preocupación.

—*Shakespeare*, ven aquí —dijo Frances.

Nada.

—*Shakespeare*, ¿quieres un poco de jamón? —dijo uno de los chicos mayores.

Todavía nada.

La pequeña Eliza abandonó su mesa y se colocó junto a la cola del pobre *Shakespeare*.

—¡Levántate, perrito! —dijo.

Esas eran las palabras mágicas. *Shakespeare* saltó como un resorte y Eliza cayó hacia atrás y se quedó sentada en el suelo con cara de susto y casi a punto de llorar, hasta que el perrito le lamió la cara. En ese momento empezó reírse, rodeó con los brazos el cuello de *Shakespeare* y apretó la cara contra su pelo... aunque solo un momento.

—¡Uuf! —dijo sacudiéndose la nariz—. El perrito huele fatal.

—Creo que el pobre *Shakespeare* necesita un baño más que el comer, Eliza —dijo Jack poniéndose de pie—. En estos momentos no es la compañía más adecuada para toda una señorita como tú.

Frances también se puso de pie a toda prisa. Parece que ya se iban, gracias a Dios.

—Vuelve cuando estés limpio y arreglado, perrito —dijo Eliza levantándose del suelo y dando un toquecito a *Shakespeare* con el pie.

—Pues sí, eso es —dijo acercándose una mujer mayor, delgada y de pelo gris, que desde hacía un rato estaba de pie junto a la puerta—. Espero de verdad que vuelva a traer a *Shakespeare* de visita, milord, pero ahora los chicos tienen que volver a sus clases.

Los mayores protestaron.

—Claro que sí, señora Understadt. Además, Francis y yo tenemos que regresar a Londres —dijo Jack riendo.

Hizo una pausa, levantó las cejas y evitó cualquier expresión en la cara, aunque los ojos le traicionaban con un brillo travieso.

—¿Tengo que suponer que no le apetece tener un perro? —preguntó Jack.

—Muchas gracias, milord —contestó sonriendo la señora Understadt—. Es usted muy generoso, pero me temo que este animal en particular supondría una distracción excesiva para nuestros estudiantes.

Una vez más los chicos, y sobre todo los mayores, empezaron a protestar, pero se detuvieron de inmediato cuando la señora levantó la mano.

—No obstante, esperamos con impaciencia volver a recibirlo. Después de que lo hayan bañado, por supuesto —dijo con toda seriedad.

—Por supuesto —confirmó Jack con una reverencia.

La señora Understadt los acompañó a la puerta mientras los alumnos entraban en fila en sus respectivas clases. La sonrisa de Jack se esfumó en cuanto desapareció el último niño.

—¿Cómo está el bebé, Úrsula? ¿Ha encontrado una nodriza para él? ¿Qué opina el doctor?

—Ha podido mamar, lo que es una señal excelente —contestó la mujer sonriendo—. El doctor está esperanzado, aunque con cierta cautela. ¿Dónde lo encontró al pobrecillo?

—En el callejón Leg. Si *Shakespeare* no lo hubiera mantenido caliente, seguro que hubiera muerto de frío —respondió Jack estremeciéndose al recordarlo.

La señora Understadt se agachó para acariciar la cabeza de *Shakespeare*, que ladró y meneó la cola casi con furia.

—Ese ha sido el mejor de todos tus trucos —dijo dirigiéndose al perro.

—Creo que le gusta bastante, Úrsula. ¿Está segura de que no quiere tener un perro? —insistió Jack.

—No, milord, de verdad. Bastante tengo con cuidar a todos los niños que me trae —dijo amablemente, y se volvió sonriendo hacia Frances—. ¿Y quién es este jovencito?

¡Vaya por Dios! Su esperanza de salir sin despertar la atención de la señora se desvaneció.

—Estoy perdiendo los modales, tal vez debería venir aquí como alumno por un tiempo para recuperarlos —se lamentó Jack—. Permítame que le presente al señor Francis Haddon. Señor Haddon, la señora Understadt.

Frances intentó realizar una reverencia más o menos presentable.

—Voy a llevarle con su hermano, o por lo menos a intentarlo —explicó Jack—, aunque resulta que se mudó sin informar de su nueva dirección.

—Vaya, querido, qué fastidio. Estaríamos encantados de que el señor Haddon se quedara con nosotros hasta que localice a su pariente, milord. Al señor Pedley no le importaría y estoy segura de que los demás chicos estarían muy contentos de recibirle —afirmó la señora Understadt dedicándole otra sonrisa a Francis—. ¿Le apetecería a usted, señor Haddon?

A Frances se le heló la sangre. ¿Vivir en una casa y pasar las noches en un dormitorio común con un grupo de chicos y cerca de un hombre casi de su misma edad? No habría modo de ocultar su condición femenina.

—Yo... eh... la verdad... es usted muy amable, pero... —balbuceó y se dirigió a Jack, sin importarle demostrar con su expresión que era presa del pánico—, de verdad creo que lo mejor es regresar con usted a Londres, milord. No obstante, agradezco muchísimo su amable oferta, señora —concluyó.

El hielo de las venas terminó por alcanzar su corazón. Si lord Jack decidía finalmente que debía quedarse, la dejaría aquí. Con toda probabilidad la señora Understadt se la llevaría de la oreja y la metería en una de las clases. A sus ojos no era más que un crío. Lo que fuera a pasarle había dejado de estar en sus manos.

Incluso tenía menos capacidad para decidir que la que había tenido siendo mujer.

Bueno, no era una niña. Si fuera necesario, revelaría su identidad. Sería tremendamente embarazoso y seguro que lord Jack se pondría furioso al darse cuenta de que le había engañado. Otra posibilidad era contárselo en privado a la señora Understadt...

Pero no. Seguro que la mujer mandaría llamar a lord Jack en el mismo momento en que escuchara la verdad de labios de Frances y él volvería hecho una furia para devolverla de inmediato a Landsford. Por desgracia, no parecía el tipo de persona que se limitara a lavarse las manos en un asunto como este.

Y además, en cuanto los vecinos del pueblo, y la aristocracia, y Littleton, y la tía Viola la vieran con él...

Se le revolvió el estómago al pensar lo que supondrían y cuchichearían. Todo el mundo susurraría que la escandalosa señorita Hadley había llegado en compañía del mayor sinvergüenza Londres y que había estado con ella el tiempo suficiente como para arruinar su reputación no solo una vez, sino varias. Habría carreras para ser el primero en darle un arañazo, y después los demás no pararían.

Una mano grande y cálida la tocó en el hombro.

—Vamos, no te preocupes muchacho —dijo lord Jack sacudiéndola ligeramente y revolviéndole el pelo—, que no te dejaré aquí si de verdad no quieres. Todo irá bien.

La verdad es que lo dudaba muchísimo.

—Tenga confianza —dijo la señora Understadt—. Lord Jack tiene ojos y oídos en todas partes. Encontrará a su hermano, señor Haddon.

Y en ese preciso instante averiguaría que era su hermana gemela. Demonios, empezaba a sentirse como si estuviera atrapada en una habitación en la que todas las salidas estuvieran tapiadas.

—Debemos irnos ya —dijo Jack —. Ha sido un placer verla de nuevo, Úrsula. Mande recados sobre la evolución del bebé, por favor.

—Por supuesto, milord, aunque en este momento lo mejor es que no haya novedades. Sabe usted perfectamente que hasta que no pase un poco de tiempo no sabremos si saldrá adelante con éxito y sin secuelas —dijo saliendo fuera con ellos—. ¿Cómo quiere que lo llamemos, señor?

Shakespeare, que aparentemente había perdido la paciencia hacía rato, trotaba muy por delante de ellos. Jack rió entre dientes.

—Creo que debe llevar el nombre de su salvador, ¿no le parece? —dijo Jack—. William Shakespeare.

Jack conducía con tranquilidad el carruaje de vuelta a Londres. Las noticias sobre el bebé eran excelentes. A veces los niños que recogía no tenían fuerzas ni siquiera para mamar del pezón, y cuando ocurría eso con un bebé tan pequeño el resultado no solía ser nada bueno. Pero en este momento se sentía muy esperanzado acerca del futuro de William Shakespeare.

Y respecto al futuro del chico que estaba sentado junto a él... Miró brevemente a Francis. Parecía estar muy enfadado. No había pronunciado una palabra desde que se despidieron de Úrsula.

Estaba claro que se sentía dolido y decepcionado. Sus planes se habían hecho añicos. Obviamente Francis debería haber considerado la posibilidad de que su hermano no estuviera donde se suponía que debía estar, pero era solo un niño y los niños no suelen tener la capacidad de prever los problemas.

Menos mal que la señora Findley le había pedido que lo acompañara a Londres. Si Francis hubiera llegado solo a Covent Garden... mejor no pensar en ello. Sus chicos, los que acababa de dejar en la casa, se las habrían apañado. Pero Francis estaba muchísimo más verde que ellos.

—¿Tienes la menor idea de dónde puede estar tu hermano? —preguntó Jack.

—No.

—¿Y acerca de con quién se ha casado? —insistió.

Un rayo de luz iluminó la delicada mejilla y el suave mentón del muchacho, haciendo que su aspecto fuera mucho más femenino. Bueno, unos años más resolverían ese problema en concreto.

Pero a propósito de mujeres... tendría que hacer alguna averiguación acerca de esa muchacha anónima de la que habló Pettigrew, la que salió corriendo en lugar de casarse con Littleton. Puede que todavía hubiera alguna esperanza para ella.

—Ni la más mínima —dijo el chico con tono amargo—. La patrona dijo que era una ramera que se dedicaba al teatro.

Eso podría explicar por qué el hermano de Francis no había mencionado siquiera la boda.

—Si está relacionada de alguna manera con el mundo del teatro, seguro que la boda se ha comentado en el vecindario. Ya preguntaré por ahí. A alguien le sonará el nombre de tu hermano.

Francis palideció. Demonios. No quería que el joven perdiera el conocimiento y se cayera del carruaje.

—¿Estás bien? —preguntó alarmado.

—Sí, por supuesto —respondió Francis mirándose las manos y apretando los dientes. Estaba claro que no tenía ningunas ganas de hablar sobre el asunto.

El vehículo siguió avanzando en silencio. Ya habían llegado a las afueras de Londres, y el tráfico era más intenso. Jack intentó concentrarse en la conducción, pero le resultaba difícil no hacer caso a Francis. La tensión que irradiaba casi se podía cortar, y había algo más. ¿Culpabilidad? Le resultaba obvio que estaba ocultándole algo importante.

—Francis...

—¡Tenga cuidado! —gritó el muchacho.

Un hombre estaba cruzando casi al paso del carruaje. ¡Condenado! Jack tiró con fuerza de las riendas.

—¡Maldito idiota! —le insultó el individuo mostrándole el puño— ¡Mira por donde vas!

Jack se mordió la lengua, aunque estuvo a punto de gritarle al hombre lo que pensaba de él, de sus antepasados más directos y de su seguramente muy escasa inteligencia. No quería enseñarle determinado vocabulario a Francis ni tampoco malgastar fuerzas. El tipejo estaba borracho como un emperador romano en una orgía.

Al parecer Francis no aprobó su autocontrol. Se volvió iracundo para mirar al hombre.

—¡Qué pedazo de tarugo! ¿Ha visto? No ha mirado ni a la derecha ni a la izquierda antes de cruzar. Si usted no llega a ser tan buen conductor le hubiera aplastado. ¿Por qué no le contestó y le puso en su sitio?

¿Acaso iba el chico a volver corriendo para defender su honor? El brillo iracundo de sus ojos parecía sugerirlo, pero él ya sabía que los jóvenes eran proclives a la pelea.

—¿Y de qué habría servido? ¡*Shakespeare*, por favor! —gritó—. Muchas gracias por defenderme, pero me estás dejando sordo.

El perro también había decidido salir en su defensa y ladraba como un condenado al tipo que, como era de esperar, acababa de entrar tambaleante en una taberna, lo que al parecer esa su objetivo desde el principio.

Por suerte *Shakespeare* se calló. Pero Francis no.

—¡Pero no tenía motivo para insultarle! —insistió.

—Por supuesto que no, y además está borracho como una cuba. Déjalo estar —dijo intentando tranquilizarlo.

—Si yo fuera un hombre... —dijo, e inmediatamente se mordió el labio y se puso rojo como un tomate.

—Serás un hombre dentro de poco tiempo, y espero que para entonces hayas aprendido a no enfadarte tanto por lo que no merece la pena. Es mejor guardar la ira para hacerla estallar cuando realmente es necesario e importante.

Como los niños abandonados y las mujeres que han perdido toda esperanza.

Había abierto sus casas debido a la enorme ira contra el destino que se había llevado al hijo y a la mujer de su hermano, pero ahora se sentía muy satisfecho por lo que lograba con ellas, sobre todo con el orfanato. Era una cura continua de humildad, además de una actividad muy estimulante, el comprobar las ganas de vivir de los niños y el cambio que experimentaban desde que los recogía. Se sentía enormemente confortado cuando los visitaba...

Por Dios bendito, sus oídos no iban a soportar este viaje. Ahora *Shakespeare* la había tomado con un perro callejero.

—*Shakespeare*, cállate o te juro que te tiro por la ventanilla —dijo muy enfadado.

El perro debió de creerle, porque dio un ladrido de despedida y se sentó, al parecer muy satisfecho consigo mismo. La verdad es que iba en un carruaje magnífico mientras que el resto de la chusma perruna corría por el fango.

Era una pena que el propio *Shakespeare* no tuviera un aspecto un poco mejor. Estaban llegando a la zona comercial y Jack ya se imaginaba que la historia de su paseo en carruaje por lo mejorcito de Londres con un perro callejero y un muchacho de aspecto algo desastrado desataría las lenguas viperinas con todo tipo de cotilleos.

A lo mejor tenía suerte. A lo mejor hoy no había nadie comprando.

A lo mejor el sol dejaba de ser una estrella.

Lady Dunlee, la cotilla más famosa de Londres, fue la primera persona a la que vio, paseando con su gran amiga, y también consumada cotilla, Melinda Fallwell. Los ojos de *lady* Dunlee se abrieron de par en par en cuanto su vista los captó, y por poco se le desencaja la mandíbula de tanto como abrió la boca. Qué fatalidad.

La mujer saludó con la mano, y Jack devolvió el saludo. Era mejor actuar como si todo fuera absolutamente normal, excepto el hecho de que las mujeres, una vez recompuestas sus mandíbulas inferiores, ya estaban hablando animadamente, con toda seguridad acerca del extrañísimo grupo que formaban sus acompañantes y él.

Pero la cosa no paró ahí. Para poner la guinda al pastel, ahí llegaba Pettigrew.

—¡Jack! —gritó Pettigrew, con voz estentórea para variar.

Francis se puso rígido y aspiró profundamente. Cualquier viandante que no se hubiera fijado en ellos lo haría ahora, y con sumo interés. Maravilloso.

Pettigrew puso su caballo a la altura del carruaje de Jack para que avanzaran juntos. Le echó un vistazo algo preocupado a *Shakespeare*.

—¿Dónde has encontrado ese chucho? No parece muy apropiado, ¿no crees? —dijo.

Shakespeare lo entendió perfectamente. Pettigrew era capaz de sacar lo peor de todo el mundo.

—Mira, has ofendido a *Shakespeare* —dijo, y no mencionó la reacción de Francis—. Tengo que informarte de que es todo un héroe, aunque también debo admitir que necesita desesperadamente un buen baño.

Las orejas del perro se pusieron tiesas al oír la palabra «baño». Vaya. Esperaba que el animal no opusiera mucha resistencia a un encuentro con el agua y el jabón. Richard y William, sus sirvientes más fornidos, no estarían muy contentos con él si terminaban empapados.

—Si tú lo dices —dijo Pettigrew, que no se molestó en ocultar su asco.

Aunque tampoco *Shakespeare* se molestó en cesar de ladrar. De hecho, empezó a gruñir de forma bastante amenazadora.

Pettigrew no le hizo ni caso y dirigió su atención hacia Francis. Levantó las cejas y su expresión se volvió realmente malévola y lasciva. Demonios. Este tipo no tendría esos gustos... ¿o sí?

—¿Todavía no has encontrado al hermano del chico? —dijo Pettigrew arrugando la frente.

Puede que solo estuviera borracho.

Shakespeare gruñó con más intensidad y remarcó su disgusto con algunos ladridos bastante inapropiados.

—*Shakespeare*, cuida tus modales, por favor —le dijo Jack, pero sin gritar.

Pettigrew aún miraba a Francis, que le devolvía la mirada, aunque su cara estaba bastante pálida.

Tal vez debería animar a *Shakespeare* a que utilizara sus dientes para deshacerse de un personaje como Pettigrew.

—No del todo. Al parecer su hermano se ha casado y se ha mudado. La patrona no tiene idea de a dónde ha podido ir.

—Con que se ha casado, ¿no? —Pettigrew todavía miraba a Francis con esa luz tan sospechosa en los ojos—. Y hablando de matrimonios, mi pobre amigo Littleton, ese que se quedó tirado tras la huida de la arpía que te conté...

¿Qué le pasaba a Francis? El chico se dobló hacia adelante con la cara blanca como la cera. No se iría a desmayar... Jack intentó tomarle del brazo, pero Francis se lo apartó de inmediato.

—... ha venido a la ciudad a ver qué puede encontrar en el mercado matrimonial —dijo Pettigrew intentando ser gracioso.

Ah, vaya, quizá hasta podría resultar una buena cosa el haberse encontrado con Pettigrew. Si ahora no le importaba compartir algo de información acerca de la joven huida, tal vez Jack fuera capaz de encontrarla y de ofrecerle ayuda.

—¿Sabe alguien si la chica está a salvo? —preguntó Jack.

Pettigrew se rió entre dientes con absoluto descaro. ¡Que tipo tan asqueroso! No tenía la más mínima conciencia.

—No, pero estoy seguro que está a punto de caer, y no precisamente de pie —respondió el individuo.

—¡Oh!

Jack se volvió bruscamente para mirar a Francis tras su grito ahogado. El muchacho tenía una mano en la boca y otra en el estómago.

—Creo que tenemos que irnos —debía llevar a Francis a la mansión Greycliffe tan pronto como pudiera.

Pettigrew ya estaba dándose la vuelta.

—Sí. Y cuida bien del... chico —dijo, arrugando de nuevo la maldita frente con esa expresión tan suya. Después se alejó cabalgando.

Si el tipo no estaba borracho, le faltaba un tornillo. Tal vez se hubiera caído del caballo cuando regresaba a Londres y se hubiera dado un golpe en la cabeza que lo había trastornado.

Jack arreó los caballos para que fueran más rápido. Prefería no divertir aún más a la audiencia con el espectáculo de Francis vomitando en su carruaje.

—Te has mareado de repente, ¿verdad? ¿Ya estás mejor? —le preguntó solícito.

Francis, con la cara entre las manos, se limitó a afirmar con un gesto. Por lo menos *Shakespeare*, después de un sonoro ladrido de alegría tras la desaparición de Pettigrew, volvía a comportarse como era debido, aunque su aspecto seguía siendo deplorable.

—Tal vez sea por el viaje. Aguanta un poco. Enseguida llegaremos a casa —le animó Jack.

—Sí —contestó Francis casi sin abrir la boca.

Era raro que Francis se hubiera puesto malo de manera tan repentina. No se había mareado en el viaje desde la posada, ni tampoco al ir o al volver de Bromley. De hecho, y salvo su actitud adusta, había estado bien hasta que se encontraron a Pettigrew.

Vaya. La chica huida... el comportamiento tan extraño de Pettigrew...

¡Oh Dios!

La cabeza de Jack por poco salió despedida cuando se volvió a contemplar a Francis. Y lo vio con otros ojos: manos largas y finas, hombros estrechos, mejillas suaves sin un solo pelo en la barba. Era un chico muy guapo, o...

¡Pues claro!

¿Cómo había podido estar tan ciego y ser tan estúpido? En Crowing Cock Francis se sintió repentinamente enfermo cuando Pettigrew mencionó a Frederick Hadley, un hombre con el que Francis tenía cierto parecido y cuyo único pariente era su también pelirroja hermana gemela.

Francis, o más bien Frances, tendría que dar algunas explicaciones.

Capítulo 6

Jugar con la verdad siempre tiene un precio.
—de las *Notas de Venus*,
duquesa de Greycliffe.

Lord Jack estaba muy enfadado. Frances lo miró a hurtadillas según pasaban por la entrada principal. No aparentaba estar furioso, pero ella sabía que lo estaba. Su cara tenía una especie de tensión, una frialdad, que ella no había visto hasta ese momento. No había dicho una palabra desde que pudieron librarse por fin del señor Pettigrew. Había adivinado su secreto.

Pero no, no podía haber llegado a esa conclusión. Había estado en su compañía, incluso en su cama, y en ningún momento había dado muestras de pensar nada diferente a lo que ella estaba fingiendo, es decir, que no era más que un colegial mugriento.

Si lo hubiera adivinado, probablemente habría intentado seducirla. Eso era lo que los sinvergüenzas hacían con las mujeres, y solo había que leer los periódicos para saber que lord Jack era un mujeriego de la peor clase: sus hazañas salían en los periódicos cada dos por tres: «Lord J. ha sido visto con dos mujeres en una zona oscura durante el baile de *lady* Tal y Tal». «Lord J. ha sido visto de manera fugaz conduciendo por Rotten Row con la rubia propietaria del conocido "local" Gilded G.»

Y ella había visto con sus propios ojos lo bien que se llevaba con todo tipo de mujeres fáciles. Seguro que era tan irresponsable como su padre, tomando el placer donde, cuando y como quería, y sin preocuparse lo más mínimo de las mujeres y los niños que dejaba atrás.

Bueno, no, tampoco era tan malo como su padre. Ahí estaba la casa de Bromley, y los niños, que estaba claro que le querían, y por los que se preocupaba mucho y con absoluta sinceridad.

Tal vez estuviera enfadado con Pettigrew, que era un personaje absolutamente irritante. Hasta *Shakespeare*, que se había portado de maravilla con los niños, mostró desde el primer momento que aquel tipo no era en absoluto de su agrado.

Tenía que mantener la calma y seguir representando su papel. Pasaría la noche en la casa familiar de milord, esta vez sin su compañía. No quería que la violaran mientras dormía.

Se le revolvió el estómago de ansiedad. Por supuesto que no quería ser violada. Tenía que ser una experiencia horrible por la que de ninguna manera quería pasar.

Convencería a lord Jack de que la llevara por la mañana a las oficinas de Puddington, o mejor no, de que la dejara ir en un coche de alquiler. ¡Por supuesto! Esa era la mejor solución, pues de esa manera no descubriría su secreto. Seguro que las oficinas de Puddington no estaban en un barrio peligroso, así que no habría ninguna necesidad de que la acompañara.

Ahora todo lo que tenía que hacer era mantener la farsa un poquito más, retirarse pronto y cenar en una bandeja en su habitación, alegando que estaba muy cansada. Por la mañana iría a ver a Puddington y ahí acabaría la intromisión de lord Jack en su vida.

Sintió una extraña sensación de tristeza, pero la reprimió, enfadada consigo misma. Cuanto antes se alejara de ese calavera, mucho mejor. El magnetismo animal que emanaba, o lo que fuera, estaba afectando a su lucidez.

Habían llegado a una amplia explanada en forma de plaza con un precioso jardín porticado, o más bien un auténtico parque, en el centro. Jack detuvo los caballos enfrente de la casa más grande, y un lacayo corrió a hacerse cargo de ellos, como si hubiera visto a Jack antes de que llegara.

—Bienvenido de nuevo, milord.

—Muchas gracias, Jacob.

Frances empezó a descender, pero la mano de Jack se cerró alrededor de su muñeca como una esposa de hierro. Le miró a los ojos, y vio que tenían una expresión fría, dura y adusta.

—Espere un momento, por favor, señorita Hadley, y la atenderé personalmente.

¡Oh Dios! Su corazón parecía querer escapársele del pecho. Sí que lo había adivinado. ¿Qué demonios iba a hacer ahora?

Jack la soltó y bajó al suelo de un salto, con *Shakespeare* pegado a sus talones.

Intentaría desafiarle.

Lo desafiaría, de hecho. Era capaz de defenderse por sí misma, ya lo había demostrado otras veces. Pero, de momento, esta vez le parecía que las piernas le flaqueaban.

No abusaría de ella. Estaba bastante segura de eso, aunque no del todo. Si pensara que había alguna posibilidad de escapar, como por ejemplo deslizándose al asiento del conductor, tomando las riendas y robando el carruaje a todo galope, lo haría. Pero no sabía conducir un coche de caballos, ni el lacayo permitiría que se fuesen los animales. Y, además, no tenía ningún sitio a donde ir.

Estaba atrapada, por lo que, de momento, no le quedaría más remedio que cooperar. No tenía ninguna intención de avivar todavía más la llama de su enfado.

Él se puso a su lado y extendió la mano, con una máscara de educación moldeándole la cara. Cualquiera que les observara a cierta distancia no sospecharía en absoluto de la escena, salvo por el hecho de que lord Jack estuviera ayudando galantemente a un chico a descender de su carruaje. Pero si pudieran ver los ojos del hombre...

Esos ojos prometían una buena reprimenda durante una conversación de lo más incómodo.

En el mismo momento en el que sus pies tocaron el suelo, la soltó y se dirigió hacia la casa.

A su espalda, ella frunció el ceño. No tenía motivos para que mostrara tal aversión. Sí, lo había embaucado, pero también a los Findley, a la señora Understadt y a muchos otros.

Pero él era un hombre y los hombres odiaban que les engañaran. Probablemente estaba enfadado consigo mismo por no haber sido capaz de darse cuenta de la farsa, en lugar de reconocer que ella era la que lo había hecho bien haciéndose pasar por un chico. Y es que de esa forma su orgullo masculino quedaría por los suelos. Se disculparía de todas las formas posibles, hasta se humillaría si fuera necesario.

Si al menos tuviera otro lugar para pasar la noche, si pudiera evitar cruzar la entrada de su casa, lo haría. Estaba de por medio la familia de su propia madre. Lord Jack era amigo de su primo. Sabría cómo ponerse en contacto con él.

No, de ninguna manera. Correría el riesgo hasta de ser violada con tal de evitar llamar a aquella puerta y enfrentarse al desprecio de su olvidada familia materna.

Siguió a *Shakespeare* a través de la puerta principal de la casa Greycliffe y se quedó con la boca abierta.

La cerró de inmediato, pero el hecho era que en su vida había visto una casa tan impresionante: techos altos, una escalera amplísima y obras de arte por doquier, con montones de estatuas, urnas y pinturas excepcionales. El retrato de un antepasado de los Greycliffe, de tamaño bastante mayor que el natural, parecía observarla fijamente.

Landsford no era una casita de campo, pero esta casa se había construido a una escala muy distinta, era de otro nivel.

El mayordomo les saludó de una manera que a ella le pareció poco normal para las formas habituales de los mayordomos.

—Lord Jack, es un verdadero placer volver a tenerle en casa —dijo, y parecía de veras encantado.

Jack le devolvió la sonrisa, y ella sintió un repentino espasmo. Él no debería sonreír de la forma en que lo estaba haciendo.

—Es estupendo estar aquí, Braxton —dijo, y sonó muy sincero.

—¿Qué tal fue la fiesta de su señoría? —preguntó Braxton.

—Pues, para variar, una auténtica tortura para mí. Pero mamá logró uno de sus objetivos más esperados. Ned se ha prometido con la señorita Bowman.

La habitual sonrisa del señor Braxton se hizo más amplia y radiante.

—¡Es una noticia maravillosa, milord! Su señoría no debe caber en sí de gozo, y por supuesto todos nos alegramos mucho por lord Ned —dijo, y después se aclaró la garganta—. Por supuesto, se dará usted cuenta de que su señoría ya habrá empezado a centrar sus esfuerzos en solucionar su soltería, milord.

—Pues sí —dijo Jack con gesto de cierto fastidio, y echó una mirada rápida a Frances—, me temo que tiene usted razón.

El señor Braxton cambió de tema al darse cuenta del escaso entusiasmo de Jack. Arqueó las cejas al ver el extraño séquito que le acompañaba.

—Veo que le acompañan una persona joven y un perro, milord —dijo con un tono muy neutral.

—Sí —respondió Jack—. El perro se llama *Shakespeare*, y necesita un baño de forma inmediata, como probablemente haya notado usted ya. Esperaba ver a... ¡ah, Richard!

Un lacayo alto que acababa de llegar de la parte de atrás de la casa se detuvo ante la llamada. Miró a *Shakespeare* e inmediatamente adoptó una expresión resignada.

—¿Sí, milord? —dijo, con el mismo tono neutral del mayordomo, y que al parecer era norma de la casa.

—Por favor, llévese a este animal y báñelo a conciencia —ordenó Jack.

—¿Le gusta el agua, milord? —preguntó Richard algo remiso.

—Por desgracia no tengo la menor idea, pero de lo que sí estoy seguro es de que usted se manejará muy bien con él. Es un perro bastante bien educado y tiene muchas habilidades —dijo Jack mirando al chucho—. Por favor, *Shakespeare*, ¿puedes darle la mano a estos señores?

Shakespeare ofreció ceremoniosamente su pata primero a Richard y después al señor Braxton.

—Es un animal muy listo, milord —dijo Richard, cuya escéptica actitud inicial cambió de forma apreciable.

—Sin duda. Ahora por favor lléveselo y añada a sus virtudes la de la limpieza. Puede traerlo a mi estudio cuando esté presentable —concluyó Jack.

—Sí, milord.

De entrada *Shakespeare* se mostró bastante remiso a marcharse, pero en cuanto Richard le mostró un pedazo de queso que trajo de la cocina, lo siguió de buen grado.

El señor Braxton se volvió a mirar a Frances, una vez solucionado el asunto del perro.

—¿Y la persona que le acompaña, milord? —dijo, con el consabido tono.

—Sí —dijo Jack dubitativo, mirando a Frances y después al mayordomo—. Es la señorita Hadley, Braxton. Estoy convencido de que resulta innecesario señalar la necesidad de una discreción absoluta.

—Por supuesto, milord. Casi me ofende que siquiera lo mencione —dijo Braxton, aunque su única reacción perceptible fue una mínima expansión de los ojos.

—Lo he dicho con la única intención de tranquilizar a la señorita Hadley, Braxton —dijo Jack sonriendo—. Estaremos en el estudio. ¿Podría hacer llevar allí algo para refrescarnos y decirle a la señora Watson que se presente en quince... no, mejor veinte minutos?

—Por supuesto, milord —dijo Braxton.

—Muchas gracias. Por aquí, señorita Hadley.

¿Le ofrecería lord Jack a ella un trocito de queso o cualquier otro aliciente, para ir con él si se mostrara de inicio tan reacia como *Shakespeare*?

Reprimió una risa que intuyó que en aquel momento sonaría algo histérica si se le escapaba y lo siguió por el lujoso corredor. Quizá debería preocuparle el hecho de ir a solas con un mujeriego empedernido, pero de repente la idea le pareció bastante estúpida. Después de todo se trataba de la mansión londinense del duque de Greycliffe. No tenía nada que ver con el burdel de esta mañana, sus estridentes paredes rojas y las pinturas obscenas que las adornaban aún más. Y el mayordomo, el señor Braxton, no le pareció el tipo de persona capaz de organizar o permitir ningún tipo de violación en la casa. Un lacayo iba a llevar refrescos enseguida, y puede que Richard y *Shakespeare* aparecieran en cualquier momento. Finalmente, en unos veinte minutos, llegaría la tal señora Watson. Ni siquiera el más experto de los calaveras llevaría a cabo una seducción con tantas interrupciones y en tan poco tiempo.

Y lord Jack estaba demasiado enfadado como para tener el más mínimo interés en seducirla.

Así pues, lo que tendrían sería una discusión en privado, aunque en realidad no había motivos para una discusión. Se disculparía, le pediría que le consiguiera un coche de alquiler por la mañana y se retiraría a la habitación que le asignara. Y, por supuesto, montaría una barricada tras la puerta, no fuera a ser que sus instintos libertinos afloraran con la luz de la luna.

Le siguió hasta un estudio cuya pared estaba formada por unos paneles de madera, y tan enorme que debía ser cuatro veces mayor que el suyo de Landsford.

No, el suyo no, el de Frederick.

—Siéntese, por favor, señorita Hadley —le pidió Jack educadamente.

Lord Jack señaló una silla de madera sin tapizar, de respaldo recto y aspecto no demasiado confortable, situada frente a un escritorio de caoba.

—Puede seguir llamándome Frances —dijo sentándose en el borde de la silla, que era tan incómoda como parecía.

—¿Es ese su verdadero nombre? —dijo Jack mientras se sentaba en una silla, por supuesto tapizada, detrás del escritorio.

—Sí, con una «e» en lugar de una «i».

Otro lacayo trajo una bandeja de té.

—Déjelo aquí, William, por favor. Nos serviremos nosotros —indicó Jack.

—Sí, milord.

El hombre evitó mirarla con un cuidado escrupuloso. Estaba empezando a sentirse invisible, maldita sea.

—Sírvase un poco de té, señorita Hadley —dijo lord Jack cuando el criado cerró la puerta.

Él, por supuesto, optó por el decantador de *brandy*. A ella también le apetecía un traguito de *brandy*, y no porque lo hubiera probado con anterioridad, sino porque le daba la impresión de que la situación demandaba algo más fuerte que el té.

—¿Haría el favor de llamarme Frances? —insistió—. Ha estado llamándome así desde que nos...

Quizá no resultara muy apropiado indicar con exactitud el momento en el que comenzó su relación. Pero Jack no tuvo el más mínimo reparo.

—Sí, claro. La he estado llamando por su nombre de pila desde que nos despertamos juntos en la cama —dijo de forma sarcástica, o al menos a ella le sonó como tal.

El caso es que, con o sin sarcasmo, aquello sonaba francamente mal. Quizá debería servirse un poco de té. Levantó la tetera.

—No fue como lo presenta, y usted lo sabe —dijo.

Se limitó a arquear las malditas cejas.

—¡Fue absolutamente inocente! —exclamó. El sarcasmo parecía que no iba a desaparecer.

Se sirvió un poco de *brandy*, y su forma de hablar adquirió una seriedad absoluta.

—Usted lo sabe y yo lo sé, pero nadie más lo creerá —dijo convencido.

—Debido a su mala reputación —respondió Frances de repente.

Era una afirmación muy poco respetuosa, pero ella empezaba a sentirse en un callejón sin salida. Intentó servirse el té y derramó bastante. ¡Maldita sea!

Los labios de Jack dibujaron una especie de sonrisa amarga. Y su voz volvió tener un tono ligeramente sarcástico.

—Ah, claro, mi reputación. Por supuesto, soy un vividor. Soy el hijo de un duque. Tengo que ser por fuerza insensato, malcriado, egoísta y, sin la menor duda y resumiendo, peligroso. Soy bien conocido en los peores ambientes de Londres. Por tanto, es evidente que ni se me ocurriría pasar cinco minutos en la cama con una mujer sin aprovechar el tiempo —razonó Jack.

Demonios. Frances empezó sentir el estómago tan pesado como si se hubiera tragado una bala de cañón. Dejó la taza de té, pues no se sentía capaz de dar un solo trago. ¿Por qué si el destino había querido que, una vez disfrazada, era obligatorio que compartiera la cama con un hombre, no había sido con un vicario viejo y anónimo, por ejemplo?

—Pero la dura realidad es que nadie creerá que un hombre haya podido pasar la noche en la cama con una mujer sin que pase nada, más allá de un sueño realmente reparador para ambos implicados, señorita Hadley —insistió él—. El hecho de que yo sea lord Jack solo implica que la historia se extenderá como un fuego en el bosque.

—Pero no pasó nada —insistió también ella.

Maldita sea, si iba a estar en la picota, al menos podría haber cometido el supuesto pecado. Su cuerpo traicionero se estremeció de... ¿interés, deseo? ¡No! Bajo ningún concepto quería tener nada que ver con los hombres... con un hombre... con Jack.

—Eso es indiferente. Lo que verdaderamente importa es lo que se piense que pasó —concluyó Jack.

—Pero... —empezó Frances.

—Siga, señorita Hadley, es decir Frances —la animó Jack, pronunciando su nombre de pila con cierto retintín—. No me puedo creer que no vaya a ocurrir eso en cualquier rincón al que llegue la historia. Ya sabe, piensa mal y acertarás.

—Eh... —acertó a balbucear.

Por supuesto, aquel hombre insistente y en esos momentos irritante tenía toda la razón. Cuando la hija pequeña de Squire Adams fue vista una noche en un cenador, con el vestido desarreglado y en los brazos del segundo hijo de un barón, la tía Viola empezó a echar cuentas acerca del tiempo que tardaría en nacer el niño una vez que se produjo la inevitable boda.

—¿Se da cuenta? Su reputación está absolutamente perdida, a no ser que... —dijo Jack, y sus ojos brillaron durante una pausa mínima—. No creo que exista la milagrosa posibilidad de que realmente tenga doce años, ¿no?

—No, no —volvió a balbucear.

Le rondó un momento la idea de volver a mentir, pero comprendió enseguida que hubiera sido ridículo. Ahora que conocía su identidad no había manera de ocultarle nada. Era la clase de persona capaz de averiguar hasta el último detalle de su vida.

—Maldita sea —dijo él, y enseguida se disculpó—. Excúseme.

—Vamos a dejarnos de ceremonias a estas alturas, milord —dijo, aunque verdaderamente estaba impresionada de que se hubiera limitado a un mínimo «maldita sea», y encima se hubiera disculpado.

—Jamás hubiera osado tratarla con tanta familiaridad si hubiera sabido que era una mujer, señorita Hadley —dijo mirándola intensamente.

Oh, Dios mío, empezaba a estar contra las cuerdas.

—¿Tenía razón Pettigrew? ¿Es gemela de su hermano? —preguntó.

—Sí.

—Entonces, me atrevo a preguntarle su edad. Dado el disfraz que lleva, resulta bastante difícil adivinarlo. Pero deduzco que si su hermano está en edad de contraer matrimonio, usted también —razonó.

Seguro que la respuesta no le iba a gustar nada.

—Tengo veinticuatro años —aclaró por fin.

Cerró los ojos durante un instante y dio un buen trago de *brandy*, que ella envidió.

—Ah, ya veo. Entonces me temo que no hay otra salida. Tendré que casarme con usted —concluyó.

—¿Cómo?

Se sintió como si la hubieran golpeado en el estómago. ¿Casarse con el peor sinvergüenza de todo Londres? No, ni mucho menos se casaría con un individuo como su padre. Y, en todo caso, la solución era tan radical como amputar un brazo por el hombro para curar un padrastro en una uña.

—No quiero casarme con usted —dijo con firmeza.

—Ni yo con usted pero, ¿acaso tengo otra alternativa? Nadie querrá tomarla por esposa ahora que he destruido su reputación —razonó.

—Usted no ha destruido nada, es evidente. Estoy bien, y... —se lanzó Frances.

—Señorita Hadley, acaba de reconocer hace un rato que el hecho de que todavía sea virgen..., porque doy por supuesto que lo es —dijo levantando irónicamente una ceja—, no es un hecho que implique una diferencia sustancial en el caso que nos afecta.

—Por supuesto que soy virgen —dijo muy molesta—, aunque eso no es en absoluto de su incumbencia.

¿Cómo se atrevía a dudar ni por un momento de ella? El perverso libertino se limitó a asentir con la cabeza, aparentando despreocupación ante su malestar.

—Como ya he dicho, su indudable virginidad no afecta en absoluto a la situación creada —explicó pacientemente—. Usted, y también yo, podemos afirmarlo de todas las formas y en todos los lugares posibles, hasta quedarnos roncos, pero la sociedad va a pensar que parece otra cosa y va a llegar a conclusiones, y cuando la sociedad llega a una conclusión, ningún desmentido, de ninguna clase, será capaz de convencerla de lo contrario. Créame, lo sé por experiencia.

Se obligó a inspirar con fuerza. El comportamiento de Jack estaba siendo típicamente masculino al considerar una única solución. En realidad había varias alternativas.

—Si me permite tomar un carruaje de alquiler mañana por la mañana, iré a ver al señor Puddington y obtendré el dinero que vine a buscar a Londres. No tendrá que volver a preocuparse por mí. Después de todo, se puede decir que casi nadie nos ha visto juntos, y los que lo han hecho pensaban que yo era un pobre chico que necesitaba su ayuda.

—Se olvida de Pettigrew —dijo Jack.

—¿Pettigrew? —preguntó desconcertada.

Por supuesto que no se olvidaba de ese hombre tan detestable.

Claro que no.

—Sí, el señor Oliver Pettigrew, el individuo con el que nos hemos encontrado en Cheapside, el que la vio en Crowing Cock, el que sabe que hemos compartido habitación y cama en la posada, porque yo mismo se lo dije. Está clarísimo que ha llegado a la conclusión de que es usted mi amante.

—¡Es asqueroso! La mente de ese hombre es un estercolero —estalló Frances.

—Vamos, señorita Hadley. Hasta usted sospecharía si oyera que un hombre y una mujer comparten una habitación en una posada, ¿no le parece? —dijo Jack.

Deseaba decir que no, pero la respuesta obvia era que sí, así que se limitó a callarse.

—Es evidente. Y además ya la ha identificado como la hermana de Frederick Hadley, la novia a la fuga de Littleton. Estoy convencido de que Pettigrew aprovechará la situación hasta sus últimas consecuencias —dijo entre resignado y enfadado, echando otro trago de *brandy*—. Es perfectamente capaz de sacarle partido a la historia durante toda esta temporada, y quizá también durante la próxima, si se tercia.

Maldición. Si Pettigrew estuviera ahora en la habitación, le derramaría en la cabeza el agua hirviendo de la tetera.

—¿Por qué salió huyendo de Littleton? Me resulta difícil de creer que su tía en realidad la estuviera vendiendo —preguntó Jack.

—Literalmente no era una venta, claro —explicó Frances—. La tía Viola, de alguna manera, convenció al tipo de que podía conseguir que yo aceptara su oferta de matrimonio, o de que organizaría las cosas para comprometerme de manera inevitable.

Recordó con absoluta intensidad su estremecimiento mientras estaba tirada en el suelo de la tienda del señor Turner, oyendo como Littleton y Pettigrew hablaban sobre ella. ¡Canallas asquerosos! Casi deseaba encontrarse cara a cara con el señor Lousy Littleton. Le haría trizas con tres o cuatro frases bien dichas.

—No pensaba casarme con él bajo ninguna circunstancia, por supuesto —aclaró, aunque para ella resultaba una afirmación innecesaria.

—Por supuesto —confirmó Jack, dándose cuenta de que no debía contradecirla. Eso sí, levantó de nuevo la maldita ceja—. ¿Por qué haría eso su tía? ¿Acaso pensaba que ese hombre era un partido adecuado para usted?

Estaba segura de que Viola solo había obrado buscando su propio beneficio y su tranquilidad.

—No —contestó Frances con rapidez—. Ahora imagino que recibió una carta de Frederick informándola de que se había casado. Su «recompensa» por echarme en los brazos de Littleton con mi dote sería que ella entraría también en el lote y viviría a «su» costa, con «mi» dinero, claro.

—Comprendo —dijo Jack—. Me temo que todo esto implique que nuestro matrimonio sea aún más inevitable. Está claro que no puede volver a casa, incluso aunque su reputación no hubiera quedado en entredicho.

—Me importa un bledo mi condenada reputación —explotó Frances.

Quiso dar un paso adelante deliberado en su forma de expresarse. Así pretendía hacerle entender a este individuo de mentalidad tan masculina y tan seguro de sí mismo que ella tenía algo, más bien todo, que decir.

—Pettigrew puede decir todo lo que quiera. Si yo no estoy en Londres, ¿qué más da?

No podía casarse con lord Jack. Ella había sido testigo directo de cómo la vida de su madre se arruinaba por completo tras casarse con un mujeriego. Cada nuevo rumor de infidelidades y traiciones le iba arrancando retazos de felicidad, hasta que la pobre mujer terminó muriendo, con el corazón hecho añicos, cuando Frances tenía siete años. Su padre y todos los hombres eran unos irresponsables que trataban a las mujeres solo un poco mejor que a los animales y que engendraban hijos para después olvidarlos y abandonarlos. La casa de Jack en Bromley era una buena prueba de ello. Aquellos niños no estarían allí si tuvieran un padre que se preocupara de ellos.

Mejor vivir con la reputación maltrecha que morir lentamente de pena y desconsuelo, como su madre.

Jack abrió la boca, pero ella siguió hablando.

—Venía a Londres a ver a nuestro administrador y recoger el dinero de mi dote. Quiero buscar una casita de campo en alguna parte y vivir sola —dijo arrugando la frente—. He gestionado la hacienda de la familia sin ninguna ayuda por parte de mi padre ni de mi hermano. Demonios, soy la melliza mayor. En un mundo más justo, esa hacienda debería ser mía.

Se daba cuenta de que decirle eso al hijo de un conde era una estupidez, pero no podía contenerse. Continuó hablando como un torrente.

—Y estoy mucho más cualificada para sacar adelante la hacienda que Frederick —concluyó.

—Estoy convencido de ello. Muchos terratenientes administran sus haciendas de una manera lamentable, pero eso no cambia las reglas de la primogenitura —afirmó Jack, y esbozó una sonrisa—. La verdad, a mí no me gustaría intercambiar los papeles con mi hermano mayor. Soy mucho más feliz con la libertad que tengo.

¡Vaya! Por fin había algo que entendía.

—Pues eso es exactamente lo que quiero, mi libertad —confirmó Frances—. Recogeré mi dinero cuando vea a Puddington y me esconderé felizmente en el anonimato en cualquier rincón oscuro del campo.

—¡Por Dios bendito! —exclamó Jack, dando tal golpe con la mano sobre la mesa que hizo saltar un cortaplumas. Frances también dio un respingo—. Juraría que está usted siendo obtusa a propósito. Los rumores nunca se quedan en Londres. Todo el mundo tiene un amigo o un familiar que escribe a casa contando los chismes más jugosos y le aseguro que este es de los más apetecibles. Y, por si fuera poco, tampoco haría falta el correo. Lo único que habría que hacer sería leer las columnas de cotilleos de los periódicos.

Oh, vaya. Ella misma leía los periódicos, a veces hasta con fruición.

—Y ya se habrá dado cuenta de que los periódicos disfrutan dando pábulo a cualquier presunto escándalo asociado a mi nombre —afirmó con certeza—. Todos piensan de mí que soy un mujeriego, pero hasta ahora nunca nadie ha tenido la más mínima prueba de mi disipación. ¡Ni la más mínima!

No cabía duda de ello. Aquel hombre era un maestro del engaño. Escondía sus niños en Bromley, ¿no? Y también su casa para las prostitutas.

—Pero... pero lo que yo quiero es encontrar una casa de campo pequeña en algún lugar muy alejado —repitió.

—No existe ninguna aldea en Inglaterra lo suficientemente alejada, señorita Hadley, créame —afirmó Jack convencido—. Y, además, cuanto más pequeño sea el pueblo, más importancia adquiere el cotilleo en las conversaciones. No hay otra cosa que hacer excepto hablar de los vecinos y, por supuesto, hacer juicios sobre ellos. ¿De verdad quiere que todo el mundo la rehúya, siempre?

—Bueno... —empezó a decir, pensando que aquello no sonaba nada bien, pero que lo único que intentaba Jack era intimidarla.

—No, no quiere —dijo Jack mirándola fijamente, de modo que no pudo apartar los ojos—. Y, además, esto no solo le concierne a usted. También mi reputación corre peligro con este asunto. Nadie me ha acusado todavía de comportarme como un libertino con una mujer inocente y no tengo la intención de permitir que haya una primera vez. Se casará usted conmigo, señorita Hadley.

La señora Watson le había salvado. Jack se sirvió un poco más de *brandy* y se quedó mirando la puerta del estudio, ahora cerrada. Le habría dado un beso de agradecimiento a su magnífica ama de llaves. Llegó justo después de explicarle lo obvio a la quisquillosa señorita Hadley, aunque la joven ya estaba tomando aliento para seguir con la discusión. Menos mal que la señora Watson se la había llevado para buscar ropa de mujer que le quedara más o menos bien, porque estaba a punto de perder el control y estrangularla.

Naturalmente, ahora que sabía que Frances, la señorita Hadley, era una mujer, se había dado cuenta de lo largas que eran sus piernas. Afortunadamente el abrigo le cubría la parte de atrás, por lo que no pudo admirar también su trasero.

No debería estar pensando, ni fijándose, en tales detalles, no era nada apropiado. ¿Y qué decir de su voz? Su tono resultaba tal vez un poco alto para un hombre, pero muy seductor para una mujer.

Algo sonó en la puerta, y se recompuso. Caramba, ¿ya estaba de vuelta la señora Watson? Seguramente Frances habría vuelto a fugarse y tendría que salir de nuevo a buscarla.

—Entre —dijo.

Se abrió la puerta de golpe y *Shakespeare*, mucho más limpio, entró trotando, seguido por Richard. Jack se levantó, pues la verdad es que se había sentado solo para intimidar a Frances, truco que, en cualquier caso, no había funcionado, y saludó a ambos.

—No parece el mismo perro, Richard. Muchas gracias. ¿Debería considerar un incremento de su salario? —preguntó Jack.

—Me gustaría contestar afirmativamente, señor —dijo Richard sonriendo—, pero el perro se ha portado muy bien. No me hubiera atrevido a asegurarlo cuando lo vi por primera vez, pero parece que sí que está acostumbrado al jabón y al agua.

—¡Excelente, qué descanso! —dijo Jack aliviado— ¿Le ha dado algo de comer? No debería estar muy hambriento, porque comió muchísimo hace solo unas horas.

—¿De verdad, milord? —preguntó Richard sorprendido—. Pues en la cocina se comportó como si estuviera muerto de hambre. A la cocinera le dio pena de él, y además se lo ha pasado muy bien con sus trucos. ¿Sabe que es capaz de mendigar?

—Sí, claro. Tiene mucho talento —afirmó Jack—. Creo que con su anterior amo aprendió a actuar ante el público.

—Eso lo explicaría todo —dijo Richard asintiendo—. También lo he sacado fuera para que pudiera hacer sus necesidades. ¿Necesita algo más, milord?

¿Paciencia? ¿Suerte? ¿Un milagro? Richard, aún siendo un excelente sirviente, no tenía la posibilidad de proporcionarle todo eso.

—No, gracias —dijo Jack—. Eso es todo, Richard.

Cuando el sirviente se hubo marchado Jack observó a *Shakespeare*.

—¿No te da vergüenza haber manipulado al personal de las cocinas de esa manera? —dijo simulando reñirle.

Shakespeare dio un ladrido y se colocó delante del fuego.

—Ya veo que no.

Jack agarró el decantador y se dejó caer en uno de los sillones orejeros, también cercano al fuego. Estiró una pierna para tocar al perro.

—Creo que va a ser una noche de botella entera, mi peludo amigo —dijo abatido.

Shakespeare volvió la cabeza y arrugó la frente.

—Tienes toda la razón, la bebida no soluciona los problemas, todo lo contrario, crea más. Pero maldita sea, *Shakespeare*, no quiero casarme con la señorita Frances Hadley —afirmó tras un profundo suspiro.

Aunque tuviera largas piernas y una voz que recordara los cantos de las sirenas de la mitología griega, también tenía era un carácter indómito y proclive a la pelea.

E incluso, aunque fuera un modelo de decoro femenino, concepto que en realidad sonaba nauseabundo, tampoco desearía casarse con ella. Había comprobado el resultado desastroso de los matrimonios tempranos de sus hermanos.

—Tengo solo veintiséis años, *Shakespeare*, y soy el tercer hijo. Tengo muchos años por delante antes de plantearme la posibilidad de crear mi propia familia —dijo casi gruñendo—. Ya tengo más que suficiente con la de Bromley.

Ninguno de esos niños era suyo, pero para atenderlos necesitaba dedicar mucha energía y esfuerzo mental, y no los abandonaría ahora. Demonios, a la mayor parte de las mujeres de la alta sociedad les daría un ataque de apoplejía si supieran de la existencia de su casa de Bromley. Estarían tan dispuestas a visitarla y preocuparse de ella como a invitar a un barrendero a tomar el té. Y si su hipotética esposa de la alta sociedad supiera de su casa para prostitutas en proceso de reconversión profesional, se quedaría viudo de inmediato.

Sin embargo, a la señorita Hadley no parecía que le hubieran importado los niños a los que recogía. Aunque la verdad es que había estado demasiado ocupada guardando su propio secreto como para preocuparse de un grupo de pequeñuelos sin padres y de alguna que otra prostituta ya reconvertida.

Dio otro trago de *brandy* y se hundió aún más en el sillón. Frances tenía razón: algunos hombres eran unos idiotas irresponsables, o más bien unos auténticos sinvergüenzas. Apostaría a que su padre era de esa calaña.

No la abandonaría como al parecer su padre había hecho con su madre y sus hijos, pero no quería encadenarse a ella de por vida.

—Si me hubiera quedado en el condenado baile de cumpleaños, *Shakespeare*, todo esto no habría pasado —se lamentó—. No hubiera parado en Crowing Cock y no me habría tropezado con esta complicada mujer.

Probablemente no tendría noticia alguna de su existencia, y con toda seguridad no estaría sentado en una butaca, con una copa de *brandy* y hablando con un perro.

Pero, si no hubiera parado en la posada, ¿qué habría pasado con Frances? Dudaba mucho que algo tan mínimo como la cojera de un caballo hubiera supuesto un inconveniente insalvable para detenerla. Y le ponía los pelos de punta la idea de imaginarla recorriendo las cloacas de Londres sin compañía.

—Tampoco debemos olvidar a la inefable señorita Wharton, *Shakespeare*, o al menos yo no debo —dijo, y el solo hecho de recordarla le hizo torcer el gesto—. Afortunadamente tú no tendrás el placer de conocerla, pero ella es la única razón por la que salí huyendo de mi casa en mitad de la noche. Al menos la señorita Hadley no tiene la menor intención de atraparme para casarse conmigo.

Estaba claro que, de haberlo querido, Frances lo hubiera atrapado.

Maldita sea, tenía que haber una salida para el problema que no fuera meterse en la ratonera. Era ridículo ser condenado a cadena perpetua a causa de una serie de acontecimientos que no eran más que casualidades. No había pasado nada.

Bebió un trago más. Nadie creería en la inocencia de sus actos. ¡Su condenada reputación! Era absolutamente inmerecida. Bueno, al menos ahora. Hubo sus más y sus menos en sus primeros años de adulto, pero durante los dos últimos se había comportado como un monje.

E incluso un monje sería condenado por pasar la noche en la cama de una mujer.

—Pero *Shakespeare*, ¡yo pensaba que era un chico! —exclamó.

Shakespeare levantó las cejas, y sus grandes ojos marrones daban a entender que lo entendía todo y que estaba de su parte.

—Me apostaría todas mis inversiones a que Pettigrew ya ha difundido la historia por todas partes —dijo pesaroso.

Estaba atrapado como el zorro al final de la cacería, con todos los perros rodeándole y dispuestos a hacerlo pedazos.

—Pettigrew dijo que el hermano mellizo de la señorita Hadley la considera una arpía, y mi limitado contacto con ella me induce a pensar que tiene razón —dijo estremeciéndose ligeramente—. Es muy autoritaria y bastante marimacho. No me gustaría hacer el papel de Petruchio e intentar amansarla. Casi preferiría que me golpeara en la cabeza con el bolso de mano, si es que tiene un accesorio tan femenino.

Shakespeare le miró con expresión de reproche.

—Sí, ya sé que te gusta, pero tú eres un perro.

No obstante a Eliza también le había gustado la señorita Hadley, y a Eliza no le gustaba demasiada gente. Le había tomado la suficiente confianza como para darle la mano.

Pero Eliza no tenía que casarse con esa mujer y vivir con ella hasta que la muerte los separase. Y, por otro lado, tampoco tardaría tanto en llegar si de veras se ataba a ella.

—Analízalo desde mi punto de vista, muchacho —dijo Jack, y se puso a enumerar con los dedos de la mano que no sostenía la copa—. Uno, solo tengo veintiséis años, así que soy demasiado joven para casarme. Mis dos hermanos se casaron jóvenes y las consecuencias fueron desastrosas. Dos, apenas conozco a la señorita en cuestión. Tres, lo que conozco de ella no me gusta.

Bueno, la verdad es que eso no era verdad del todo, pero daba igual porque...

—Cuatro —continuó Jack tras una pausa en la que tuvo que desechar la imagen de unas largas piernas—, yo no le gusto a ella, imagino que debido a la razón número cinco: a ella no le gustan los hombres en general.

No merecía la pena soltar la copa solo para seguir enumerando razones. Con cinco era más que suficiente. Hasta *Shakespeare* estuvo de acuerdo. Apoyó la cabeza sobre las patas a modo de asentimiento.

—Debería lavarme las manos respecto a ella. Si de verdad piensa que puede vivir feliz sola en una casa de campo, ¿quién soy yo para impedírselo?

Pero eso solo era un monólogo frente a una copa y un perro. La señorita Hadley ni sospechaba lo viciosa y perversa que era la maledicencia de la sociedad londinense. Ni siquiera le sorprendería que el cotilleo cruzara el charco y llegara a las mismísimas colonias. No había la menor posibilidad de escapar en ningún lugar del Imperio británico.

Una cosa era no buscar compañía y otra muy distinta verse excluida de ella a la fuerza.

—No puedo dejar que lo haga, *Shakespeare* —dijo con absoluta seriedad.

Odiaba ver a las mujeres heridas o maltratadas, y odiaba todavía más ser la causa de su dolor. Sí, sus intenciones habían sido muy buenas, no se culpaba en absoluto de lo que había ocurrido, pero las consecuencias no tenían nada que ver con las intenciones. El nombre de ella se relacionaría con el suyo y, por ese motivo, su reputación quedaría en entredicho, igual que la de él, al menos entre las personas cuya opinión valoraba.

—No puedo dejar que se vuelva al campo pensando que su vida va a ser tan tranquila y feliz como ella se imagina —dijo en tono duro.

Shakespeare ladró dos veces y batió la cola contra la chimenea de forma alentadora.

—¡Pero no va a dejarme que la ayude! —exclamó desalentado.

Llegado a ese punto, ni el *brandy* ni la agradable presencia del perro podían ayudarle a resolver el entuerto. La señorita Hadley estaba completamente decidida a no hacer caso de los sabios consejos de ningún hombre, y menos de los suyos. Apostaría algo a que preferiría que le clavaran palos afilados debajo de las uñas. Tenía que encontrar una manera...

¡Pues claro! Se levantó y se acercó al escritorio. *Shakespeare* se estiró y fue tras él.

—La señorita Hadley no me escuchará —dijo tomando una pluma y una hoja de papel— pero será incapaz de resistirse a mi madre. Por mucho que me cueste admitirlo, *Shakespeare*, necesito la ayuda de la duquesa del amor.

Capítulo 7

A veces el único recurso es rendirse.
—de las *Notas de Venus,*
duquesa de Greycliffe.

—¿Qué ocurre, señor Dalton? —preguntó Venus, duquesa de Greycliffe. Se obligó a sí misma a sonreírle al mayordomo. Eso la ayudaba a ocultar el fastidio en el tono de voz. La verdad es que había disfrutado extraordinariamente el baile de San Valentín de este año, casi más que ningún otro. Había logrado nada menos que tres compromisos, y uno de ellos fue el de Ned, pero estaba exhausta. Por fin se había ido el último de los invitados, y Ned se había acercado a la vicaría con Ellie y sus padres. Hasta Ash se había ido. Lo único que le apetecía era poner los pies en alto y relajarse. Se había retirado a su sala privada para estar sola.

Bueno, no estaba sola del todo. Su marido estaba tirado leyendo en la *chaise longue*, la de ella... Había echado una breve mirada al entrar el señor Dalton, pero inmediatamente volvió a concentrarse en el libro al ver que no era a él a quien buscaba el mayordomo.

—Acaba de llegar esta carta para usted, su excelencia —dijo el señor Dalton acercándole una bandeja de plata con la carta—. La ha traído uno de los criados de lord Jack.

¿Una carta de Jack? Su corazón se agitó y empezó a latir tan fuerte que casi perdió el aliento. Su visión se centró exclusivamente en el rectángulo blanco. Jack se había marchado la noche pasada. ¿Por qué escribía ahora? ¿O la carta la había escrito otra persona en su nombre? ¿Se habría estrellado con el carruaje? ¿Estaría herido, o algo peor?

—Estoy convencido de que no es un asunto grave, su excelencia —dijo Dalton rápidamente—. Me tomé a libertad de preguntar y el sirviente me dijo que lord Jack estaba bien.

Recuperó el aliento.

—Ya veo, gracias —dijo tomando la carta y alegrándose de que apenas le temblaba la mano.

Dalton se fue y miró a Drew. Se había sentado y sostenía el libro con el dedo puesto en la página por la que iba.

—¿Qué dice la carta? —preguntó intrigado.

Sí, claro, enseguida lo averiguaría, ¿no? Rompió el lacre.

—Pues dice... ¡oh! ¡Hay Dios mío! Mmm... —farfulló.

—Suéltalo de una vez, Venus —dijo Drew impaciente—. No dejas de fruncir el ceño mirando esa hoja de papel, pero no puedo imaginarme qué puede haber escrito Jack para provocar semejante reacción.

—Bien, pues entonces deberías desarrollar un poco más la imaginación —espetó Venus.

No permitiría de ninguna manera que una pícara descocada y maniobrera condujera a su hijo al altar.

—Jack, supongo que acertadamente, no da demasiados detalles en la carta —empezó a explicar—. No obstante indica que en algún punto del camino entre el castillo y Londres, estableció relación con una joven y quiere que vayamos allí a toda prisa. Creo que se teme que deba contraer matrimonio con ella.

—¿Cómo dices? —exclamó Drew.

La *Historia de las guerras del Peloponeso* de Tucídides se estrelló contra el suelo con un golpe seco.

—Eso es ridículo. Jack no es un santo —admitió—, pero tampoco un granuja descuidado.

—¿De verdad? Mis amigas me han dicho que tiene una reputación bastante escandalosa.

Y estaba segura de que sus amigas le habían ahorrado lo peor de los cotilleos.

—Chismorreos de gente que no tiene nada que hacer. A la alta sociedad le encanta el cotilleo, y si no conocen los detalles, simplemente se los inventan. Lo sabes de sobra.

—Sí —dijo, y en eso precisamente fundamentaba sus esperanzas—. Pero también sabemos que Jack es bastante reservado acerca de los asuntos que le ocupan en Londres. Recuerda esa ridícula excusa que nos dio Ash respecto a que Jack tenía «asuntos urgentes» que atender en la capital.

¿Qué asuntos debía solucionar que fueran tan urgentes como para salir a escape en una noche tan gélida?

—Bueno —dijo el duque levantando una ceja—, sospecho, estoy seguro de que en este caso concreto la urgencia se debió a la omnipresente señorita Wharton. No obstante, Jack tiene cosas que hacer en Londres, aunque no hay nada de escandaloso en ellas.

—¿Sabes algo que no me hayas contado? —preguntó Venus entrecerrando los ojos.

—Sí —dijo Drew rescatando a Tucídides del suelo y colocándolo sobre la mesa—. Soy un condenado duque, ya sabes, oigo cosas.

—Pero se supone que debes compartir todo lo que sabes con tu esposa, o al menos lo que concierne a nuestros hijos —dijo Venus algo desconcertada.

Se sentía... la verdad es que no supo interpretar cómo se sentía.

—¿No confías en mí? —terminó preguntando.

—Por supuesto que confío en ti, pero es un secreto de Jack. Solo he oído rumores y no conozco los detalles. Ya nos lo contará cuando lo considere oportuno.

—¡Pero tienes que darme alguna pista! —dijo en tono casi suplicante.

Drew la miró fijamente y ella apretó los labios. Por mucho que lo deseara, presionarle solo serviría para que no dijera ni una palabra más. Al final él dio un suspiro.

—Muy bien. Solo te diré que está procurando ayuda a mujeres jóvenes y a niños —se encogió de hombros—. Tal vez esta mujer sea una de las que está ayudando.

Venus sintió una oleada de orgullo. Siempre había pensado que bajo la apariencia atolondrada y ligera de Jack se escondían la solidez y la responsabilidad. Había pasado muchas noches en vela pensando en él con preocupación. La verdad es que, en el mejor de los casos, parecía bastante desahogado. Y en el peor... En fin, lo cierto es que tampoco le importaba demasiado ser la madre de un vividor.

Estudió de nuevo la carta y sacudió la cabeza.

—No, no lo creo. La verdad es que dice muy poco —se lamentó—, pero no. Está claro que necesita nuestra ayuda para no caer en la ratonera.

—Déjame ver, por favor —dijo Drew.

Le acercó la misiva pensando que no había nada que descifrar.

—Si estuviéramos en verano sugeriría que nos pusiéramos en camino inmediatamente, pero en este tiempo en que anochece tan pronto... —dijo Venus dudando.

Drew estudió la carta arrugando la frente por la concentración. Después se la devolvió.

—Y el frío, y la posibilidad de que haya hielo —añadió—. No, tendremos que esperar hasta mañana para salir.

—Se lo diré al señor Dalton. Mary y Timms pueden ir haciendo los equipajes para que podamos salir en cuanto amanezca —decidió ella.

—La verdad es que estaba feliz por haber perdido ya de vista a nuestros invitados londinenses. No sé si mi estómago será capaz de resistir tan pronto otra dosis de alta sociedad, y bastante más copiosa en este caso —dijo Drew quejumbroso.

—Sabes que puedes. Harías lo que fuera por tus hijos.

—¡Malditos muchachos! —exclamó Drew.

Venus sonrió. Drew podía gruñir y quejarse, pero era absolutamente cierto que haría lo que fuera por ellos, al igual que ella.

—Si a Jack le preocupa la posibilidad de verse obligado a casarse, es más que probable que tenga que ver con el cotilleo. No debemos contribuir a que se extienda, así que lo mejor será que no parezca que vamos en su ayuda a toda velocidad. Pero la verdad es que nunca viajamos a Londres tan pronto después de nuestra fiesta de San Valentín, y todo el mundo sabe que solo un pelotón de soldados sería capaz de arrastrarte a la ciudad cuando quieres estar aquí, tranquilo y relajado —reflexionó Venus.

E inmediatamente se dio un golpecito en la frente con los dedos de la mano y sonrió.

—¡Por supuesto! Anunciaremos el compromiso de Ned y Ellie —afirmó Venus.

—¡Vaya! Estoy seguro de que nuestros invitados ya lo habrán hecho —indicó Drew dubitativo.

—Y presentaremos a Ellie en sociedad —continuó Venus lanzada.

—Excepto ese vestido de baile que la pobre Mary tuvo que hacer a toda prisa para el baile, el vestuario de Ellie es... —Drew hizo una mueca, no acabó la frase y carraspeó— ¿No debería ir a ver a un puñado de modistas antes de ser presentada en sociedad?

—¿Y existe un lugar mejor que Londres para encontrar modistas? Mandaré un mensaje de inmediato a la madre de Ellie y le diré que, por supuesto, nosotros correremos con los gastos. Después de todo, es la prometida de nuestro hijo —afirmó Venus con convicción.

—Sí, y yo creo que lo mejor es que se casen cuanto antes. Hay mucho idiota entre la alta sociedad, pero todos saben contar hasta nueve —dijo Drew arrugando el entrecejo.

Venus asintió con la cabeza. Estaba completamente segura de que Ellie no había pasado la noche en su habitación.

—Seguro que Ned obtendrá un permiso especial de matrimonio, así podrán casarse en la mansión Greycliffe. Estoy seguro de que los padres de ella consentirán en acudir a Londres para eso —dijo Venus sonriendo—. ¡Vaya, hay que hacer un montón de cosas!

El cansancio se había esfumado por completo.

La señora Watson no tenía poderes mágicos ni alquímicos, por lo que no podía convertir la paja en oro. La señorita Hadley estaba en el comedor pequeño con un vestido gris que le quedaba grande, y que pertenecía a una de las sirvientas, naturalmente, con el cuello alto, las mangas cortas para su talla y un incongruente volante dorado en el dobladillo. Y Jack hubiera jurado que, bajo la falda, pudo ver las astrosas botas que llevaba desde que la vio por primera vez en la posada.

—No tiene sirvientas altas —dijo Frances, frunciendo el ceño al darse cuenta de su expresión de asombro ante tanta arruga—. Le dije a la señora Watson que podía bajar con los bombachos, dado que usted me ha visto durante cierto tiempo con ellos puestos, pero no quiso ni oír hablar de semejante cosa. Me dijo que usted le arrancaría la cabeza...

El tono de la señorita Hadley era defensivo y hasta algo acusatorio.

—La señora Watson es el ama de llaves de esta casa desde antes de que yo naciera —bufó Jack—. Puedo asegurarle que hay más posibilidades de que me ponga en mi sitio por no comportarme conforme a las normas que ella considere adecuadas que de que se preocupe por mi incomodidad. Pero en este caso tiene toda la razón, usted no puede ir en pantalones.

No obstante, con aquel cabello lleno de rizos y cortado de cualquier manera, la señorita Hadley seguía pareciendo un chiquillo que se hubiera visto forzado a ponerse la ropa de su hermana mayor.

Verla así no despertó en él el más mínimo interés masculino, lo que resultaba bastante deprimente si de verdad iba a tener que casarse con ella.

Señaló la mesa. Le había dicho a Braxton que se servirían ellos mismos. La conversación resultaría lo suficientemente difícil como para que, además, tuviera a los sirvientes por testigos.

—Por favor, tome asiento. Espero que no le importe que haya pedido una cena ligera. Normalmente, la noche que llego a Londres tomo una bandeja y ceno en el estudio o en mi habitación.

—Cenar en mi habitación no habría sido un problema, todo lo contrario —dijo mientras se sentaba—. ¿Dónde está *Shakespeare*?

—Se ha quedado durmiendo en el estudio —contestó Jack.

Frunció el ceño y miró hacia la puerta. Tal vez debería haber despertado al animal y haberlo llevado al comedor pequeño. Parecía que *Shakespeare* se comportaba bien, pero nunca se sabe.

—Espero que el señor Dutton le enseñara ciertos, eh, modales, además de los trucos que hemos visto —explicó.

—Seguro que lo hizo. *Shakespeare* debió de compartir el alojamiento de su dueño, ¿no cree? —respondió ella—. No creo que se haya pasado la vida en la calle.

—Yo también lo espero, ojalá su teoría sea correcta —indicó Jack.

Tras la cena iría a ver si el perro se había comportado y le pediría a Richard o a William que lo sacaran. Fue a por el decantador.

—¿Le apetece un poco de vino de Madeira? —preguntó.

—Sí, gracias —dijo, y se lanzó al ataque inmediatamente después de que le sirviera el vino—. Estoy decidida a ir a ver a Puddington mañana por la mañana. Puede venir conmigo si lo desea. Estoy segura de que el hecho de verle le impresionará y se sentirá más inclinado a cooperar. Y después, una vez que reciba el dinero, podré seguir mi propio camino.

Ojalá Jack pudiera hacer lo que decía. Saldría de su vida y todo volvería a estar en su sitio. Si nadie les hubiera visto en la posada...

Pero ¿por qué intentaba engañarse? Incluso en el caso de que nadie les hubiera visto, no podía hacer como si en las últimas veinticuatro horas no hubiera ocurrido nada. No podía ignorar la impresión y el desaliento de la señorita Hadley al averiguar la inesperada boda de su hermano, y no podía dejar que se convirtiera en una ermitaña.

Y, en todo caso, les habían visto juntos.

La señorita Hadley debía de pensar que no había ocurrido nada digno de tener en cuenta, pero estaba equivocada. Todo había cambiado. Y él no tenía elección, a no ser que mamá encontrara una salida para el embrollo.

—No —dijo tajantemente.

—¿Qué quiere decir con eso? —preguntó ella arrugando la frente.

—Pues que no. Es una palabra con un significado muy sencillo, quizá la primera que aprenden los niños —dijo Jack de mal talante.

Por su actitud, pareció que le iba a lanzar a la cabeza una de las bandejas de la mesa. Sonrió y accedió a explicar con algo menos de agresividad lo que quería decir.

—Ya hablamos de eso en el estudio —le dijo con paciencia—. No voy a permitir que intente desaparecer en un rincón de la campiña. Su reputación está absolutamente arruinada pero, y eso es todavía más importante, al menos desde mi punto de vista, mi reputación quedará por los suelos si le permito hacer lo que sugiere.

Tomó el cuchillo de trinchar.

—¿Le apetece un trozo de ternera? —preguntó Jack, muy servicial.

—¡Tengo veinticuatro años, por el amor de Dios! Maldita sea, si quiero vivir soportando el escándalo, es cosa mía y puedo hacerlo —exclamó elevando la voz.

—No grite, por favor. Y soy yo el que no quiere vivir soportando el escándalo —dijo Jack manteniendo la calma, y volvió a señalar la ternera en salsa—. ¿Una loncha o dos?

—Una, gracias —respondió ella entre dientes.

Jack no soltó el cuchillo, por si ella decidía usarlo como arma en lugar de alguna de las bandejas.

—No alcanzo a entender por qué es usted tan terco —dijo Frances dando un profundo suspiro.

—Quizá lo único que estoy haciendo es imitarla —dijo riendo mientras se servía una rodaja de carne—. ¿Me podría pasar los nabos? Después de que usted se haya servido, por supuesto.

Casi con saña, se puso una cucharada y empujó el cuenco hacia él.

—¿Por qué no me ayuda? Debe de estar deseando librarse de mí —dijo en tono abatido.

Por supuesto que lo deseaba, pero era muy tarde para eso. A no ser que a su madre se le ocurriera un plan brillante, nunca se libraría de ella.

—De hecho, la estoy ayudando. He enviado un mensajero con una nota para mi madre. Imagino que ella llegará mañana por la mañana temprano.

Sin duda, mamá sabría encontrar una salida honorable que le permitiera escapar de una cita ante el altar con la señorita Hadley, si es que la había. Después de todo, era la duquesa del amor, no la de la miseria matrimonial.

—¿Le apetece un bollito? —dijo. La tensión casi podía cortarse con un cuchillo.

—¿Va a venir su madre? —dijo ella asombrada.

Se quedó con la boca abierta de par en par y sus ojos se abrieron tanto que pareció que se le iban a salir de las cuencas.

—Eso espero —indicó Jack.

Si ella no quería un bollito, él sí. Eran una de las especialidades de la cocinera.

—Juraría que sí, sin duda. También podría tirar al fuego la carta que le he enviado, pero conociéndola, me apostaría un buen dinero a que dejará el castillo de Greycliffe al alba y que le dirá al cochero John que ponga los caballos al galope —explicó Jack.

—¡Oh, por todos los diablos! —exclamó Frances.

Su reacción no le sentó nada bien. La señorita Hadley tenía unos modales poco cultivados.

Maldición, no estaría tan desesperada como para intentar escabullirse también durante la noche, ¿o sí? Debería saber que eso sería inútil, además de peligroso, sobre todo con un asesino de mujeres suelto por las calles. Ya hablaría con Braxton para que asegurara las puertas.

—Con toda probabilidad mi padre vendrá también. Odia Londres, pero no dejará venir sola a mamá —dijo alargando el brazo hacia los langostinos con mantequilla—. Puede que les acompañen mi hermano y su novia, Ellie, pero de eso no estoy tan seguro.

La señorita Hadley había escondido la cara entre las manos.

—¿No quiere probar los langostinos con mantequilla de nuestra cocinera? Están buenísimos —le propuso Jack.

—¿Se ha vuelto loco? —dijo Frances, mirándole con ojos desorbitados.

—No, qué va. De verdad que son extraordinarios —insistió.

—¿Quiénes? —preguntó ella.

—Los langostinos.

—¿Cómo se le ocurre hablar de los malditos langostinos? —bufó Frances, golpeando la mesa con la mano.

—¡Señorita, Hadley, haga el favor de cuidar su vocabulario! —dijo Jack en tono admonitorio.

—¡Oh, Dios bendito! Es usted el hombre más irritante, exasperante e insoportable que he conocido.

—La verdad es que me cuesta creerla. La mayoría de la gente me considera muy cordial —dijo convencido.

—La mayoría de la gente es idiota —dijo volviendo a tomar aire—. Esta situación puede resolverse fácilmente si me permite ir a ver a Puddington por la mañana. No tiene por qué meter a su familia en este lío. Estoy segura de que no se lo van a agradecer.

Jack se sirvió una ración bastante generosa de langostinos.

—Mire, en eso se equivoca. A mi madre lo que más le gusta en esta vida es entrometerse, sobre todo si de paso puede ayudar un poco a que se forme una pareja —le informó Jack.

—¿Una pareja? —dijo la señorita Hadley poniéndose de pie de repente—. No se formará ninguna pareja.

Más que decirla, prácticamente escupió la frase.

—Señorita Hadley, siéntese por favor. No ha tocado siquiera la comida.

Ahora su tono fue como el de un enfermero, aunque al menos logró que ella volviera a sentarse. Eso sí, no tocó el tenedor. En vez de eso, se inclinó hacia él, con la cara roja y apuntándole con un dedo acusador.

—No me voy a casar con nadie, ni con usted ni con ningún otro, nunca. ¿Es usted capaz de meterse eso en esa cabezota? —dijo iracunda.

Apretó los labios y miró hacia arriba durante un segundo, con los agujeros de la nariz dilatados y temblorosos. Definitivamente era una arpía. No podía casarse con ella.

El estómago se le volvió del revés y dejó a un lado el tenedor, con un trozo de langostino pinchado. Si no se casaban, ella se convertiría en una marginada por su culpa, incluso aunque todo hubiera sido sin querer.

Pero la vida era así de dura, y esas cosas pasaban una y otra vez, ¿no? Sin ir más lejos, ahí estaba el bebé que habían encontrado en el callejón. Pobrecito el pequeño William Shakespeare. Sus padres habían desaparecido sin dejar rastro y casi había muerto sin tener culpa de nada.

Mientras pensaba en eso, la vio apretarse la frente con la muñeca, como si tuviera un fuerte dolor de cabeza. Empezó a hablar con un tono silbante.

—Es usted como todos los demás —dijo—, por supuesto que lo es. Es usted el hijo de un duque.

—Pues la mayoría de las personas no son hijas de un duque —replicó.

La muchacha irguió la cabeza y se quedó mirándolo con cara asesina. La verdad era que, en cierto modo, le resultaba divertido discutir con ella. Y quizá mejorara cuando se calmase un poco y lograra doblegar su voluntad. Se había comportado de una forma bastante agradable mientras iba disfrazada de chico. Y lo más probable era que su madre encontrase una solución que no implicase el matrimonio. Era muy hábil en esos menesteres.

Sonrió y volvió a tomar el tenedor con el langostino.

—Su cena se está quedando fría —insistió.

—Usted cree que todos mis problemas se resolverán si consigo que cualquier «hombre» se case conmigo —dijo, y pronunció la palabra «hombre» con el mismo desprecio que si hubiera dicho «monstruo antropófago»—. Basta con que un macho me cargue con algún crío y después me abandone.

Ahí estaba el meollo del asunto, el horrible concepto que la señorita Hadley tenía de los machos de la especie humana. Había tenido el ejemplo con su padre.

—No me refiero a cualquier hombre. Me refiero a mí. Y yo jamás la dejaré.

—Ah, vaya.

Se puso roja como la grana, y él, de repente y sin esperarlo, se imaginó a sí mismo entre sus largas piernas, y de forma en extremo gráfica. Por Dios, no se estaría él ruborizando también, ¿no?

—Señorita Hadley... Frances, mi madre no va a forzarla a hacer nada que usted no desee, no se preocupe en absoluto —le dijo sonriendo de la forma más amable y cuidadosa de la que fue capaz, la misma con la que sonreía a las pobres niñas que encontraba y recogía de las calles—. Muchas veces mi madre resulta exasperante, pero es muy inteligente. Le he escrito porque es la única persona que conozco capaz de encontrar una salida para todo este embrollo que no resulte lesiva para su reputación.

—No me importa mi reputación —insistió Frances.

—¿De verdad?

—Eh... Sí —dijo con un cierto titubeo, que también se notó en su mirada.

Bajó la vista hasta su plato y movió con el tenedor algunas verduras.

—Frances, usted solo ha visto hoy mi inclusa. La otra casa que tengo en Bromley es para jóvenes que han decidido dejar de hacer la calle y aprender un oficio distinto al que, en contra de su voluntad, se habían visto obligadas a practicar.

—¿Está usted diciendo que soy una... ? —dijo sin pronunciar la palabra, y su cara palideció.

—No, por supuesto que no —negó tajantemente Jack, tomando aliento antes de seguir—. Lo que estoy diciendo es que ninguna de esas mujeres se plantearon en un principio ejercer la prostitución. Muchas provienen de muy buenas familias. Algunas eran sirvientas, pero otras tenían una buena posición social, incluso eran aristócratas. Varias de ellas perdieron su virtud a manos de sus patronos y otras se la entregaron al hombre que amaban, que incluso les había prometido matrimonio, pero en todo caso, una vez perdida la reputación, lo perdieron todo. Sus familias les dieron la espalda y sus amigos no quisieron saber nada más de ellas.

—Pero yo no he hecho nada, todavía soy v... —dijo sonrojándose.

—¿Y cómo va a demostrarlo? Ya hemos hablado antes de esto —insistió Jack—. Pettigrew va a contarle a todo el mundo que pasamos la noche en la misma habitación. Los Findley, que muy probablemente estén enfadados y decepcionados con usted, se lo confirmarán a cualquiera que les pregunte. Y el hecho es que pasamos la noche juntos.

—Sí, pero no pasó nada —contestó ella, aún más sonrojada.

Él se inclinó hacia delante. Era fundamental que comprendiera lo que iba a decirle.

—Frances, la gente ya se asombrará solo por el hecho de que se haya disfrazado de chico y haya viajado sola. Ese comportamiento, por sí solo, va a afectar negativamente a su reputación.

Jack vio en sus ojos que sabía que tenía razón. Pero entonces levantó el mentón y empezó a hablar de nuevo.

—No es justo. En efecto, cometí un error, o mejor dicho, varios errores, pero no hice nada tan espantoso —protestó.

Mucha gente pensaría o querría pensar que lo que había hecho sí que era espantoso, pero era el momento de darle alguna esperanza.

—Seguro que mi madre se presenta aquí por la mañana. Si alguien es capaz de sacarla, es decir, de sacarnos, de esta ciénaga social en la que estamos metidos, esa persona es ella. Así que, ¿puedo sugerirle que coma algo para que pueda conservar las fuerzas?

Se tomó un trocito de ternera.

—Usted no está metido en ningún embrollo. Nadie espera que los hombres conserven su virtud hasta el matrimonio —afirmó.

Sin duda era cierto que nadie esperaba que un hombre llegara virgen a su boda, pero había otras clases de virtud, además de la virginidad.

—Pero lo que sí que se espera de nosotros es que mantengamos nuestro honor intacto —afirmó seriamente Jack.

—Es mucho más probable que usted caiga en el ostracismo social por hacer trampas jugando a las cartas que por aprovecharse de una estúpida pueblerina —dijo Frances con pesadumbre.

Por desgracia, lo que ella decía se acercaba mucho a la realidad.

—Quizá, pero yo me consideraría a mí mismo deshonrado, e igual pasaría con mi familia y mis amigos, si me desentendiese de su problema.

—No consigo entender por qué —dijo en tono amargo—. Es un problema que me he buscado yo solita.

Era mejor no discutir eso ahora que las cosas estaban discurriendo de un modo tranquilo.

—No nos preocupemos por eso en este momento. Como ya le he dicho, mi madre es muy hábil y apostaría un buen dinero a que será capaz de encontrar una salida. Mientras tanto, quizá ayudaría el que me contara alguna cosa acerca de su familia —dijo, entrando de lleno en el meollo del asunto—. ¿Dónde está su padre?

Le sorprendió que volviera a sonrojarse. Después pinchó una verdura con el tenedor, tal vez con más fuerza de la que hacía falta.

—Creo que está en los Mares del Sur. Es naturalista, estudia la flora y, eh, también la fa... fauna —contestó.

Su sonrojo aumentó considerablemente, y se metió la verdura en la boca. Después atacó con fuerza la indefensa ternera. Al menos comía algo.

—¿Ha sabido algo de él en los últimos tiempos? —preguntó Jack.

—No —contestó Frances, rascando el plato con el cuchillo.

—Vaya —se lamentó Jack.

La comunicación con alguien que hubiera viajado tan lejos ya era difícil incluso en las mejores circunstancias, pues el correo no fluía con aquellas tierras; además, estas no eran ni mucho menos las mejores circunstancias.

—¿Cuándo se fue? —siguió preguntando Jack.

—Ni lo sé ni me importa —contestó apuntando a Jack con el tenedor para enfatizar su afirmación—. Abandonó a mi madre cuando estaba embarazada de mí y de mi hermano. Al parecer ella ya no estaba lo suficientemente atractiva con la enorme tripa que le regaló, y después se olvidó de nosotros.

Por debajo de su furia, podía sentir la pena de una niña abandonada por su padre.

—Es despreciable —acertó a decir.

—Sí que lo es, ¿verdad? —su amargura era incontenible—. Y mi madre jamás dijo una palabra en su contra. ¿Se lo puede creer? Siempre nos decía que era un botánico excepcional que viajaba por todo el mundo y que esa era la razón por la que nunca estaba en casa, pero yo veía cómo lloraba cuando leía los periódicos. Así que una vez, cuando yo tenía unos seis años, leí el periódico que estaba en el suelo después de que ella saliera corriendo de la habitación bañada en lágrimas.

Dejó el cuchillo y el tenedor en la mesa con extremo cuidado.

—Ya para entonces yo era una buena lectora. Y era lista —dijo sin un ápice de orgullo y mucha tristeza—. Cuando leí la columna de escándalos, lo entendí todo al fin. Mi padre no estaba recorriendo el mundo, sino todos los burdeles de Londres de uno en uno, haciendo paradas intermedias en las casas de algunas viudas que querían dejarse consolar.

¡Maldita sea! Si el señor Hadley padre estuviera allí le machacaría la cara sin compasión. Demasiado a menudo había visto en los niños que recogía de la calle esa misma mirada de reproche y de estudiada indiferencia que lucía en aquellos momentos la cara de Frances, que finalmente se encogió de hombros.

—De alguna manera debe mantener correspondencia con Puddington, porque él me asegura que todavía está vivo. Cosa que no me afecta, ni para bien ni para mal. Mi hermano heredará la hacienda, pese a que he sido yo quien la ha gestionado todos estos años —dijo apretando los labios.

Ya había mencionado eso antes, creía recordar Jack.

—¿Cuántos años lleva a cargo de la hacienda? —al fin y al cabo, Frances solo tenía veinticuatro.

—Diez —contestó Frances—. Warwick, el antiguo administrador, cayó muerto de repente en su oficina cuando yo tenía catorce años, pero ya me había enseñado todo lo que necesitaba saber. Siempre me había interesado lo que hacía, al contrario que a mi hermano. Frederick estaba demasiado ocupado estudiando los hierbajos el campo como para pensar en sembrar algo.

—¡Dios bendito! ¿Puddington la dejó ejercer la administración de la hacienda cuando tenía solo catorce años? —se asombró Jack—. Lo lógico es que hubiera insistido en contratar otro administrador.

Ese hombre o bien era un vago redomado o un absoluto incompetente. Nadie dejaría que una niña gestionara una propiedad.

—Oh, claro que contrató a alguien —aclaró Frances con un brillo de orgullo en los ojos—. Pero a las pocas horas de llegar mi tía se sintió ofendida por algo que dijo el hombre, así que lo puso de patitas en la calle. Cuando Puddington lo supo, pues supongo que el tipo fue a quejarse a él, cabalgó hasta la hacienda y se dio cuenta de que yo era perfectamente capaz de encargarme de todo, aunque debo admitir que, en un principio, Puddington pensaba que era la tía Viola la que estaba al cargo.

—Es realmente impresionante —dio Jack, y al fin pudo ver la primera sonrisa genuina de Frances, que le iluminó la cara e hizo que le pareciera casi bonita.

Se echó hacia atrás una vez que hubo terminado la cena.

—Solo me ha hablado de la familia de su padre. ¿Qué hay de los familiares de su madre? —preguntó.

—¿Qué pasa con ellos? —espetó la muchacha, y su cara se tensó.

—Sería lógico que se hubieran tomado algún interés en usted y su hermano —especuló Jack.

—No, nada de eso. Interrumpieron todo contacto cuando se casaron mis padres. Mi padre no se ganó su aprobación —le informó Frances.

Era fácil de creer. Él mismo se la negaría de forma categórica.

—¿Así que nunca les visitaron? —quiso saber Jack.

—No que yo recuerde —contestó ella.

Pobre Frances. Le resultaba imposible imaginar una vida tan desprovista de lazos familiares.

—Y ahora que es mayor, ¿no ha hecho usted ningún intento de establecer contacto con ellos?

—No. Si no tienen ningún interés por nosotros, yo tampoco lo tengo por ellos —dijo con un orgullo que sonó un tanto excesivo y, en cierto modo, rencoroso.

—¿Puedo preguntarle cúal es el apellido de sus parientes maternos? —tanteó Jack.

Ella dudó y miró su copa de vino con un repentino interés.

—Su apellido es Sanderson —dijo al fin.

—¿Sanderson? —repitió Jack.

Dios santo, no podía ser... pero por supuesto que lo era. Tenía todo el sentido del mundo.

—Usted es la nieta de Rothmarsh, ¿no es cierto?

—Así es —confirmó Frances, y le tembló un poco la barbilla—. Así que ya ve cuál era el problema. El marqués no podía permitir que su hija se casara con alguien que no perteneciera a la aristocracia.

Así pues, si tenía que creer lo que decía su amigo Trent, ella era demasiado orgullosa, como lo había sido su madre.

—¿Está completamente segura de que sus reservas tenían algo que ver con la carencia de título de su padre? —le preguntó.

Se quedó mirándolo con fijeza y se encogió de hombros.

—Así funcionan estas cosas, ¿no le parece? —respondió con despego.

—No, no siempre —contestó luchando por no demostrar el enfado y la frustración que sentía—. Le puedo asegurar que tanto el marqués como la marquesa deseaban fervientemente que formaran parte de sus vidas.

Ella le miró casi con una expresión de burla.

—Vamos, lord Jack, ¿cómo va a saber usted eso? —preguntó escéptica en extremo.

—Porque su primo Robert, el vizconde de Trent, me lo ha dicho muchísimas veces.

Capítulo 8

A veces merece la pena escuchar
a una mujer mayor y más sabia.
—de las *Notas de Venus,*
duquesa de Greycliffe.

Frances masticó otro trozo de tostada. Aunque no sentía hambre, tenía que comer. Además, se veía obligada a llevar aquel vestido odioso que se había puesto la noche anterior, al que se añadían las viejas botas de Frederick.

Cerró los ojos y se asentó en su estómago una sensación plomiza. Parecería un payaso. ¿Qué pensarían de ella el duque y la duquesa?

Y habían llegado. Hacía una media hora oyó una conmoción, se asomó por la ventana y vio llegar un elegante carruaje del que descendieron dos parejas, una mayor y otra más joven. Los jóvenes debían de ser el hermano de lord Jack y su prometida; o sea que también se habían presentado. Los observó entrar, hablando y riendo.

Parecían felices. Habían venido a salvar a Jack de un embrollo monumental, pero sonreían. Ya dejarían de reírse cuando la conocieran, a no ser que lo hicieran de su estrafalaria apariencia. Dejó a un lado el desayuno y se palpó la ropa interior que le habían prestado.

¿Por qué diablos se preocupaba de lo que pudieran pensar el duque, la duquesa, el hermano de Jack y su futura esposa? Nunca antes le habían importado las opiniones de la gente y menos las relativas a su apariencia. Las revistas de moda y femeninas eran para las tontas que no tenían más objetivo en la vida cazar un marido.

La ropa interior que llevaba era adecuada para una persona el doble de ancha que ella. Intentó ajustársela, pero no hubo manera. Pensó en no ponérsela, pero se sentiría como desnuda. Por lo menos así llenaría el enorme vestido que tenía que ponerse. La prenda le sentaba como un saco, un saco más bien corto, ligeramente adornado por el volante que el ama de llaves había logrado componer la noche anterior cortándolo de una cortina y que también servía para ocultar, más bien menos que más, las viejas botas de Frederick.

Se puso de pie y se obligó a mirarse al espejo. Por todos los infiernos. Solo le faltaba ponerse un gorro de bufón para quedar ridícula del todo. Bueno, es posible que esa apariencia infame sirviera al menos para convencer a la duquesa del amor de que era una pareja absolutamente inadecuada para su hijo.

Hizo una mueca ante el espejo. Incluso en el improbable caso de que la madre de Jack pensara que era la pareja perfecta para su hijo, cosa que por supuesto no ocurriría, no se casaría con él. No podía negar que era guapo, encantador y, de vez en cuando, muy amable, pero no dejaba de ser un mujeriego. No quería repetir, bajo ningún concepto, los errores de su madre.

No, por Dios. Aunque tampoco necesitaba pedirle prestado a su madre ninguno de sus errores. Bastantes había cometido ella ya por su propia cuenta. Se apretó la frente con los dedos. ¿Qué podía hacer? Ojalá fuera capaz de retroceder en el tiempo...

Pero no podía. Estiró la mano para hacerse con el cepillo del pelo, que pasó por sus cortos rizos, recién cortados un poco de cualquier manera. Quizá la madre de Jack encontrara una salida al embrollo que no llevara aparejada el matrimonio. Prefería vivir como un paria, que la rechazaran hasta los niños, antes que entregar su vida a un maldito desgraciado sin conciencia.

Dejó a un lado el cepillo. Tampoco servía para nada, no había manera humana de conseguir un aspecto mínimamente presentable. Se volvió demasiado deprisa y se golpeó la espinilla contra el pilar de la cama. ¡Maldición! No le dolió demasiado, pero los ojos se le llenaron de lágrimas.

Estaba claro que tenía que recobrar la compostura antes de bajar. Se sentaría un momento en el sillón que había junto a la ventana para contemplar la vista.

El parque que había en el centro de la plaza rebosaba paz y quietud. La nieve de las calzadas y de la calle estaba sucia, pero la del parque aún tenía un aspecto prístino. Una pareja con un perro paseaba. ¡Ah, era *Shakespeare*! El hombre debía de ser el hermano de Jack y la mujer su novia. Ambos caminaban sobre la nieve derretida hacia la puerta del parque. Si pudiera estar ahí fuera en lugar de encerrada en ese cuarto...

Apoyó la cara contra el frío cristal. No era la ropa lo que realmente le molestaba tanto, aunque contribuía, sino lo que Jack le había dicho la noche anterior.

No podía tener razón acerca de los padres de su madre, era imposible. Le dijo que su primo le había explicado que el marqués y la marquesa habían ido a Landsford inmediatamente después de su nacimiento y el de Frederick, pero que su madre y la tía Viola los habían echado. Que ni Viola ni el padre de Frances les habían informado de la muerte de su madre. En realidad, en ese momento su padre estaba en Sudamérica, o al menos eso decía Viola, y tardó meses en enterarse, aunque en realidad no le importara nada. Pero, en todo caso, Viola tenía que haber enviado un aviso a la familia de su madre. Lo supieron por medio del padre de Littleton y de otras personas, bastante después de que su madre fuera enterrada.

Jack le aseguró que estarían absolutamente encantados de conocerla.

Apoyó la frente contra el cristal con más fuerza.

Eso era imposible, por supuesto. Si la historia que contaba su primo era cierta, y lo más probable es que no lo fuera, las cosas habían cambiado de manera radical. Ahora arrastraba su propio escándalo, no el de sus padres. Pensarían que era como su padre.

Shakespeare y sus acompañantes humanos habían desaparecido en el interior del parque, ocultos por los enormes pinos. Tenía que bajar, no tenía sentido aplazarlo más.

Tomó aire varias veces. Sí, tenía que ir. Iría... dentro de unos minutos.

Venus dio un sorbo de té y observó a su hijo menor. Estaba sentado en una silla enfrente de ella en el salón azul, con una ligera sonrisa en los labios, apoyado sobre la espalda y con una pierna cruzada sobre la otra. Era la imagen perfecta de un caballero elegante y sosegado.

Pero estaba con el alma en vilo, y ella lo sabía. Tenía ojeras y estaba bebiendo a sorbos cortos pero continuos una enorme taza de café.

Ella apretó un poco más su propia taza. Bajo ningún concepto permitiría que una conspiradora arruinara su vida. Si esa mujer pensaba que Jack era un objetivo fácil solo porque ella era la duquesa del amor y, por ello, le había tendido una trampa, se llevaría una sorpresa muy desagradable.

—Ned y Ellie se han ido enseguida, ¿verdad? —dijo Jack moviendo el pie con gesto nervioso, otro más—. Y se han llevado a mi perro. *Shakespeare* es un animal muy voluble.

Intentó esbozar una leve sonrisa con los labios, pero no tenía los ojos risueños.

—Están perdidamente enamorados y el perro necesitaba salir a pasear —dijo Venus encogiéndose de hombros.

Y pensar que se había sentido eufórica después del baile de cumpleaños y el compromiso de Ned... hasta que llegó el lacayo con la carta de Jack. Menos de veinticuatro horas para sentirse completamente a gusto con el mundo.

Aunque no era del todo cierto. Estaba preocupada por Ash y, por desgracia, de una forma tan constante como el respirar.

Tomó un trozo de pastel de semillas. No convenía mezclar los problemas, cada cosa a su tiempo.

—¿Cuándo te has hecho cargo de ese perro? No recuerdo que hicieras referencia a él mientras estabas en casa —preguntó.

—Pues la verdad es que ayer. Tiene muchísimo talento. Es capaz de hacer numerosos trucos —respondió Jack.

—Ya veo —dijo Venus, sin insistir.

¿Pertenecería el perro a la mujer de la que se hizo cargo también ayer? Por supuesto no dijo nada al respecto, estaba de lo más ocupado haciendo un recuento de las habilidades del perro en cuestión. Ella había aprendido hacía mucho tiempo que el silencio suele ser la mejor manera de iniciar el descubrimiento de un asunto. Con el tiempo, si se tenía la paciencia suficiente, los hijos llegaban al fondo del mismo, no hacían falta presiones.

Pero la paciencia era una virtud difícil de ejercitar.

Drew, sentado en un sillón cerca del fuego, resoplaba y fruncía el ceño mientras ojeaba el periódico. Vaya por Dios. Le había indicado de forma indirecta que sería mejor si la dejaba a ella sola con Jack, pero Drew no siempre captaba las indirectas, así que tendría que decirle directamente que se fuera de la estancia. Estaba claro que ahora iba a distraer a Jack de la trascendental conversación que tenían pendiente.

—Anoche otra señorita apareció muerta en el Támesis —dijo Drew—. Al parecer se trata de otra víctima del Degollador Silencioso.

Jack dejó la taza y se inclinó hacia adelante.

—¿Quién era? —preguntó.

—La segunda hija de Darton, *lady* Bárbara —respondió su padre.

—Ah, se rumoreaba que tenía un lío con uno de los lacayos de Darton —dijo Jack.

—Sí, el periódico lo menciona.

—Pues ahí lo tienes —intervino Venus—. Seguro que ese criado es el culpable.

Venus tomó otro sorbo de té. Sin duda era algo horrible, pero no les acercaba a la conversación sobre el asunto más importante, la culpable de intentar atrapar al pobre Jack.

—No, no fue el sirviente —negó Drew moviendo la cabeza.

—¿Por qué dices eso? Es la posibilidad más obvia —declaró Venus.

Si las chicas se limitaran a seguir las reglas, o al menos algunas de las reglas..., o solo las quebrantaran tomando muchas precauciones y con hombres honorables con los que fueran a casarse, se evitarían muchísimos problemas.

—Pues porque Darton estaba con la mosca detrás de la oreja y le encargó al mayordomo que mantuviera al lacayo muy ocupado. El mayordomo jura que el individuo estuvo limpiando la plata durante toda la noche.

—Bueno, menos mal que fue así —dijo Jack algo aliviado—. Si no hubiera tenido una coartada, la presión popular habría hecho que lo colgaran de inmediato y después se habrían dado cuenta del error al aparecer otra pobre chica asesinada. ¿Qué más dice el periódico?

¿Y a quién le importa el maldito asesinato? Eso es lo que Venus hubiera querido decir, o más bien gritar, pero se limitó a tomar otro trozo de pastel de semillas. Le daría un ataque de nervios si no empezaban a hablar de inmediato sobre el problema de Jack.

—Veamos —dijo Drew volviendo a mirar el periódico—. El conde se quedó en casa mientras su mujer y su hija acudían al baile ofrecido por el duque de Chesterman. Es normal, pues Darton siempre ha sido un poco eremita.

—Como si tú no lo fueras —espetó Venus.

¿Por qué Drew no sacaba a colación el problema de Jack? Él sí que podía sacar el asunto a colación directamente. Los hombres, entre ellos, eran mucho más directos que cuando estaban con mujeres, y más si había una madre de por medio.

—Yo prefiero evitar en lo posible a la alta sociedad, pero acudo a los malditos eventos cuando me veo forzado a ello, ¿no es así? —gruñó Drew.

—Sí, claro, y te lo agradezco mucho —dijo, y le agradecería mucho más que obligara a Jack a hablar del maldito asunto.

—Es lo que debes hacer —dijo Drew, reforzado y satisfecho.

—¿El artículo, padre? —insistió Jack muy interesado.

Lo lógico era pensar que Jack estaba deseando hablar del asunto por el que le había requerido con tanta urgencia. Pero la forma en la que la conversación avanzaba, o más bien no avanzaba, llevaba a pensar que lo que quería era conocer su opinión acerca de un chaleco nuevo.

—Ah, sí. Dice que Darton pensaba que *lady* Bárbara volvería a casa con su madre, por supuesto, pero en lugar de eso la muchacha le dijo a su madre que se encontraba mal y que se iría pronto con la señora Black quien, por supuesto, no tenía ni idea de nada. Al parecer *lady* Bárbara había utilizado este ardid otras veces, es decir, fingía que se iba pronto con alguien y aprovechaba para verse con el lacayo. Por desgracia, en esta ocasión todo acabó saliendo peor que mal.

—El artículo termina con el autor preguntándose si se trata en realidad de asesinatos, pues las mujeres de la alta sociedad terminan flotando en el Támesis mientras a las prostitutas las abandonan en el lugar del crimen.

—¡Dios del cielo! —dijo Venus.

Había leído en los periódicos las reseñas de los anteriores asesinatos, pero apenas se había sentido alarmada. Londres era la capital, por lo que era lógico que se produjeran crímenes. Pero si las cosas empezaban a desbocarse...

—No habrá individuos con navajas y sedientos de sangre escondidos en cada una de las esquinas de Londres, ¿no? —preguntó alarmada.

—No creo que deba preocuparle la posibilidad de que haya más de un asesino, madre. Lo que varía es la forma en que el culpable abandona a sus víctimas, pero el modo de matarlas es idéntico. A todas las mujeres les han cortado el cuello de la misma forma. Y todas ellas tenían una reputación cuestionable —explicó Jack.

—No hay nada cuestionable acerca de la reputación de una prostituta —dijo Venus—. Todo el mundo sabe de sobra que una prostituta no tiene reputación.

Jack pareció molesto por el comentario, pero se limitó a encogerse de hombros.

—Estoy casi seguro de que se trata del mismo hombre. Es más fácil abandonar en el suelo un cuerpo en los bajos fondos que en las cercanías de una mansión de Mayfair.

—¿Así que piensas que debe de tratarse de un fanático religioso? —dijo Drew asintiendo.

—No lo sé —respondió Jack pensativo.

La cosa ya había ido demasiado lejos. Venus quería hablar sobre la carta de Jack antes que la protagonista de la propia carta apareciera en el salón, cosa que podía ocurrir en cualquier momento. Así que intervino.

—¿Puedo sugerir un cambio en el tema de conversación? —dijo.

Jack y Drew se volvieron hacia ella de inmediato, como si se hubieran olvidado de su presencia por un momento.

—Sí, por supuesto —dijo Drew—. Desde luego, no es el asunto más adecuado para los oídos de una dama.

—Mi querido duque —comenzó tras un bufido—, no soy una delicada flor de interiores que ha de mantenerse apartada del duro mundo en el que vivimos, como bien sabes. Estoy muy feliz... aunque feliz no es la palabra más adecuada, más bien me alegro de estar al tanto de tamaño peligro, pero en este momento me interesa mucho más saber por qué Jack ha requerido nuestra presencia aquí de una forma tan precipitada.

Algunas veces había que dejar de lado la paciencia. Miró a Jack expectante. Y él le devolvió la mirada como si hubiera preferido seguir hablando de cadáveres y asesinatos.

—Es verdad, Jack —la apoyó por fin Drew—. ¿Por qué nos has hecho venir a la ciudad con tanta prisa? Casi no me había dado tiempo de disfrutar tras despedir al último invitado de la alta sociedad y resulta que estoy aquí, en pleno foco de la infección.

Jack era un joven valiente. Respiró profundamente y sonrió.

—Sí, bien, os agradezco mucho que hayáis venido. Es problema es... —comenzó.

—El problema soy yo.

Venus se volvió para mirar a... la persona que apareció de pie junto a la puerta.

La verdad es que una inspección cuidadosa revelaba que, desde luego, se trataba de una mujer. Era alta, delgada y pelirroja. Por cierto, parecía como si el pelo se lo hubiera cortado un mono ciego, y lucía el vestido más horroroso que había visto en su vida. Y, por el amor de Dios, ¿llevaba puestas unas horribles botas de hombre?

Jack fue inmediatamente a colocarse a su lado de una forma en cierto modo protectora. Interesante.

Venus se obligó a sí misma a sonreír, aunque tenía el estómago del revés.

—Hola, querida. Estoy segura de que mi hijo nos presentará de un momento a otro.

Obviamente, debería haberse quedado en su habitación. Lord Jack le presentó a sus padres y ella hizo las debidas reverencias. Pero, por supuesto, no podía quedarse escondida como un ratoncillo asustado.

—Por favor, siéntese señorita Hadley —dijo la duquesa.

Tenía una voz agradable y casi reconfortante, pero sus ojos marrones, muy parecidos a los de Jack, transmitían frialdad y desconfianza.

—Gracias, su excelencia —dijo Frances sentándose en el borde de la silla.

No quería achicarse, pero le temblaban las rodillas. Por suerte, hoy llevaba puesta una falda que las cubría.

—Estoy segura de nos considerará un poco estúpidos, señorita Hadley, pero Jack todavía no nos ha llegado a explicar por qué nos ha pedido en una carta que viniéramos a Londres —dijo la duquesa mirando a Jack y al duque—. Ha habido quien ha creído más conveniente hablar de los sucesos que aparecen en la prensa.

—Sucesos que tienen una gran importancia, mamá —dijo Jack sentándose al lado de Frances, y se dirigió a ella—. Ha habido otro asesinato, Frances, una mujer de la alta sociedad. Tú, mamá y Ellie debéis tomar precauciones adicionales hasta que el asesino sea capturado y llevado ante la justicia.

—Sí, sí —dijo la duquesa con un deje de exasperación—. Estaremos en guardia. Pero ahora vayamos al grano, Jack. ¿Cuál es el problema para el que necesitas nuestra ayuda?

Frances no iba a dejar que lord Jack enturbiara las aguas.

Debía tomar la iniciativa.

—Todo es culpa mía, su excelencia —dijo antes de que Jack pudiera decir una palabra—. He estado intentando convencer a su hijo de que lo único que necesito es ponerme en contacto con el administrador de mis bienes y negocios y obtener los fondos que me pertenecen. Una vez conseguido eso me iré y él podrá lavarse las manos con respecto al escándalo.

Jack la miró enfadado y abrió la boca de nuevo, pero esta vez fue su madre la que se le adelantó.

—Querida, si se ha producido un escándalo, Jack no puede lavarse las manos —dijo con convicción.

—Exactamente —dijo Jack asintiendo—. Yo...

Estaba a punto de contar la historia con el enfoque inadecuado, así que Frances le interrumpió.

—No, yo... —empezó a decir.

—Señorita Hadley, ¿sería usted tan amable de dejarme hablar? —interrumpió Jack esta vez, con tono autoritario.

—Pero es que usted va a plantear el asunto como si hubiera cometido alguna falta y no ha sido así —explicó ella sin hacerle caso.

Frances le agradecía el que no la dejara en la estacada, pero se equivocaba al asumir responsabilidades.

—No lo haré —dijo Jack mirándola como si fuera a agarrarla por los rizos y arrancárselos a tirones—. ¿No se da cuenta de que algunas veces la gente puede no tener ninguna culpa de algo y, pese a ello, tener problemas graves?

Por supuesto que se daba cuenta, pero ese no era el caso en estas circunstancias.

—Pero es que yo sí que tengo la culpa —afirmó.

—En mi opinión —dijo el duque en tono calmado aunque autoritario—, creo que para progresar más en la comprensión del problema será mejor que permita que Jack cuente la historia a su manera, señorita Hadley. Y cuando él lo haya hecho, será su turno para añadir lo que considere oportuno o explicarnos su punto de vista.

—Sí, por supuesto. Perdónenme. Tiene usted toda la razón —asintió, cerró los labios y se echó hacia atrás en el asiento.

Jack le echó una mirada incisiva y procedió a dar los datos básicos de la situación.

—Así que ya lo veis —concluyó—, el principal problema es que Pettigrew sabe con seguridad que la señorita Hadley es una mujer.

Frances no pudo contener la lengua ni un segundo más.

—El principal problema es que yo iba disfrazada de chico.

El duque soltó una risa y dirigió una breve y extraña mirada a la duquesa.

—No, señorita Hadley —dijo el duque contradiciéndola—, me temo que Jack tiene razón. El problema es que te pillen. Se puede nadar desnudo en un estanque, pero si nadie te ve, no habrá ningún escándalo.

La duquesa se puso repentinamente muy colorada y miró a Frances con un poco más de calidez.

—Eh, sí, eso es muy cierto. Fue muy valiente y muy ingenioso por su parte intentar llegar a Londres en pantalones, señorita Hadley. Sin duda su plan habría funcionado muy bien si las carreteras hubieran estado más transitables.

—No habría funcionado muy bien —dijo Jack rápidamente y mirando a su madre—. Era una locura. Fran... la señorita Hadley no sabía cómo era el lugar en el que vivía su hermano.

Frances pensó que eso no era verdad.

—Tenía su dirección —dijo de inmediato.

—Sí, que corresponde a una zona peligrosísima de la ciudad —replicó mirándola— y, además, no servía, dado que su hermano ya no vivía allí.

—Pero eso yo no lo sabía —se defendió Frances.

—Exactamente —puntualizó Jack levantando las cejas de aquella manera que tanto la irritaba—. Y, llegados a este punto, ¿qué habría hecho usted tras descubrir ese hecho y a dónde habría ido, sola en medio de la zona más peligrosa de Londres?

Frances apretó los labios. El muy condenado tenía toda la razón. Se hubiera encontrado en una situación complicadísima.

—En cualquier caso —dijo la duquesa—, aquí no podemos echarle la culpa a nadie. Usted no quería implicar a Jack en ningún escándalo, señorita Hadley. Después de todo, estaba dormida cuando él llegó a la habitación. Y Jack no tenía la menor idea de que usted no era lo que aparentaba ser.

—Pero... —empezó a decir, pensando que por supuesto que ella tenía la culpa. ¿Cómo era posible que no lo viera la madre de Jack?

—No, querida —dijo la duquesa, enrojeciendo de nuevo—. El duque tiene razón. Una acción solo se convierte en un escándalo si, por desgracia, te sorprenden cuando la estás llevando a cabo.

—Y eso es lo que ha pasado —dijo Jack.

—Todavía no tienes constancia absoluta de ello, ¿no es así? —dijo el duque—. Que Pettigrew lo sabe parece que es un hecho. Pero todavía existe la remota posibilidad de que decida que el silencio es la salida más honorable en este caso. Te sugiero que vayamos tú y yo al club White y comprobemos de primera mano si ya ha corrido la voz.

—Es una idea excelente —dijo Jack exhalando un suspiro y mirando a Frances— pero anoche me pasé por los clubes, y lo cierto es que la historia ya se ha divulgado.

—¡Oh, no! —exclamó Frances llevándose una mano a la boca. El gemido se le escapó, aunque de ninguna forma quería comportarse así en presencia de los duques.

—Ya veo —dijo el padre de Jack, que la miró con expresión comprensiva y demostrando que lo lamentaba—. Este hecho complica bastante las cosas.

—Solo significa que debemos dar el siguiente paso —dijo la duquesa echando mano de la tetera—. ¿Quiere un poco de té, señorita Hadley? Una tacita de té tranquiliza mucho.

Frances no estaba muy segura de eso, pero asintió de todas formas, y recogió la taza de manos de la madre de Jack.

—¿El siguiente paso? —preguntó.

—Sí —contestó la duquesa... ¡que estaba sonriendo!

—Atenta, señorita Hadley —dijo el duque expectante— ¡Sin duda mi esposa tiene ya un plan! Conozco esa expresión muy bien.

—Por supuesto que tengo un plan —dijo la duquesa dando un sorbo a su té.

Frances podía jurar que la duquesa había pasado de tener aquella expresión fría como el hielo en sus ojos a mostrar un destello, que hasta se reflejaba en la impoluta taza de té. Miró a Jack, que parecía receloso. ¡Maldita sea!

—¿De qué se trata, mamá?

—Tome un trocito de pastel de semillas, señorita Hadley, está muy bueno —dijo la duquesa.

—¡Mamá! —exclamó Jack mirando a su madre con el ceño fruncido.

Frances obedeció y tomó con precaución un trozo de pastel. No tenía ninguna razón para pensar que la duquesa sería capaz de encontrar una vía de escape, y sin embargo, contra toda lógica, así lo creía. El que le gustara o no la salida estaba por verse. Dio un mordisco al pastel.

—Obviamente, lo primero que hay que hacer es adquirir ropa nueva y adecuada para la señorita Hadley —dijo la duquesa, tras lo cual el duque procuró, con poco éxito, contener una carcajada y Jack emitió un extraño gruñido—. ¿Realmente le gusta ese sayo que lleva?

—No, por supuesto que no —dijo, pensando que tenía que comportarse con amabilidad—, pero la señora Watson ha hecho lo que ha podido.

—No lo dudo, pero no puede usted ir por ahí con ese aspecto.

—No voy a ir a ninguna parte, salvo a las oficinas del señor Puddington para hacerle una visita obligada. Después, su señoría, regresaré de inmediato a Landsford. Y luego...

Bueno, la verdad es que no tenía ni idea de a dónde iba a ir después de alejarse de Viola, pero desde luego no a Londres.

—¡Landsford! —exclamó el duque—. Lo que significa que usted es...

—¡Nieta del marqués de Rothmarsh! —intervino la duquesa en su turno de exclamaciones, que aderezó con un palmeo de manos— ¡Excelente!

Vaya, maldita sea. Frances hubiera deseado hundirse en la alfombra. No le apetecía nada que la familia de su madre se viera involucrada en este lío.

—Y sobrina de Whildon —dijo el duque, que no podía borrar la sonrisa de la boca—. El conde es muy amigo mío, señorita Hadley. Y Trent forma parte de tu círculo más intimo, ¿verdad, Jack?

—Sí. Le busqué ayer por la noche en White, pero no le encontré. Estoy seguro de que él y su familia estarán deseosos de ayudar a Fran...

—No, de ningún modo —dijo Frances tajantemente.

Jack ya le había dicho que ni sus abuelos ni el resto de la familia de su madre le habían vuelto la espalda, pero no tenía la menor intención de comprobarlo. Mejor no hacerlo para seguir teniendo una mínima esperanza de que fuera cierto.

—¿A qué se refiere cuando dice que no, querida? —dijo la duquesa arrugando la frente en un gesto de confusión—. Por supuesto que la familia de su madre cerrará filas para ayudarla. Su apoyo, y por supuesto el nuestro, acabará de inmediato con cualquier atisbo de molesto cotilleo.

—No creo que quieran tener nada que ver conmigo, su excelencia —dijo Frances.

¿Por qué intentaba engañarse a sí misma? Tenía veinticuatro años y no había recibido la menor noticia de ningún miembro de la familia de su madre, ni siquiera una simple carta, que le hiciera saber sus sentimientos hacia ella. Era un hecho que le habían vuelto la espalda.

—El marqués y la marquesa no aprobaron la relación de mi madre con mi padre porque él no era miembro de la nobleza y se lavaron las manos cuando se casaron —dijo Frances con tristeza.

Volvió a escuchar el habitual gruñido de Jack, pero prefirió no mirarlo. Sin embargo, no pudo evitar ver la expresión de sorpresa del duque, que levantó la cejas de repente.

—No sé quién le habrá contado eso, señorita Hadley —dijo el duque— pero lo que yo recuerdo acerca de todo aquello es del todo distinto.

—¿De verdad?

Maldita sea, hasta ella pudo notar una penosa esperanza en su voz. ¡Estúpida! No le importaba en absoluto la familia de su madre. Se las había arreglado muy bien sin ellos durante veinticuatro años.

—Sí, por supuesto —dijo el duque—. Aunque debo admitir que los padres de *lady* Diana no estaban nada contentos con la persona a la que había escogido como futuro marido. Whildon me habló en muchas ocasiones acerca de los muchísimos argumentos que le dieron a su hija para disuadirla de su capri... —el duque se interrumpió y se aclaró la garganta—. Quiero decir, de la gran atracción que su madre sentía por su padre.

—Pero si mi padre hubiera sido noble... —volvió a argumentar Frances.

El duque no tuvo que levantar la mano ni pronunciar una sola palabra. El simple endurecimiento de su expresión fue suficiente para acallar a Frances.

—La ausencia de un título no tuvo nada que ver con ello, señorita Hadley —dijo el duque con autoridad—. Siento tener que decirle que fue su falta de carácter la que llevó a Rothmarsh y a su familia a oponerse desde el principio al enlace, y de hecho yo estaba de acuerdo con sus argumentos. Su padre era guapo y elegante, podríamos incluso decir que un botánico brillante. No obstante, y espero que no le moleste que le diga esto, también era engreído, egoísta y un vividor. Rothmarsh estaba convencido de que los mujeriegos no cambian y no quería que su hija arriesgara su felicidad para demostrarle que estaba equivocado.

Ah, claro. Los vividores y mujeriegos no cambian, ¿verdad? Frances siguió mirando al duque, pero tuvo que resistir la tentación de mirar a Jack. Podía sentir su mirada sobre ella, aunque no lo viera. Tal vez no fuera tan malo como su padre, pues parecía que se sentía muy comprometido con los niños de su hospicio, incluso con los que no eran hijos suyos, pero en todo caso era un mujeriego.

—Su madre era la única hija de la familia, y la más joven, señorita Hadley —dijo el duque sonriendo—, y por eso todos la mimaron. Es muy probable que fuera la primera vez que sus padres se opusieran a sus deseos. Según Whildon era muy terca —concluyó el duque, mirando a Frances con cierta suspicacia.

¿Terca? No describiría así a la mujer triste y taciturna que conoció. Su madre era una especie de fantasma desde que ella la recordaba, bastante antes de morir.

—Pero entonces, su excelencia, ¿por qué no la visitaron nunca, ni siquiera le escribieron? —preguntó Frances.

—Según Whildon, por supuesto que la visitaron, señorita Hadley —explicó el duque—. Llegaron tras un largo viaje y descubrieron con sorpresa que eran abuelos, pues su madre nunca les hizo saber que estaba embarazada. Pero no fueron bien recibidos en Landsford. Al parecer, *lady* Diana les cerró la puerta en la cara y tuvieron que pasar la noche en una posada. No pudieron verles a usted y a su hermano ni siquiera una vez.

—¡Oh! —exclamó la duquesa—. ¡Qué experiencia tan horrible! Pobre *lady* Rothmarsh.

Desde luego, aquello resultaba muy duro, pero también muy difícil de creer. Nunca había visto a su madre enfadada, y la pobre mujer había tenido multitud de oportunidades de haberlo estado debido a las interminables canalladas de su marido. Era probable que Rothmarsh y su esposa exageraran.

—En todo caso, nunca escribieron una sola carta para intentar arreglar las cosas, su señoría —argumentó Frances.

—Oh, creo que escribieron muchas, señorita Hadley, pero Whildon dijo que todas fueron devueltas sin abrir. La verdad es que estaba muy airado con la situación. Recuerdo perfectamente el día que llegó al club despotricando sobre el asunto y deseando salir cabalgando de inmediato hasta Landsford para intentar que su hermana entrase en razón, pero su padre se lo prohibió tajantemente. *Lady* Diana era una persona adulta, y si su elección había sido cortar todo vínculo con su familia, tenía todo el derecho a hacerlo.

—¿Y no tenían miedo de que Hadley estuviera maltratando a la madre de la señorita? —preguntó Jack, y su voz, por alguna razón, mostró cierto enfado.

—No, porque sabían que no estaba en Landsford. Me disculpará usted, señorita, pero las proezas del individuo eran carne de cañón para la prensa, que las explotaba con pelos y señales —dijo tristemente su padre.

Estaba claro que el duque estaba de parte de su amigo.

—Pero no le veo el sentido, su señoría. ¿Por qué iba mi madre a abandonar a sus propios padres y devolver sus cartas? —preguntó Frances, realmente perpleja.

Siempre había dado por sentado que su madre había permanecido en Landsford porque no tenía otro sitio adonde ir. En esta historia sin duda había algo más de lo que el duque sabía.

—Whildon pensaba que, probablemente, *lady* Diana era demasiado orgullosa, o demasiado terca, o ambas cosas, como para admitir que había cometido un error y pedir ayuda —respondió el duque sonriendo levemente y con cierta tristeza.

—Oh, no. Estoy segura de que la razón no puede ser esa —negó Frances meneando la cabeza.

Pero... en uno de sus recuerdos más tempranos, pues no debía de tener más de cuatro o cinco años, se veía a sí misma corriendo por el camino del jardín para decirle a su madre que Frederick le había quitado su muñeca. Tropezó y se cayó justo delante de su madre, que estaba leyendo sentada en un banco. Se puso a llorar, pero su madre la miraba con dureza y sin ayudarla. Recordaba sus palabras una por una:

—«No pierdas el tiempo llorando, Frances. Eres una niña mayor. Levántate y arréglate, Aprende a valerte por ti misma.»

Las palabras del duque interrumpieron sus pensamientos.

—Whilton me contó que sus padres escribieron por última vez cuando usted tenía unos dieciséis años, señorita Hadley —dijo el duque con suavidad—, ofreciéndole a usted y a su hermano ir a vivir con ellos. Por lo menos esta vez su tía abrió la carta, pero contestó con una dura nota diciéndoles que no, es más, que si es que no se habían dado cuenta todavía de que en la vida de ustedes no había ningún lugar para ellos.

—La tía Viola nunca me dijo una sola palabra de todo esto —informó Frances.

Era verdad que su tía siempre insistía en hacerse cargo del correo, y Frances sospechaba que no le enseñaba las cartas de Frederick... pero no, era demasiado increíble.

—Lord Whilton tiene que estar equivocado —insistió.

Por supuesto que estaba equivocado. Era un hombre. Lo más probable es que hubiera oído algún comentario y se hubiera inventado todo lo demás. Y después, por su condición masculina, habría mantenido a toda costa que lo que decía era la verdad.

—Bien —dijo la duquesa dejando la taza sobre el plato con gesto decidido—. Creo que solo hay una manera de comprobar con absoluta certeza qué es lo que piensa la familia de su madre, señorita Hadley, y es preguntárselo. Voy a enviar inmediatamente una nota a la mansión Rothmarsh —afirmó dedicándole a Frances una amplia sonrisa—. El pasado no puede cambiarse. Debemos preocuparnos por el presente y por el futuro.

Maldita sea, de ninguna manera quería ir arrastrándose a pedir ayuda a la familia de su madre.

—Me temo que el presente es incluso peor que el pasado, su señoría, debido al escándalo en el que estoy metida. Sigo pensando que sería mucho mejor que yo regresara al campo —dijo Frances.

—Oh, no. Eso sería fatídico —dijo la duquesa ofreciéndole otro trozo de pastel, que ella rechazó esta vez. El primer trozo no le había sentado demasiado bien—. Si hace eso, la gente pensará de inmediato que usted tiene razones para huir. No obstante, si permancce aquí y se mueve de forma natural contando con nuestro apoyo, y doy por hecho que también con el de la familia Rothmarsh, conseguiremos que este desagradable cotilleo se esfume en un abrir y cerrar de ojos.

—Lo cierto es que, en este tipo de asuntos, mamá nunca se equivoca —dijo Jack.

—¡Exactamente! —exclamó su excelencia que, para asombro de Frances, sonrió ampliamente.

Por su parte, Frances se sintió como si estuviera a punto de ahogarse. ¿Por qué estaba esta gente tan decidida a introducirla en la alta sociedad de Londres? Tendría que encontrar una excusa para librarse de ellos... ¡Ah, por supuesto! No era muy buena, pero tal vez funcionaba.

—No puedo permanecer aquí, su excelencia —dio contrita—. Daisy, mi pobre yegua, se quedó coja durante el viaje, y tuve que dejarla en una posada. Tengo que volver para recuperarla.

—Oh, no se preocupe por eso —dijo la duquesa, despachando la excusa con un ligero movimiento de su mano—. Mandaremos un mozo de cuadra para que la traiga aquí o la lleve a Landsford, lo que usted prefiera. Aunque llevarla a Landsford sería lo mejor, supongo. Creo que no sería buena idea meter en el tráfico de Londres a una montura que no esté acostumbrada a él, y en cualquier caso usted debe hacer saber a su tía que está bien y a salvo. Seguramente no quepa en sí de la inquietud.

Resultaba difícil imaginarse a Viola fuera de sí por una razón distinta a la furia.

—Pero... —empezó de nuevo Frances.

Al parecer la duquesa ya estaba un poco harta de las absurdas protestas de Frances.

—Lo primero que hay que hacer es conseguirle un nuevo guardarropa —la interrumpió su excelencia sin más miramientos—. En todo caso tengo que llevar a la modista a Ellie, la prometida de nuestro hijo Ned, así que no hay ningún problema en que venga también usted. De hecho, estoy segura de que Ellie estará muy contenta de que nos acompañe. Debo decirle que su guardarropa es casi tan triste como el de usted.

Examinó de nuevo a Frances y arrugó la frente.

—La verdad es que va a ser imposible. Mmm. Ahora que lo pienso, creo que será mejor que *madame* Celeste venga aquí.

—Pero... —dijo de nuevo Frances.

¿Por qué la madre de Jack no atendía a razones ni la escuchaba?

—Sería mejor que capitulase usted ahora, señorita Hadley —dijo el duque—. Mi esposa es muy tenaz y generalmente suele tener razón, por mucho que me moleste admitirlo.

—Sí —dijo a su vez Jack—, por eso le escribí, señorita Hadley. Estoy completamente seguro de que nos sacará de este aprieto.

—Y, por favor, recuerde que todo esto afecta también a la reputación de Jack —dijo su excelencia—. Debe apiadarse de él y ayudarle a mantener su posición en la sociedad.

—Sí, señorita Hadley —asintió Jack—. Me hará usted un gran favor si accede a hacer lo que mi madre le pida.

—Pero... oh, está bien —se rindió Frances.

Con Frederick casado, en cualquier caso debía seguir otro rumbo, y si el coste de su nuevo guardarropa hacía decrecer su fortuna y los futuros fondos de Frederick, la verdad es que tampoco le importaba demasiado, tal como estaban las cosas.

Capítulo 9

Cuando uno entra en la alta sociedad, la valentía es un elemento tan necesario como unos zapatos y unos guantes adecuados.
—de las *Notas de Venus*, duquesa de Greycliffe.

Jack miraba los periódicos que había desperdigados por el escritorio cuando oyó a alguien entrar en su estudio. Eran Ned... ¡y *Shakespeare*!

Shakespeare dio un ladrido a modo de saludo y avanzó para que Jack lo acariciara por detrás de las orejas. Apenas había necesitado tiempo para sentirse en la mansión Greycliffe como en su propia casa.

—¿Dónde está Ellie? —preguntó Jack mirando a su hermano.

—¿Dónde imaginas que puede estar? —respondió Ned, sentándose en la silla del otro lado del escritorio—. Braxton fue en nuestra busca y la arrancó de mi lado nada más llegar de dar una vuelta con *Shakespeare*. Nos dijo que un ejército de modistas la esperaba en uno de los salones.

—Tanto como un ejército... —contestó Jack—. Son *madame* Celeste y dos de sus ayudantes, más una enorme cantidad de piezas de tela. Richard y William han tenido que hacer tres viajes con el carruaje para traerlo todo.

—No sé por qué mamá tiene tanta prisa —dijo Ned arrugando la frente.

—Bueno, todavía no conoces a la señorita Hadley, pero créeme si te digo que lo suyo con respecto al guardarropa es una auténtica emergencia, y la verdad es que no coopera demasiado —explicó Jack—. Tenemos que confiar en que la presencia de mamá evite que se escape por una ventana o apuñale a *madame* Celeste con sus propias tijeras —añadió Jack riendo—. Y aunque no dudo de que Ellie estaría mucho más a gusto pasando su tiempo contigo, convendrás conmigo en que le conviene hacerse algunos trajes nuevos, además del precioso vestido rojo que llevó en el baile de cumpleaños.

—Ellie está hermosa se ponga lo que se ponga —dijo Ned, sin poder evitar que sus mejillas enrojecieran tanto como el famoso vestido.

—No tengo la menor duda —dijo Jack estirándose; tenía los hombros y el cuello rígidos de estar inclinado sobre los periódicos—. ¿Cuándo es la boda, por cierto?

—Estoy a la espera de obtener una licencia especial en breve plazo —respondió Ned—. La idea es que nos casemos lo antes posible.

Puesto que Jack estaba seguro de que Ned y Ellie habían anticipado su actividad matrimonial, y con toda seguridad iban a seguir haciéndolo, cuanto más pronto se casaran, mejor para todos.

—¿Pensáis volver al castillo para celebrar la ceremonia?

—No. Mamá ha sugerido que nos casemos aquí, y tanto Ellie como yo creemos que es una buena idea. Con una boda en la capilla del castillo de Greycliffe tengo más que suficiente —se lamentó Ned—. Y puesto que mamá piensa que es importante que Ellie sea presentada en sociedad, pasaremos una o dos semanas en la ciudad.

—Espléndido. Te confieso que espero que Ellie sea capaz de ganarse la amistad de la señorita Hadley —dijo Jack esperanzado—. La mujer es un tanto, digamos, quisquillosa, y, para completar el cuadro, circulan sobre nosotros ciertas historias un tanto desagradables.

—¿Historias? ¿Qué tipo de historias? —preguntó Ned frunciendo el ceño— ¿Qué has hecho?

—No he hecho nada de nada, maldita sea —dijo Jack enfadado con Ned por llegar a conclusiones precipitadas—. Solo hemos sido víctimas de una serie de circunstancias muy desafortunadas.

—Mmm.

Si Ned le acusaba de descuidado, le tiraría encima el condenado escritorio. Pero, en lugar de eso, su hermano asintió.

—Puedes confiar en mí, por supuesto, y estoy seguro de que también en Ellie —dijo Ned—, aunque estoy seguro de que mamá pondrá las cosas en su sitio en poco tiempo. Por cierto, ¿dónde está papá?

Jack se sorprendió de su propio alivio al saber que Ned le apoyaba.

—Ha salido para contribuir al descrédito de los chismorreos maliciosos —contestó Jack.

—Estupendo —dijo Ned, y por fin miró el montón de periódicos que había sobre el escritorio—. ¿Las historias a las que te refieres han encontrado ya un hueco en las páginas de cotilleos?

—No, todavía no. O al menos yo no lo he visto —dijo Jack, maldiciendo mentalmente por no haberse fijado. Pero si los asistentes a White habían hablado de ello ayer por la noche...

Buscó a toda velocidad en la sección del periódico de la mañana. Por todos los diablos.

—Pues sí —dijo sombrío, pasándole el periódico a Ned.

—«*Lord J..., que acaba de regresar a la ciudad, ha asombrado a la alta sociedad paseando en carruaje por nuestras hermosas calles con la señorita H..., que iba vestida con pantalones.* ¿Se trata de la nueva moda del campo? ¿Y qué pensará nuestra querida d... del a... *de que ese vividor de lord J... haya compartido habitación en una posada con la escandalosa señorita H...?*»

Ned dejó el periódico y lanzó una mirada glacial a Jack.

—Ni siquiera tú serías capaz de hacer algo tan extravagante —dijo.

—¿Se puede saber qué quieres decir con ese «ni siquiera tú»? —espetó Jack, pensando que no quería tener el apoyo del idiota de su hermano.

Ned frunció el ceño y abrió la boca como si fuera a decir algo, pero obviamente se lo pensó mejor. Quizá fuera porque su reciente enamoramiento le había proporcionado un poco más de comprensión con los asuntos emocionales, o bien porque se fijó en que su hermano cerraba las manos como un púgil presto a iniciar el combate con un puñetazo en la cara de su adversario, o sea, él. En todo caso, cambió la frase que iba a decir por otra mucho más adecuada.

—¿Por qué no me cuentas lo que pasó en realidad?

Jack suspiró. El diablo estaba en los detalles, como siempre ocurre.

—Por desgracia, el relato es básicamente cierto, pero falta decir que, en esos momentos, yo pensaba con toda sinceridad que la señorita Hadley era un muchacho. Se había disfrazado de chico para llegar a Londres pasando desapercibida y, eh, poder tratar ciertos asuntos con su administrador.

Tratar no era la palabra más adecuada para describir lo que Frances pensaba hacer cuando hablara con Puddington. Exigir, intimidar, gritar, en fin, ese tipo de verbos resultarían mucho más adecuados.

—Ah —dijo Ned, y se aclaró la garganta—. Entiendo.

—No, por supuesto que no lo entiendes —dijo Jack muy preocupado—. Es un condenado embrollo. Confío en que mamá podrá solucionarlo, pero si no puede, tendré que casarme con la chica.

Ned se acercó al escritorio y tomó sus manos con firmeza.

—No te cases con nadie a quien no puedas amar —dijo, y se las apretó aún más fuerte—. Encontraremos una forma de resolver este asunto. ¿La chica es un completo marimacho?

—¡No, en absoluto! —exclamó Jack. Frances tenía mucha voluntad, era terca y discutidora, pero en absoluto un marimacho.

Shakespeare, que estaba sentado junto a ellos, se vio obligado a participar en la conversación con su habitual y agudo ladrido. Jack lo miró y procuró modular un poco su voz. La muchacha se había comportado de una forma bastante alocada, pero con un coraje admirable.

—Estaba absolutamente desesperada, y muy confundida en algún aspecto —intentó explicar Jack.

—Si iba paseándose por ahí en pantalones, está claro que estaba confundida —dijo Ned.

Había perplejidad en la voz de Ned. Era lógico. Una mujer en pantalones no casaba en absoluto con lo que su hermano consideraba como un comportamiento adecuado. En realidad, nadie podía considerarlo así, y por esa razón estaban en ese lío.

—Sí, claro, pero ella no hizo nada impropio… —dijo Jack.

A las cejas de Ned les faltó poco para saltar de la frente.

—… y no merece el ostracismo bajo ningún concepto, cosa que le ocurriría si yo no me casara con ella, siempre y cuando mamá no sea capaz de encontrar una solución.

Ned le dio un golpe fraternal en el brazo.

—Anímate, Jack. Seguro que mamá obra uno de sus habituales milagros. Si la duquesa del amor la defiende, todo el mundo lo hará, ¿no crees?

—Eso espero —contestó Jack esperanzado—, y también puede ayudar el hecho de que Rothmarsh sea su abuelo.

Ned soltó un silbido largo y profundo.

—Sí, por supuesto, aunque me cuesta imaginarme a la nieta de Rothmarsh llegando a Londres en pantalones.

Jack ordenó los periódicos.

—Hubo problemas en la familia. La señorita Hadley no conoce a los parientes de su madre.

—Mmm, eso no creo que contribuya a resolver el problema.

Por lo visto, nada que tuviera que ver con la señorita Hadley podía contribuir a resolver nada.

—En fin, creo que mamá tendrá trabajo extra. Esperemos que también pueda solucionar esa parte del embrollo —dijo Ned—. Hablando de otra cosa, ¿qué hacías enfrascado en los periódicos si no mirabas las columnas de cotilleos?

—En la ciudad hay un problema bastante más importante que el peligro que corre mi soltería: se trata de un asesino en serie. Los periódicos le llaman el Degollador Silencioso porque rebana las gargantas de sus víctimas, pero nadie ha oído un grito ni pelea alguna mientras cometía sus asesinatos.

Ned se quedó mirándolo un rato de hito en hito, y de repente se levantó del asiento como un resorte.

—Por Dios, cómo odio Londres. Es tan grande y tan anónimo —se quejó, cerrando los ojos con preocupación—. Mañana llevaré de vuelta a Ellie al castillo. Nos puede casar su padre en la vicaría, y después nos iremos directos a mi hacienda.

Demonios, eso no sería nada bueno.

—Pero si haces eso la gente pensará que te has ido porque desapruebas la presencia y la conducta de la señorita Hadley —le explicó Jack.

Ned se paró un momento junto a la puerta, demostrando claramente que estaba deseando iniciar los preparativos para volver al campo de inmediato.

—Lo siento mucho si ese es el caso, pero la seguridad de Ellie tiene para mí toda la prioridad —dijo taxativamente.

—Pero Ned... —dijo Jack levantándose también.

—¿Qué pasa con mi seguridad? —preguntó Ellie, que estuvo a punto de chocar con Ned en la puerta del estudio.

Al oír la voz de Ellie, la expresión de Ned cambió radicalmente. Sus ojos brillaron y sus labios dibujaron una sonrisa. Se veía que estaba enamorado de verdad.

Jack sintió una punzada de envidia y un toque de... ¿de qué exactamente? Pavor, eso era. No quería casarse con la señorita Hadley ni verse forzado a un matrimonio sin amor durante el resto de su vida.

—Nos vamos de Londres mañana por la mañana, amor mío —dijo Ned tomándola de la mano.

—¿De verdad? —dijo Ellie confundida y mirando a Jack—. ¿Por qué? Si acabamos de llegar... *Madame* Celeste se va a disgustar mucho. Me está confeccionando una increíble cantidad de vestidos.

—Puede mandárnoslos al campo —dijo Ned pasando los labios por sus dedos y poniendo una expresión de lascivia—. ¿Y cómo es que de repente tienes tanto interés por los vestidos? Tampoco es que te vayan a hacer mucha falta.

Estaba claro que Ned no se estaba refiriendo a que en el campo iban a asistir a menos eventos sociales. Ellie se sonrojó y retiró sus manos de las de Ned.

—Haga el favor de comportarse, caballero. Hasta el pobre lord Jack se está poniendo colorado—dijo Ellie con fingido recato.

—¿De verdad, Jack? —dijo Ned entre risas.

—Sin la menor duda —confirmó Jack.

La envidia y el pavor terminaron formando un nudo en el estómago de Jack. Él no solo no amaba a la señorita Hadley; por si fuera poco, no sentía la más mínima atracción física por ella. Era imposible, parecía un muchacho.

No obstante, sí que sentía cierta simpatía por ella. Era puntillosa, independiente y cabezota, pero también tenía valor y determinación. Fue capaz soportar la suciedad, el hedor y hasta la situación que se produjo en el burdel de Nan, sin el más mínimo amago de desmayo. La calle Hart era sin duda una dura prueba para una mujer de su clase, pero ella la superó. Y se comportó muy bien en su hospicio.

Por el momento, la joven le necesitaba. Lo único que esperaba era poder ayudarla sin tener que casarse con ella.

—Ahora no podemos irnos a casa —dijo Ellie—, pues dejaríamos a la señorita Hadley en la estacada.

—Mamá se hará cargo de ella, Ellie —indicó Ned—. Y Jack dice que también tiene parientes en Londres que pueden ayudarla.

—Sí, pero la duquesa estaba diciendo precisamente que la pobre Frances no tiene primas —señaló Ellie sonriendo y poniendo su mano sobre el brazo de Ned—. Creo que necesita una amiga.

—Bueno, es posible que sea así. Dice mucho de ti que te preocupes por el bienestar de la señorita Hadley, pero de todas formas nos vamos mañana por la mañana —insistió Ned.

—Pero ¿por qué? Aún no me has dado una razón —preguntó Ellie algo desconcertada.

—Porque Jack acaba de decirme que anda suelto un asesino de mujeres jóvenes —dijo mirándola y frunciendo el ceño con preocupación.

—¡Oh! —exclamó Ellie, y se dirigió a Jack— ¿Cuántas mujeres ha matado, Jack?

—Ocho. Cinco prostitutas y tres mujeres de la alta sociedad.

—¿Y tú crees que resulta muy peligroso para mí permanecer en Londres? —preguntó Ellie.

—Jack... —dijo Ned con un tono de advertencia hacia su hermano.

—No puedo decirte nada distinto de lo que te diga Ned, Ellie, pero debo puntualizar que mamá se queda —dijo Jack.

Ned gruñó y Jack no le hizo caso.

—Mientras no vayas paseando por ahí cuando se haga oscuro sin que te acompañe Ned... —empezó Jack.

—Eso no va a ocurrir, por supuesto —dijo Ned interrumpiéndole.

—... estarás completamente a salvo —concluyó Jack.

—Espléndido —dijo ella.

—Ellie... —empezó Ned, sin duda con la intención de iniciar una discusión, pero Ellie le puso los dedos sobre los labios.

—Ned, tu madre lo tiene todo muy bien planeado. Soy la primera nuera a la que puede traer a Londres y creo que tiene muchísimas ganas de presentarme en sociedad. Por mi parte, tengo también muchas ganas de conocer los lugares más emblemáticos de la capital y de ir a mi primer baile londinense con el hombre más guapo... de esta habitación. No te ofendas, Jack —concluyó Ellie con una sonrisa.

—No te preocupes, Ellie —dijo Jack con una reverencia—, aunque me sorprende y me alegra que encuentres atractivo a mi horripilante hermano.

Ellie se rió con ganas y miró de nuevo a Ned.

—Y, ya que soy una recién llegada a este círculo social, no me importaría tener al lado a alguien que estuviera en la misma situación, Ned —aseguró.

—No te dejaré sola ni un minuto —dijo Ned, al parecer muy contrariado.

—Ya lo sé —dijo Ellie apoyando la cabeza en su hombro—, pero no es lo mismo, aunque tú no te des cuenta. En primer lugar, eres un hombre, y además estás muy acostumbrado a ser, si no el centro de atención, al menos a despertar bastante interés. Es habitual que la gente te mire —dijo Ellie, palideciendo levemente.

—Las fiestas de sociedad no son otra cosa que una mezcolanza de bobos molestos y cotillas que se hacen los finolis—. Por poner un ejemplo, son como el baile de mi madre multiplicado por cien. Creo que algo que realmente no es nada está despertando en ti muchas expectativas.

—¿Ves? Ya te dije que no lo entenderías —se lamentó Ellie.

—¿Qué es lo que no entiendo? —dijo Ned mirándola enfurruñado.

—Quedémonos, Ned, al menos unos días. Si las cosas se ponen de verdad mal, nos iremos. ¿De acuerdo? —le rogó Ellie, dándole una palmadita en el brazo.

El gesto de Ned se hizo más acusado, pero al final se rindió. Su tono de voz se volvió suave e íntimo.

—De acuerdo, y te prometo que estaré en todo momento muy cerca de ti —dijo.

Estaba claro que era el momento de cambiar de tema.

—¿Dónde está la señorita Hadley, Ellie? —preguntó Jack.

—Todavía la están arreglando —dijo Ellie sonriendo—. Realmente no tiene nada que ponerse, por lo que *madame* Celeste está preparando dos vestidos de forma inmediata. Y, por supuesto, necesitaba desesperadamente que le cortaran el pelo.

—¿Acaso no lo tenía suficientemente corto? —Jack era incapaz de imaginarse el pelo de la señorita Hadley aún más corto de lo que lo llevaba.

—Sí, pero una de las ayudantes de *madame* Celeste, que al parecer es muy hábil con las tijeras, se lo está arreglando de modo que parezca un poco más, digamos, organizado —explicó Ellie sonriendo—. En cualquier caso, todavía pasará un rato antes de que esté lista, así que la duquesa me dejó libre. Creo que su señoría opina que debe quedarse con ella, porque de lo contrario la señorita Hadley se escaparía.

—Es muy probable que lo hiciera —suspiró Jack.

—Seguro que no necesito otro vestido de paseo —dijo Frances. Una cosa era disponer de parte de los fondos de Frederick y otra muy distinta dejarlo en bancarrota. *Madame* Celeste no dejaba de hablar de vestidos de paseo y para ir en coche, de vestidos de fiesta y de baile, sin olvidarse de blusas, medias y guantes. Miró la enorme pila de telas que se acumulaba en el sofá del salón.

Tal vez lo mejor sería que regresara al campo. Los cotilleos no serían tan terribles como aquello, ¿no? Seguramente lo único que habría que hacer era desaparecer y, de esa manera, la gente se olvidaría pronto del asunto. Se hundiría en el anonimato como se hunde un guijarro en el centro de un estanque. Tal vez le llegarían algunas ondas, pero cuando pasaran, todo volvería a su cauce, a estar tranquilo y en paz.

—Tonterías —dijo su señoría—. Por supuesto que necesitas otro vestido de paseo, y muchos más.

Parecía como si la duquesa estuviera disfrutando de veras.

—Esto es solo para que puedas apañártelas durante los primeros días —dijo sonriendo.

—Pero... —empezó a decir.

Era imposible que pudiera ponerse tantos vestidos. Además, resultarían inútiles cuando se fuese de Londres. Aquello era derrochar dinero a lo tonto.

—... en casa tengo ropa —concluyó.

Si Viola no la había tirado a la basura, claro.

Madame Celeste se puso roja y se sacó los alfileres de la boca.

—Oh, señorita, no es adecuado ponerse ropa del campo en Londres. Sería un grave error —dijo con un cerrado acento francés—, muy, pero que muy grave. Todo el mundo se reiría y volvería la nariz para mirarla —insistió la mujer, volviendo la cabeza hacia la duquesa—. Dígaselo usted, excelencia, por favor. Dígale que sería una catástrofe.

—*Madame* Celeste tiene toda la razón, Frances —dijo riendo la duquesa—. En Londres no se puede llevar ropa del campo. Aunque me parece que eso ya lo sabe —concluyó levantando las cejas.

Claro que lo sabía. Y, la verdad, si se ponía a pensar a fondo en el asunto, gran parte de su ropa provocaría comentarios incluso en el campo.

Nunca había asistido a ninguna reunión social, salvo a la iglesia. No tenía tiempo para eso, ni tampoco estaba interesada en absoluto en su principal objetivo, que era buscar marido. No sabía mantener una charla insustancial, ni emitir señales de interés, ni siquiera bailar.

Oh, Dios. Y la madre de Jack estaba empeñada en presentarla en sociedad a toda costa, en toda clase de eventos, incluidos los bailes, por supuesto.

—¿Puede terminar ese traje, *madame* Celeste? La señorita Hadley y yo tenemos que hablar un momento a solas —dijo la duquesa.

Frances escuchó débilmente las palabras de la duquesa, pues no paraba de darle vueltas a la cabeza y no prestaba atención. Notó como su señoría la tomaba del brazo y la conducía fuera del salón, hacia una habitación más pequeña al otro lado del pasillo.

—¿Qué ocurre, señorita Hadley? —le preguntó la duquesa mirándola a los ojos.

—Ah —dijo tragando saliva—. Ah...

¿Qué podía decir? La duquesa la miraba con calma, como si tuviera todo el día para estar ahí, escuchando sus balbuceos.

—No tengo dinero para pagar todos estos vestidos —acertó a decir por fin.

Ese no era el problema más importante, pero sí el único sobre el que estaba dispuesta a hablar.

—Quiero decir que la hacienda puede cubrir una parte de todo este gasto, pero...

—Señorita Hadley, por favor —empezó a decir la duquesa dándole un ligero toque en el brazo—. No se preocupe por el dinero. Estoy absolutamente segura de que Rothmarsh se hará cargo encantado de todos sus gastos.

—Ah... —volvió a balbucear.

Aquello era todavía peor. El que la familia de su madre fuera a querer tener que ver algo con ella no era más que una hipótesis, y aquí estaba, a punto de presentarse con su escándalo a cuestas y una no menos escandalosa cuenta de gastos.

—No creo que eso sea una buena idea, la verdad —dijo.

La duquesa suspiró y se dejó caer sobre un pequeño canapé, y tiró de ella suavemente para que se sentara a su lado.

—¿Querida Frances, puedo tutearla? —preguntó.

—Mmm —volvió a balbucear.

Al parecer aún no era capaz de pronunciar frases coherentes, así que se limitó a asentir con la cabeza. Su excelencia tomó una mano de Frances entre las suyas.

—Recuerdo una conversación con Charlotte, es decir, *lady* Whildon, sobre el hecho de haber tenido solo hijos, con lo que eso conlleva de alegrías y, digamos, de problemas. Ambas les tenemos mucho cariño a nuestros chicos, por supuesto, pero nos entristece un poco la falta de una hija y el placer y la alegría que nos habría aportado: el ayudarla a escoger su ropa, sus zapatos, en fin todo eso.

Hizo una pausa como si esperase una respuesta por parte de Frances.

—Eh... —empezó Frances, que hizo un enorme esfuerzo para decir algo coherente—. Sí, claro.

—La mujer de Ash y la primera esposa de Ned no tenían ningún interés en venir a Londres, así que puedes hacerte cargo de lo que estoy disfrutando al teneros a Ellie y a ti aquí y prepararlo todo —dijo, y señaló con un gesto hacia el salón donde se encontraba *madame* Celeste.

—Pero yo no soy... usted tiene a Ellie, por supuesto, pero yo no soy... —volvió a balbucear Frances.

La duquesa levantó la mano para evitar que Frances completara la frase.

—Recuerdo perfectamente que Charlotte me habló de lo triste que se puso *lady* Rothmarsh cuando tu tía le escribió rechazando la posibilidad de que ellos te acogieran, dado que son tus abuelos. Sé positivamente que la marquesa estará más que encantada de tener esta segunda oportunidad de verte alegrando los bailes de Londres.

Oh, Dios. La marquesa la vería tropezarse con todo el mundo en los dichosos bailes. Ella... Frances parpadeó y miró a la duquesa. Ella no había tenido en cuenta...

—¿Mis abuelos están en Londres? —preguntó.

—Sí, por supuesto —respondió la marquesa.

Dos sentimientos pugnaban en su interior. Uno era el pánico, por supuesto, pero... ¿cuál era el otro? No, no podía ser la expectación, ¿o sí?

—¿No son muy mayores? —preguntó.

—Pasan de los setenta —dijo la duquesa encogiéndose de hombros—, pero tienen mucha vitalidad. Ya les he mandado una nota diciendo que estás aquí y que tu guardarropa necesita una renovación a fondo.

—¿Saben que estoy aquí? —casi gritó Frances.

—Sí, claro —dijo la duquesa un tanto sorprendida—. Ya te dije que iba a mandar una nota a la mansión Rothmarsh.

En efecto, Frances recordaba que su señoría había dicho eso, pero no cayó en que «a la mansión Rothmarsh» significaba en realidad «a los Rothmarsh», es decir, a sus abuelos.

—De ninguna manera queremos mantenerlo en secreto, querida. Espero que...

Alguien llamó a la puerta.

—Adelante —dijo la duquesa—. Ah, señor Braxton, ¿de qué se trata?

El mayordomo hizo una reverencia y acercó una bandeja de plata con una nota doblada.

—La han traído de la mansión Rothmarsh, su señoría.

—Espléndido. Espero que sea la respuesta de *lady* Rothmarsh —dijo la marquesa rompiendo el sello de lacre—. Sí, estamos invitados a cenar con ellos mañana —dijo, y sonrió al mayordomo—. Por favor, conteste diciendo que aceptamos, señor Braxton.

—¿Lo ves? —dijo la duquesa dirigiéndose a Frances y entregándole la nota—. Tu abuela está muy contenta e ilusionada. Va a invitar a toda la familia, lo que para ti me temo que probablemente suponga una cierta dificultad, pero todo será para bien. Queremos asegurarnos de que a la alta sociedad le queda constancia de que todos tus parientes te aceptan encantados.

—Ya... ya veo —dijo Frances mientras miraba la nota, escrita con una letra algo titubeante. La cosa iba de mal en peor.

—Tendremos que localizar también a tu hermano y a su nueva esposa —dijo la duquesa, al parecer sin advertir que la cara de Frances se iba poniendo cada vez más blanca—. Aunque, por supuesto, no creo que lo logremos para la cena de mañana, eso sería tremendamente difícil. Pero le encontraremos pronto. Rothmarsh y su familia querrán conocerle también aunque, la verdad, no nos gustaría que la nueva pareja añadiera alguna otra circunstancia comprometida al asunto. ¿Has pensado dónde podrían estar?

—No —respondió.

¿Por qué no le había dicho Frederick que se iba a casar? Y si la patrona estaba en lo cierto y su esposa era una ramera... bueno, ella no podía hacer nada para solucionar eso.

—No tengo la menor idea, y aunque imagino que mi tía debe de saberlo, también podría ser que no —añadió.

La verdad es que Frederick no se llevaba nada bien con Viola. Puede que le hubiera contado que se casaba, pero seguro que no le había dado su nueva dirección.

La duquesa la miró con detenimiento.

—Perdona que te diga esto, Frances, pero tengo sospechas acerca de las motivaciones de tu tía. Parece claro que nunca compartió contigo ninguna de las notas que te enviaron los Rothmarsh.

Sí, la verdad es que era muy raro, y después de la trampa que le preparó con Littleton, la conclusión obvia para Frances era que su tía solo hacía lo que le convenía a ella misma.

—¿Podemos preguntar a alguna otra persona? —insistió la duquesa.

Era una magnífica pregunta. ¿Quién podría...? ¡Pero por supuesto, el señor Puddington!

—Si Frederick le ha contado algo a alguien, habrá sido a nuestro administrador, el señor Puddington —dijo convencida.

—¡Excelente! Al menos tenemos un punto de partida. Mi hijo Jack puede acompañarte a visitar al señor Puddington tan pronto como sea posible. Mientras tanto, podrías mandar una nota a tu tía haciéndole saber que estás a salvo con nosotros —dijo sonriendo—. Creo que sería mejor que no la invitáramos a que se encontrara contigo, ¿no te parece?

—Sí —dijo Frances.

Estaba claro que no quería que Viola viniese aquí, ni siquiera aunque no la hubiera traicionado. Ahora que se había librado de ella, Frances se estaba dando cuenta de lo sombría y desagradable que era su tía, deprimente como una semana de lluvia continua. Y en especial si se comparaba con la alegría y la vitalidad de la duquesa, que lo iluminaba todo.

Además, ese plan sería el más adecuado para sus propósitos. Finalmente, podría reunirse con el señor Puddington y hablar de su dote, un dinero que le correspondía y le daría la libertad.

—Espléndido —dijo su excelencia poniéndose de pie—. Y ahora tenemos que volver con *madame* Celeste para que pueda terminar de confeccionar tus vestidos.

—Ah —dijo Frances, pero no se levantó.

Todavía había un problema que no habían tratado: no sabía bailar. Bueno, siempre podría buscar un sitio entre las demás feas del baile. Hasta podría inventarse un impedimento físico para justificar su incapacidad.

—¿Hay alguna cosa más que quieras comentar, querida? —le preguntó solícita la duquesa.

Era mejor decírselo a la duquesa, para que no la forzara a hacer algo que no podía.

—Bueno, la verdad es que sí. Yo, verá... —dijo Frances. ¡Malditos balbuceos!

Su excelencia esperó pacientemente, con una expresión agradable e educadamente inquisitiva.

—Sí, ¿tú...? —dijo, animándola a continuar.

—Yo no bailo —dijo de la única forma que podía: sin rodeos.

Por supuesto, tenía que haber esperado que la duquesa no dejaría las cosas ahí.

—¿Que no bailas? ¿Y por qué? —dijo la duquesa, sorprendida de veras.

Frances se puso roja como la grana. Con toda probabilidad, debía de ser la única mujer inglesa de veinticuatro años que no había aprendido a bailar.

—Porque no sé —susurró.

La duquesa levantó las cejas durante un instante, pero en lugar de reírse de ella, le dedicó una sonrisa dulce y comprensiva.

—Pues entonces Jack te enseñará. Baila muy bien.

Capítulo 10

La familia es muy importante.
—de las *Notas de Venus*,
duquesa de Greycliffe.

—Entonces, ¿qué opinas de la señorita Hadley, Drew? —le preguntó Venus mientras se metía en la cama junto a él. El duque retiró la vista de *La historia de las guerras del Peloponeso* y la miró por encima de las lentes.

—Parece muy agradable —dijo, y volvió a la lectura.

—Ya, pero ¿qué piensas de ella? —insistió Venus, deslizándose bajo el brazo de su esposo y apoyando la cabeza en su hombro.

—Te lo acabo de decir, parece muy agradable —repitió.

Finalmente suspiró y cerró el libro, poniéndolo en la mesilla de noche junto a las lentes.

—Pero lo realmente importante es lo que tú piensas de ella —dijo, sabiendo que Tucídides había perdido esa batalla.

Drew era muy intuitivo y tenía claro que ella deseaba hablar. De hecho, su esposa hizo caso omiso de su mirada hacia el libro, un poco más larga de lo normal.

—No es ni muchísimo menos como yo esperaba que fuera. Temía que fuera imprudente y, por decirlo de algún modo, vulgar —dijo Venus—. Y que estuviera decidida a dar caza como fuera a Jack. Pero no es así, para nada —insistió, acurrucándose un poco más junto a él—. Además, necesita nuestra ayuda.

Tiró de ella, de modo que su cara quedara apoyada sobre su pecho.

—¿Crees que sería una buena esposa para Jack? —preguntó inopinadamente Drew.

—No lo sé. Quizá. La verdad es que no descartaría la posibilidad —dijo, y se volvió para besarle la palma de la mano—. Pero la verdad es que es muy quisquillosa.

—Ya me he dado cuenta —dijo él sonriendo.

Le acarició el pelo con los dedos. ¡Era tan agradable! Pero ya habría tiempo para eso más tarde. Ahora debían hablar en serio de la señorita Hadley.

—Da la impresión de que ha llevado una vida muy dura, Drew. ¿Te puedes creer que ni siquiera ha aprendido a bailar? —le dijo, todavía atónita.

¿Cómo era posible que una joven de la aristocracia y de la edad de Frances no hubiera aprendido esa habilidad social tan básica? Incluso en la vicaría de Little Huffington, con unos padres que siempre tenían la nariz metida en libros escritos en griego o en latín, ella y su hermana habían aprendido a bailar.

Drew le apartó un cabello de la cara.

—La verdad es que no me sorprende. Le he preguntado a Whildon acerca de su historia cuando le he visto hoy en White. Por lo que me ha contado, y según su familia, la señorita Hadley no ha hecho vida social de ningún tipo —explicó Drew.

—¿Nada de nada? ¡Qué triste! ¿Así que ella y su tía se pasaban las horas sentadas una enfrente de la otra? —dijo negando con la cabeza, mientras Drew le acariciaba el cuello. Le apetecía ronronear.

—Según parece, sí —explicó Drew—. La señorita Hadley gestiona la hacienda y su tía protesta, al menos según cuenta Whildon, que lo sabe por el conde de Addington. Addington tiene una hacienda en las cercanías de Landsford, y nunca le ha gustado la señorita Hadley, es decir, la tía. Dice que es altanera y muy discutidora.

—Oh, pobrecilla —dijo Venus.

La cosa sonaba cada vez peor. Era difícil ver crecer una flor en un montón de estiércol. Aunque en realidad no era así. Muchas flores crecían entre el estiércol, si la semilla era la adecuada. ¿Pero era la señorita Hadley una semilla adecuada? Bajo ningún concepto deseaba que Jack se casara con una mala hierba.

—¿Y qué se sabe de sus abuelos paternos? ¿Visitaron a la señorita Hadley durante su niñez? —preguntó.

Tal vez había alguna esperanza por esa parte. Los abuelos solían tener una influencia muy positiva sobre los niños, como ella misma podría demostrar, y estaba deseando hacerlo, si sus hijos le dieran algún que otro nieto.

—Me temo que no. El abuelo era botánico, como el padre de la señorita Hadley. Se embarcó en una expedición cuando Hadley padre tenía uno o dos años y nunca volvió —relató Drew—. Y la abuela murió más o menos un año antes de que Hadley se casara con *lady* Diana.

—Ya veo —dijo Venus.

Su corazón se hundió. Así que el padre de Frances había seguido a su vez el camino paterno. Y no le sorprendería nada que aquel hombre tan desagradable, al casarse exactamente un año después de la muerte de su madre, lo único que buscara con el matrimonio fuera un ama de llaves que reemplazase a su igualmente desagradable hermana.

—¿Y del hermano? ¿Has logrado averiguar algo acerca de él? —dijo Venus, intentando completar el cuadro.

—No demasiado. Vive en Londres. Whildon se esforzó para entrar en contacto con él cuando supo que se había trasladado a la ciudad, pero fue rechazado con un portazo en las narices —dijo Drew, y se encogió de hombros—. Así que Rothmarsh decidió finalmente dejar de darse cabezazos contra esa pared. Con tres hijos casados, él y su esposa tenían ya un montón de nietos que los mantenían suficientemente entretenidos.

—Sería muy agradable tener por lo menos un nieto —dijo Venus sin poder reprimir un suspiro.

—Si no me equivoco, creo que en este mismísimo momento Ned está poniéndolo todo de su parte para concederte ese deseo —dijo Drew riendo entre dientes.

—Y tampoco lo dudo —dijo ella.

Debería sentirse tan escandalizada como si estuviera físicamente presente en la habitación de Ned, o en la de Ellie, pero, por el contrario, se sentía feliz y esperanzada. Hasta los había colocado en habitaciones contiguas para que no tuvieran que andar deslizándose subrepticiamente por el pasillo.

—Es estupendo volver a ver a Ned feliz, pero tenemos que conseguir que los otros dos se casen lo más pronto posible —dijo con determinación.

—Ned va a conseguir una licencia especial —dijo Drew mientras se enredaba uno de sus cabellos en el dedo—. ¿Puedo atreverme a decir que él no es el único interesado en las relaciones conyugales, o en su caso preconyugales?

Levantó las cejas y su cara adquirió esa expresión familiar, decidida y en cierto modo hambrienta.

Pero antes tenían todavía que hablar de algunas cosas más.

—Volviendo a la señorita Hadley... —dijo Venus.

—¿Tenemos que hacerlo? —dijo Drew en tono resignado.

—Sí —dijo ella besándole en la garganta, que era la parte de su cuerpo más cercana a sus labios—. Solo un ratito más. Ten paciencia.

—Ya he tenido mucha paciencia —dijo echándole una mirada a Tucídides—. ¿Puedo leer un poco mientras seguimos hablando de la señorita Hadley?

—No seas bobo —dijo mientras se sentaba. El asunto era muy serio—. ¿Crees que hay alguna posibilidad de que Jack se vea obligado a casarse con ella?

—No —contestó él, recobrando la seriedad—. No con el duque y la duquesa de Greycliffe y el marqués y la marquesa de Rothmarsh apoyándola sin fisuras, al igual que el conde y la condesa de Whildon y todo el resto de sus tíos y primos. Quien se atreviera a volverle la espalda o intentar que cayera en el ostracismo cometería un suicidio social.

Su alegato resultó un tanto altivo, incluso sonó peligroso.

—Ser duque lleva aparejadas algunas recompensas, ya sabes.

—Eso es lo que pensaba —dijo ella con alivio.

Una unión resultaba siempre mucho mejor si no era forzada, y además no estaba nada convencida de que la señorita Hadley fuera la pareja adecuada para Jack. De hecho, en este momento estaba casi convencida de que el matrimonio entre ellos sería un desastre. Había que trabajar mucho con la chica, y aún así... ya veríamos.

—Sin duda habrá algunos tiquismiquis que no la aceptarán —dijo ella— pero no haremos ni caso a esas víboras maliciosas.

Se encogió de hombros y se dio cuenta de que los ojos de Drew estaban fijos en sus pechos. El deseo empezó a hacer mella en su cuerpo.

Pronto lo satisfaría, pero no en ese mismo momento.

—Ya buscaré otras posibilidades para la señorita Hadley, para el caso de que una boda sea el único modo de salvar su reputación.

Los ojos de Drew se abrieron como platos.

—Ni se me ocurriría cuestionar las capacidades de la duquesa del amor, pero... ¿la has mirado con detenimiento? Un hombre tendría que estar ciego o muy desesperado para cortejarla —dijo Drew con crudeza.

—¡Drew! No seas tan desagradable —le riñó al tiempo que le daba un suave cachete en el hombro.

—No lo soy. Simplemente soy sincero —contestó.

En la mayoría de los casos, lo hombres no tenían visión.

—Espera a verla con sus vestidos nuevos. No la vas a reconocer —dijo Venus convencida.

—Mmm, tal vez. Debo admitir que transformaste completamente a Ellie con ese vestido rojo, pero aquí hay un problema añadido —dijo Drew reticente.

—¿Un problema añadido? ¿Y cuál es? —preguntó Venus. La verdad, ahora mismo, no se le ocurría.

—La señorita Hadley tiene que querer que la cortejen. Puedes conseguir que parezca Elena de Troya, mi querida duquesa, pero si le da un bufido a cada uno de los hombres que osen acercarse a ella, los espantará tan rápido como lo haría Medusa. Me da la impresión de que a esa chica no le gustan los hombres —aventuró Drew finalmente.

—Bueno, la verdad es que no tiene excesivas razones para que le gusten, ¿no te parece? —discutió Venus, aún reconociendo que Drew podía tener parte de razón—. Su padre y su hermano no han contribuido mucho a enaltecer a los de su sexo.

—Sin duda, y por lo que se refiere a Hadley padre, probablemente tiene suerte de que no esté por aquí —aseveró Drew—. La gente es libre de especular acerca de sus andanzas en tierras lejanas, pero si estuviera en Londres, no habría especulaciones, sino hechos: todos los conoceríamos.

—¿Tan terrible es? —preguntó Venus.

—Sí —dijo Drew, y sus labios se curvaron de pura repugnancia—. ¿No te acuerdas? No pasaba día sin que apareciera en la sección de escándalos de los periódicos. Es una absoluta basura.

—Entiendo —asintió Venus.

Drew no exageraba. Si él decía que un individuo era horrible, es que de verdad lo era.

—Pues parece que es mucho mejor que el padre de Frances se quede en el extranjero —confirmó Venus—. ¿Por qué se lanzaría a por su madre? ¿Tienes alguna teoría? He de confesar que me perdí todo aquello. Debía de estar muy centrada en los chicos.

Jack debía de tener un año cuando se casaron los padres de Frances, así que Ned tendría tres años y Ash cinco. Siendo una madre joven, dejó de lado sus esfuerzos por emparejar a gente, ya que sus hijos absorbían todas sus energías. Naturalmente tenían una niñera, pero, dado que la propia Venus no tuvo niñera cuando era niña, no quiso delegar todos los cuidados de sus hijos en otra persona. Pese a ello, la ayuda le vino muy bien. Los niños pequeños son agotadores, y más cuando van tan seguidos.

Sonrió. La verdad es que estaba lista para tener nietos, del sexo que fueran. Los nietos son una bendición. Se los puedes devolver a los padres como paquetitos cuando se ponen pesados o cuando, simplemente, te cansas.

—Soberbia, vanidad, orgullo, pura competitividad —estaba diciendo Drew—. Todo el mundo intentaba conseguir la mano de *lady* Diana por aquellas fechas. Era la hija de un marqués, y además muy hermosa. La perita en dulce de la ciudad.

Sí, lo podía entender. Más de una vez, había visto a sus hijos luchar por cosas que en realidad apenas les importaban solo para poder decir que habían ganado.

—Pero ¿cómo es que *lady* Diana no se dio cuenta de sus verdaderas intenciones? —preguntó Venus.

—Ah, claro —dijo Drew tomando aire para una larga explicación—. La verdad es que Hadley era muy guapo y, si quería, podía resultar encantador. Pero la teoría de Whildon es que lo que verdaderamente empujó a su hermana a escogerlo fue el hecho de que a su familia no le gustara nada aquel hombre y lo expresara abiertamente. Si se hubieran mordido la lengua y hubieran dejado que las cosas siguieran su curso, creo que *lady* Diana hubiera roto finalmente con aquel sinvergüenza. Pero como antes nunca le habían dicho que no a nada, no le gustó ni soportó la experiencia. Se puso firme e insistió tercamente en comprometerse con Hadley.

—Qué triste —susurró Venus.

Esa historia demostraba lo que siempre había creído, que no había nada más importante que la elección de la persona con la que te vas a casar y compartir tu vida. Tendría que ser muy cuidadosa y no decirle nada a Jack en contra de la señorita Hadley. Su hijo era muy capaz de erigirse en defensor a ultranza de la chica y de actuar de una manera tan estúpida como lo había hecho la madre de esta.

—¿Te diste cuenta de la actitud protectora de Jack con respecto a la señorita Hadley la primera vez que la vimos, el día que nos la presentó? —le preguntó a Drew.

—¿En serio? —dijo el duque de forma inexpresiva.

—Sí —contestó Venus. Le parecía mentira la escasa capacidad de observación de los hombres para ciertas cosas, incluso la de su marido.

—Si tú lo dices —dijo Drew suspirando, y volvió a levantar las cejas esperanzado— ¿Hemos terminado ya la conversación?

Ella se rió y se estiró para darle un beso.

—Supongo que sí.

—¡Espléndido! —exclamó él.

En un abrir y cerrar de ojos el camisón voló de su cuerpo y el pijama de Drew cayó al suelo. La situación de la señorita Hadley quedó completamente olvidada.

Después de todo, el duque había tenido mucha paciencia.

Jack miró su reloj de bolsillo de forma subrepticia mientras esperaba en el salón con su padre y con Ned la llegada de las señoras. La verdad es que no tenía tiempo para la maldita cena con los Rothmarsh. Necesitaba salir para hablar con gente, por ejemplo con Nan y con otras dueñas de burdeles, o con los hombres de los clubes. Alguien tenía que haber visto u oído algo que pudiera ayudarle a identificar al Degollador Silencioso.

—No sé por qué Ellie y yo tenemos que ir a esta cena —dijo Ned mirando a su padre.

—Tu madre quiere que vayáis. De todas formas, ¿qué haríais si no fuerais? —respondió el duque.

—Cenar aquí tan tranquilos —respondió Ned poniéndose colorado.

Naturalmente.

Seguro que harían una cena tranquila. La cuestión era en qué consistiría el postre, pero por otra parte era lo que llevaban haciendo todas las noches. Jack casi hubiera deseado que Ash estuviera allí para no ser el único que dormía solo cada noche.

Bueno, la señorita Hadley también dormía sola cada noche, pero eso era distinto. Y pensar que había pasado toda una noche con ella en la posada Crowing Cock sin adivinar que era una mujer... No había sido en absoluto una compañera de cama molesta: ni movimientos, ni codazos, ni apenas ronquidos. Pero si hubiera sabido que era una mujer...

No habría supuesto ninguna diferencia. La verdad es que tenía las piernas largas y muy bonitas... No, no debía pensar en la señorita Hadley en la cama.

—Ten en cuenta que Ellie también está debutando en sociedad —le recordó su padre a Ned—. Hasta ahora, nuestro baile de San Valentín ha sido su único contacto con la alta sociedad. No le vendrá mal este ensayo a pequeña escala con vistas a lo que le espera.

—Preferiría que nos fuéramos a casa, a Linden Hall, sobre todo dado que ese maniaco anda suelto —señaló Ned, todavía poco convencido.

—Y yo preferiría estar en el castillo, incluso aunque no hubiera ningún asesino —dijo su padre—. Pero tu madre no podía prever eso. Y en este caso debo admitir que tiene toda la razón. Creo que los riesgos para las mujeres son mínimos y, aunque me moleste mucho admitirlo, el hecho de mantener relaciones con una parte de la alta sociedad tiene sus ventajas, sobre todo si se trata de Rothmarsh y de su familia. Ayudará muchísimo para el debut de Ellie.

—Y, como te dije antes —intervino Jack— la gente habló, sobre todo en los días posteriores a la fiesta de mamá. Es muy recomendable que Ellie y tú aparezcáis como pareja ya comprometida, pues así descargareis toda la munición de los cazadores.

—No entiendo qué interés pueden tener en mí —gruñó Ned.

—Eres el hijo de un duque —respondió Jack, pensando que Ned se mostraba obtuso a propósito—. Y en los últimos cuatro años no has llamado la atención. Por supuesto que la alta sociedad tiene interés en ti.

—Pues entonces debe de tener muchísimo interés en ti —respondió Ned con sarcasmo.

—Claro que lo tiene, pero yo estoy aquí la mayor parte del tiempo —dijo Jack sin reaccionar a su actitud—. Pueden verme, no les hace falta hacer conjeturas.

Aunque, a pesar de todo, lo hacían. Los cotilleos respecto a sus supuestas relaciones con Frances se habían disparado. También debía de haber salido a la luz alguna pista acerca de sus casas de caridad, pues algunos de los comentarios lo situaban, a él y a la señorita Hadley, con una prole de diez niños, y también se hablaba de un harén y... de sus nuevos intereses. Nada de aquello tenía el más mínimo sentido, por supuesto. Difícilmente la señorita Hadley podía ser «un nuevo interés» si es que era la madre de su numerosa y supuesta prole, y eso sin mencionar que era demasiado joven como para haber sido capaz de tal hazaña. Pero la lógica no era algo que se tuviera en cuenta cuando se disparaban las lenguas viperinas.

E, independientemente de lo ridículos que fueran los cotilleos, el caso es que le hacían mucho daño a la señorita Hadley.

Volvió a mirar el reloj. Si la cena no durara demasiado, tal vez podría ir después a hacer averiguaciones sobre el Degollador.

—Jack tiene razón —dijo su padre—. Lo que no se sabe es mucho más interesante que lo que se sabe. Pasa aquí unas semanas, acude a unos cuantos eventos y, una vez que las viejas cotorras y su cohorte de seguidores hayan tenido su ración, vete a casa tranquilo.

Ned soltó un largo y exasperado suspiro.

—Muy bien, lo intentaré, pero si existiera la más mínima posibilidad de que Ellie corriera peligro, nos iríamos —afirmó tajantemente, y después miró hacia la puerta—. ¿Dónde están las mujeres? Llevan arreglándose toda la vida. No puedo... ¡Ah!

—¡Mira que eres impaciente! —dijo mamá riendo mientras entraba con Ellie en el salón—. La señorita Hadley bajará enseguida. Mary necesitaba unos minutos más para completar su peinado.

Jack le hizo una reverencia a Ellie. Cuando la veía, todavía se asombraba de su belleza, y más ahora que ya no la escondía bajo vestidos recargados y que no le sentaban bien.

—Estás preciosa —murmuró—. Aunque seguro que no te importa lo que yo piense.

—Pues claro que me importa, Jack —dijo Ellie riendo—, aunque la verdad es que no demasiado.

Sus ojos ya se dirigían a Ned, que la miraba embelesado y, la verdad, un poco con cara de bobo. Ella se le acercó de inmediato.

Jack volvió a mirar el reloj. La señorita Hadley tampoco tenía tanto pelo, así que, ¿por qué llevaba tanto tiempo el arreglárselo? La verdad era que el hecho de llegar pronto a casa de los Rothmarsh no tenía que significar necesariamente de debieran marcharse pronto, pero sería una ayuda.

—Mamá, ¿estás segura de que la señorita Hadley va a bajar si tú no estás ahí para empujarla? —preguntó Jack.

Su madre estaba de pie junto a su padre, que también parecía embelesado. Maldita sea, ya era un poco mayorcito para esas cosas, ¿no?

—Sí, eso creo —contestó su madre riendo—. Ya conoces a Mary. Sería difícil que la desafiara una mujer incluso más valiente que la señorita Hadley.

Mary llevaba siendo la doncella personal de mamá desde que Jack tenía memoria, por lo que estaba acostumbrada a tratar con mujeres de mucha voluntad. A pesar de todo, la señorita Hadley era un caso especial.

—Quizá deberías...

—Ah, ya está aquí —dijo mamá—. Pase y únase a nosotros, señorita Hadley.

Jack se volvió.

¡Madre mía! Un inesperado brote de deseo le golpeó en el pecho... y en otros órganos.

La señorita Hadley había perdido toda apariencia de colegial mugriento. Lucía un vestido de color verde esmeralda que contrastaba adecuadamente con su piel de color crema. También hacía resaltar sus pechos, no muy grandes, remarcaba sus caderas y se dejaba caer a lo largo de sus bien torneadas piernas.

Se obligó a levantar la mirada. Lo cierto es que Mary había hecho maravillas con el escaso pelo de Frances. Unos rizos suaves de color rojo, entrelazados con cinta verde, enmarcaban su cara... que estaba completamente pálida de terror. Sus grandes ojos verdes eran la única aportación de color a su rostro.

—Frances,... —empezó, y dio un paso para tomar su mano enguantada. Notó como le temblaba cuando lo hizo.

¿Le gustaría que le hiciera un elogio o le daría una bofetada si se atrevía? Decidió que la indignación, si se producía, sería mejor que el miedo.

—... está realmente preciosa —concluyó por fin.

Se ruborizó, cosa que le vino bien a su palidez, y le miró con el ceño fruncido.

—Mi aspecto no podía ser mucho peor que el de antes, ¿no? Pensaba que Mary no iba a acabar nunca —se quejó. Era Frances, sin duda.

—Bien —dijo mamá batiendo palmas—, ahora que estamos todos aquí es hora de irse. Frances y Jack, venid conmigo. Ned y Ellie, vosotros iréis en el segundo carruaje.

Jack le ofreció el brazo a Frances, que lo aceptó, aunque lo agarró con excesiva fuerza.

—No esté nerviosa —murmuró Jack.

—N... no estoy n...nerviosa —contestó ella.

Tenía la barbilla levantada y las mandíbulas apretadas y los ojos todavía refulgían de puro terror.

Jack sintió un repentino flujo de ternura fiera y protectora.

Era ridículo. La señorita Hadley era perfectamente capaz de cuidar de sí misma una vez que superara todos aquellos cambios.

—Sus abuelos no son tan difíciles —le dijo, siguiendo a sus padres hacia el carruaje—. Rothmarsh es a veces un poco ruidoso, pero es amable en el fondo, y *lady* Rothmarsh es muy dulce. Además le encanta dar abrazos, ya lo comprobará.

La marquesa le había envuelto en sus perfumados brazos tantas veces que no las podía ni calcular.

—No soy muy de abrazos —dijo Frances arrugando la nariz.

—No pensaba que lo fuera —aseveró Jack.

La ayudó a subir al carruaje y se sentó junto a ella cuando se estaba ajustando la falda. Durante un instante pudo verle el muslo...

Él, a su vez, colocó las piernas, bien juntas. Demonios, las cosas, o al menos algunas, habían sido mucho más fáciles cuando creía que Frances era un muchacho. No obstante, viéndolo desde el lado bueno, al menos sí que se veía ahora capaz de consumar el matrimonio si se veía obligado a casarse con la mujer.

Realmente, se imaginaba a sí mismo y a ella, con cierto detalle, haciendo un montón de cosas más.

Volvió a apretar las piernas. Tenía que ponerse a pensar en otra cosa inmediatamente.

—¿Le has dicho a la señorita Hadley quién va a estar hoy en la cena, mamá? —preguntó en cuanto se pusieron en movimiento.

Le pareció adecuado preparar a Frances para la multitud que se iban a encontrar. La familia Rothmarsh era en cierto modo apabullante, y Frances ya estaba de por sí bastante de los nervios.

—Pues no, creo que no lo he hecho —empezó mamá—. Veamos..., por supuesto estarán tus abuelos, el marqués y la marquesa de Rothmarsh, y estoy seguro de que también acudirán sus tres hijos, tus tíos, y sus esposas: el conde de Whildon y *lady* Whildon, lord y *lady* Ambrose y lord y *lady* Geoffrey. Y después están tus primos. Whildon tiene tres hijos, lord Ambrose cuatro y lord Geoffrey dos, y ninguno de ellos está casado. Lo cual, en este momento, resulta bastante práctico, ya que si hubiera más esposas de por medio la confusión aumentaría mucho, ¿no te parece?

—Sí... sí —acertó a decir Frances, volviendo a sus balbuceos.

Quizá se había equivocado al obligar a mamá a hacer el listado completo de sus familiares.

—No se preocupe si no se acuerda de los nombres —dijo el duque—. Nadie espera que los retenga a la primera y, para ser francos, todos los primos son muy parecidos.

—Ah...

¿Acaso sus padres estaban intentando aterrorizar a Frances? Porque, si era así, lo estaban consiguiendo.

—Y, por supuesto, nosotros ayudaremos —dijo Jack.

—Naturalmente que lo haremos, aunque seguro que no lo necesitarás —dijo mamá riendo—. Todo el mundo estará encantado de conocerte. Eres parte de la familia, y eso es lo que importa.

—Sí... sí —repitió Frances, que estaba sentada muy rígida y juntaba las manos enguantadas en el regazo—. No... no tengo mu... mucha experiencia familiar.

Mamá se dio la vuelta para dar un toque de ánimo en las manos de Frances.

—Ya lo sé, querida, pero no te preocupes. Todo irá bien, ya lo verás.

El coche de caballos se paró de repente y la pobre Frances dio un respingo. Miró a Jack con desesperación cuando el lacayo dejó caer la escalerilla. El duque y la duquesa salieron, pero cuando Jack inició el movimiento hacia la puerta Frances se agarró a su brazo.

—Soy incapaz de entrar ahí —siseó.

—No puede ser peor que disfrazarse de chico para viajar a Londres —le respondió Jack susurrando a su vez—. Y fue capaz de hacerlo, así que también puede hacer esto.

Movió la cabeza con fuerza de un lado a otro. Su respiración empezaba a ser entrecortada.

—No es igual. Todos van a estar mirándome.

—Es muy probable que al principio sí —confirmó Jack, pues negarlo hubiera sido absurdo—, pero después dejarán de hacerlo. Y siempre que lo necesite o quiera, estaré a su lado.

Ella le apretó el brazo aún más fuerte.

—¿Me lo promete?

—Claro que sí —respondió Jack.

Si le necesitaba, no la abandonaría.

—¿Pensáis bajar del coche en algún momento? —dijo mamá mirándoles— Ned y Ellie ya han llegado, tenemos que ir.

Frances hizo un ruido parecido a un gemido y tiró de él hacia atrás.

—Por supuesto, mamá —dijo Jack, apretando la mano de Frances de un modo que el pensó que sería reconfortante—. Vamos ahora mismo.

¿Qué le estaba pasando? Mientras estaba en el carruaje se había comportado como si fuera un merengue trémulo y lloriqueante. Estuvo cerca de negarse en redondo a salir de él, y ahora colgaba del brazo de lord Jack como si fuera lo único capaz de mantenerla en pie según subía las escaleras. Empezaba a dudar muy seriamente de su salud mental.

Levantó la vista hacia él.

Era condenadamente guapo. Ya resultaba atractivo con la ropa de diario, o bien casi sin ropa, pensó notando que se ponía colorada, pero de etiqueta cortaba la respiración. Por algo tenía tanto éxito en sus aventuras amorosas. Las mujeres debían saltar unas por encima de otras para hacerse con él.

Sonrió y ella sintió un estremecimiento. Se obligó a mirar hacia delante, pues así solo vería la espalda del duque. Estaba loca. ¿Cuándo un hombre había contribuido a mejorar una situación? No debería tener ese absurdo sentimiento de que lord Jack era lo único sólido a lo que podía agarrarse en la tempestad de ansiedad y confusión que estaba viviendo.

Apretó aún más su brazo.

¿Y si la duquesa se equivocaba? ¿Y si lord y *lady* Rothmarsh no habían escrito ninguna carta? ¿Y si la habían invitado solo para desdeñarla y burlarse de ella? Tenían que haber oído ya los rumores. Ya sabrían que era un marimacho y tan despreciable como su padre.

Todo esto era un tremendo error. Tenía que irse de allí. Seguro que podía llegar a la mansión Greycliffe de alguna manera... ¿pero cómo explicaría una huida tan repentina?

—Le aseguro que todo va a ir bien, Frances —le susurraba Jack, y pudo sentir su aliento en la oreja.

—¿Cómo dice? —preguntó alejando un poco la cara; si se hubiera vuelto hacia él, sus labios podían haber...

Estaba enferma, eso era todo. Seguro que lo único que tenía era una extraña fiebre cerebral.

—Me está apretando el brazo con tanta fuerza que se me va a cortar la circulación —le dijo.

—¡Oh! Lo siento de veras...

—El duque y la duquesa de Greycliffe —anunció el mayordomo—. Lord Ned y la señorita Bowman. Lord Jack y la señorita Hadley.

Iba a encontrarse ya con sus abuelos. No había escape posible.

Sus dedos volvieron a apretar, y notó cómo Jack encogía un poco el brazo. Apretó aún más para relajarse. Tanto Ned como el duque eran altos. Le tapaban la visión...

Alguien dio un grito.

—Ahí está *lady* Rothmarsh —murmuró Jack—. Prepárese para recibir un abrazo.

El duque y lord Ned se hicieron a un lado y una mujer alta, delgada, con el pelo blanco y vestida con un traje azul marino corría hacia ella.

—¡Frances! —exclamó — ¡Oh, Frances!

Y entonces la mujer, que tenía que ser su abuela, la envolvió con los brazos y pudo aspirar un aroma a lirios del valle al tiempo que sentía un cálido abrazo.

Sus brazos, actuando por su propia cuenta, rodearon a su abuela, devolviendo el abrazo casi en un acto de autodefensa.

No recordaba que nadie la hubiera abrazado en su vida. Se sintió bien, muy bien. Hubiera debido sentirse algo aplastada, pero no fue así. Pensó que no le gustaba nada que la tocaran, pero esto... esto era algo que había echado mucho de menos durante toda su vida sin saberlo siquiera.

Seguro que su madre la abrazaba cuando era pequeña pero, incluso entonces, debía de estar saturada al tener que cuidar de unos mellizos.

—Deja que te mire bien —dijo *lady* Rothmarsh, dando un paso atrás y apoyando las manos en los hombros de Frances.

La cara de *lady* Rothmarsh era suave y con arrugas, y tenía los ojos verdes, como los de Frances.

—Oh, te pareces mucho a tu madre. Sebastian, ¿no se parece muchísimo a Diana?

Un hombre bastante alto, ancho de hombros y con una gruesa mata de pelo blanco que se encontraba junto a *lady* Rothmarsh asintió con energía. Se parecía un poco a Frederick. Tenía los ojos húmedos y habló con voz algo tomada.

—Sí, Imogen, se le parece mucho.

Los ojos de *lady* Rothmarsh también se humedecieron.

—Jamás pensé que llegaría este día —dijo sollozando antes de darle un nuevo abrazo a Frances—. No te puedes imaginar cuanto me alegro de que estés aquí, querida.

—Yo... yo también estoy muy feliz de estar aquí —respondió Frances.

Y, para su sorpresa, pensó que tal vez era cierto que lo estaba.

En ese momento *lady* Rothmarsh soltó a Frances y buscó en sus bolsillos hasta que sacó un pañuelo con el que se sonó la nariz.

—Hemos tenido que esperar muchos años, demasiados, para encontrarnos contigo, Frances —dijo lord Rothmarsh tomando su mano y besándola—. Bienvenida. Y ahora te voy a presentar a tus tíos, tus tías y tus primos, que están deseando conocerte.

Estaba muy bien eso de que nadie esperase que recordara los nombres de todos, pensó Frances más tarde mirando la mesa durante la cena. Sus nuevos parientes eran muchísimos, y todos hombres, excepto sus tías y su abuela, claro.

No sabía cómo sentirse, aparte de abrumada. Todo el mundo hablaba, reía y bromeaba. Nunca había experimentado nada parecido. En Landsford tenía que comer en su estudio, en una bandeja, mientras trabajaba en los asuntos de la hacienda. Era más práctico. Además, las quejas constantes de su tía le volvían el estómago del revés.

Miró a *lady* Rothmarsh. Su abuela la miraba sonriendo y sus ojos mostraban alegría y una especie de maravillado asombro. Era imposible no darse cuenta de hasta qué punto su presencia hacía feliz a la mujer.

¿Cómo era posible que su madre y su tía Viola hubieran cortado de raíz sus vínculos con esta parte de su familia? Se había perdido veinticuatro años de cenas, cumpleaños y todo tipo de celebraciones. Se hubiera perdido esta misma cena, sin ir más lejos, si Jack no la hubiera arrastrado fuera del carruaje.

Podía ser un calavera de la peor especie, pero como mínimo tenía que estarle agradecida por esto.

—¿Dónde está tu hermano, Frances? —preguntó lord Rothmarsh—. Tengo entendido que también está en Londres, ¿no es así?

La marquesa había prescindido de toda formalidad protocolaria y había colocado a Frances junto al marqués.

—No estoy segura de dónde está, milord. Tras casarse y abandonar la pensión en la que vivía no dejó ninguna dirección —respondió Frances.

—Ah, bien, estoy seguro de que lord Jack lo encontrará. Es hombre de muchos recursos, ¿verdad? —aseguró el marqués.

—Sí. Y también tengo la intención de preguntarle mañana a nuestro administrador. Sin duda estará al tanto de las andanzas de Frederick, milord.

Lord Rothmarsh frunció el ceño y colocó su mano, grande y llena de venas azules, encima de la suya.

—Por favor, Frances, haz el favor de tutearme y deja de llamarme milord —le dijo muy serio.

—Pero ¿entonces cómo debo llamarle, mi..., eh, señor? —preguntó, pensando que seguramente el tratamiento de «señor» tampoco sería el adecuado.

—Pues abuelo, o mejor «abuelito»—dijo sonriendo.

La boca de Frances se abrió, pero no pudo pronunciar ni una palabra. ¿Llamar a este impresionante y anciano lord «abuelito»?

—Me doy perfecta cuenta de que todo esto es nuevo para ti, querida —dijo el marqués acariciándole la mano—, pero nos encantaría que tú nos llamaras abuelita y abuelito, igual que hacen todos nuestros nietos.

—Yo... —empezó a decir Frances, y al mirarle a los ojos vio una expresión de puro anhelo.

—¿Lo harás, Frances? Tu madre era nuestra hija y te pareces muchísimo a ella.

Su voz se había roto. Miró hacia otro lado durante un momento. Cuando volvió a mirarla, sus ojos estaban húmedos de nuevo.

—Pero yo no soy ella, su ex... —vio una expresión de dolor en sus ojos y rectificó a duras penas—, a... abuelito.

El hecho de decir la palabra hizo que se sintiera un poco rara, pero si eso hacía feliz al anciano que tenía a su lado, tampoco le costaría tanto.

—Sabemos que no eres Diana, pero haces que la recordemos y que revivamos toda la alegría que nos aportó en su momento —dijo su abuelo sonriendo—. Y las discusiones, por qué no decirlo. Tu madre era una mujer maravillosa, decidida y lista, y estoy seguro de que tú también lo eres. Nos gustaría muchísimo llegar a conocerte bien, si nos dejas —le pidió, y dirigió la mirada al ruidoso grupo sentado a la mesa—. Nos gustaría que fueras una más de nuestra familia.

Una más de una familia, de esta familia grande, ruidosa y feliz.

Un profundo estremecimiento sacudió sus entrañas como una tormenta.

—Me gustaría mucho, abuelito.

Capítulo 11

Pero la familia puede ser también muy difícil.
—de las *Notas de Venus*,
duquesa de Greycliffe.

Frances luchaba con los guantes mientras bajaba por las escaleras. No quería que Jack tuviera que esperarla después de haberse ofrecido tan amablemente a llevarla a ver al señor Puddington. Se volvió hacia el descansillo y lo vio de pie en el recibidor. Él miró hacia arriba, probablemente la había oído, y sonrió.

Su estúpido corazón empezó a latir con más fuerza.

Maldita sea, ¿qué le pasaba? Ya no se reconocía. Estaba cansada, eso era todo.

—Buenos días, Frances.

—Buenos días, milord —contestó forzándose a no tutearle—. Espero que no haya tenido que esperar mucho.

—No, he bajado hace solo un momento.

La ayudó a ponerse la capa y de nuevo su estúpido corazón tembló con su cercanía, con el roce de sus manos sobre los hombros, con el aroma de su jabón de afeitar.

—El carruaje ya está fuera. ¿Nos vamos?

—Sí, naturalmente —respondió. Cuanto antes se alejara un poco de él, mucho mejor.

Cuando llegaron al vehículo, él le ofreció la mano para subir, pero en principio no la aceptó.

—Puedo subir sola, gracias —dijo Frances.

—Me parece que le va a costar. Ya sabe, con ese precioso vestido… —aclaró él, solícito, pero alzando las cejas con cierta sorpresa.

Tenía razón. El vestido era muy bonito, pero los pantalones le daban mucha más libertad. Era una pena que las mujeres no pudieran llevarlos.

La mano del joven apretó la suya con fuerza y firmeza, y su condenado corazón por poco salta al carruaje por su propia cuenta. Definitivamente, no estaba en sus cabales.

Jack dio la vuelta para subir por el lado del conductor y el chico que sostenía los caballos también subió y se sentó a su lado.

—¿Llevará usted las riendas? —preguntó el muchacho.

Tenía unos doce años y vestía bien, pero no con librea. A Frances le sonaba bastante.

—De momento sí, Sam. Por favor, saluda como corresponde a la señorita Hadley.

Sam sonrió e inclinó la cabeza. Ah, ahora se acordaba de dónde lo había visto: fue en la casa de Jack en Bromley.

—Hola, Sam —dijo Frances respondiendo al saludo, e inmediatamente se volvió hacia Jack—. Siento no haber preguntado antes, con todo este lío, pero... ¿cómo está el niño?

Sí que se había acordado antes, pero lo cierto era que tenía mucho miedo de la respuesta.

—Aunque no lo crea, parece que va a responder bien y que se recuperará por completo —respondió Jack con una gran sonrisa.

—Oh, gracias a Dios.

El carruaje se puso en marcha y Frances se concentró en las vistas, lo cual era mucho más prudente que admirar al hombre que se sentaba junto a ella.

Estaba muy cansada, pues se había pasado la noche dando vueltas y más vueltas, furiosa por el hecho de que su madre y su tía la hubieran mantenido durante toda su vida apartada de sus abuelos y del resto de su familia materna, y también abrumada, conmovida y, por qué no decirlo, un tanto asustada, por la espléndida bienvenida que le habían dedicado.

Era imposible que sus abuelos la quisieran de verdad, por supuesto; era la idea de ella lo que realmente amaban. Para ellos se trataba de una especie de segunda oportunidad con su hija. Una vez que la conocieran bien y se dieran cuenta de lo opuesta a sus expectativas que realmente era, dejarían de ser tan entusiastas. Se sentirían muy aliviados cuando volviera a desaparecer, escondida bajo las piedras del campo.

—¿Ha dormido bien? —preguntó Jack interrumpiendo sus reflexiones.

—Sí, gracias —contestó algo violenta.

No estaba dispuesta a compartir con él la confusión de sentimientos que se le agolpaban. No era su refugio, todo lo contrario: podía conducirla al desastre. No era tan tonta como para confiar en un hombre, por muy atractivo y solícito que le pareciera, y que además era un vividor. Aceptaría la ayuda de Jack mientras la necesitara y después se marcharía.

No obstante...

No, de ninguna manera. No podía ni siquiera pasársele por la cabeza el que tuviera algún futuro con lord Jack.

Jack salió de la avenida principal, se metió por una serie de calles estrechas y se paró frente a un edificio de aspecto impersonal y bastante descuidado. Sam bajó de un salto y controló los caballos.

No se veía ni un alma, a excepción de un gato negro que acababa de asomarse desde un callejón.

—Este sitio parece un poco desierto —dijo Frances, un tanto sorprendida.

—No se preocupe, Puddington nos está esperando —dijo Jack, y después dudó un segundo, pero continuó—. Frances, antes de que entremos, quiero explicarle algo sobre Sam.

—¿Sí? —dijo mirando a Sam, que la sonreía. ¿Qué diantre tendría que decir acerca de Sam y que tuviera tanta importancia?

—No ha venido a Greycliffe para que aprenda a manejar las riendas de mi carruaje pues, aunque puede hacerlo sin problemas, prefiero hacerlo yo. Le he traído para que cuide de usted.

—¿Cómo? —se asombró Frances, que arrugó la frente —¿Cómo se le ocurre que necesito un chico para que cuide de mí?

La sola idea resultaba ridícula e irritante.

—Bueno, no es exactamente que vaya a cuidar de usted, por supuesto. Más bien va a estar atento y vigilar —explicó Jack

—¿Y por qué voy a necesitar vigilancia?

—Esta mañana han encontrado muerta a Belinda, con la garganta rajada —dijo Jack con mirada ausente y los ojos velados.

—¡Oh!

La prostituta mayor. Se sintió algo mareada, como si la sangre hubiera abandonado su cabeza. Hacía unos pocos días Belinda había estado con ellos en un portal de la calle Hart, haciéndoles proposiciones completamente estrambóticas para su edad, y ahora estaba muerta. Era horrible, pero ¿por qué pensaba Jack que eso podía afectarle a ella de alguna manera?

—Belinda era una... quiero decir, vivía una vida llena de dificultades y en un barrio muy peligroso —razonó Frances.

—Sí, pero el Degollador no solo se dedica a las mujeres de vida fácil, Frances. También han sido asesinadas tres mujeres de la alta sociedad y la reputación de las tres se había puesto en entredicho, con o sin razón. Me temo que, en este momento, usted entra dentro de esa categoría —explicó Jack, cabizbajo pero firme.

—Entiendo —dijo, maldiciendo para sí pero pensando que, por mucho que lo lamentara, Jack tenía razón—. De todas maneras, yo soy más lista que esas jóvenes. Y no busco ningún tipo de contraprestación, así que no voy a ir a ningún lugar apartado con cualquier hombre.

A no ser que ese hombre fuera Jack... aunque no, tampoco en ese caso.

—Frances, el exceso de confianza conduce a la falta de atención —le dijo Jack con el ceño fruncido—, y la falta de atención es el camino más corto hacia el desastre. Si Nan tiene razón y Ruland es el Degollador, seguro que ya ha caído en la cuenta de que usted era «el chico» que estuvo conmigo aquel día en el burdel. No le gustó nada que le echara con cajas destempladas de la habitación de Nan y menos que le pilláramos, usted y yo, con los pantalones bajados. Si busca una nueva víctima de la alta sociedad, podría perfectamente fijarse en usted.

Le dio un vuelco el estómago. Por supuesto que podría. Se puso hecho una auténtica furia cuando la vio en el burdel. De hecho, de haber podido la hubiera pegado allí mismo, bueno, «al chico».

Debía de haberse puesto pálida, porque Jack le tomó la mano y la puso sobre su brazo.

—Tal vez esté exagerando, Frances, pero no podemos correr ningún riesgo. Sam sabe cómo vigilar, sobre todo cuando yo no esté, y conseguir ayuda si la necesita —le aseguró Jack, tomándola de la mano—. Por su parte, permanezca alerta y no vaya sola a ningún sitio. Si hace eso, no habrá ningún problema. Estoy poniéndolo todo de mi parte para averiguar la identidad del Degollador. Una vez que lo hayan capturado, todos podremos respirar tranquilos.

—Sí, por supuesto —dijo Frances tragando saliva; Belinda había muerto, le habían rebanado la garganta, y Ruland...—. Tendré muchísimo cuidado.

—¡Espléndido! —dijo él sonriendo encantado, y su condenado corazón volvió a desbocarse.

¡Estúpida! Le vio dar la vuelta al carruaje para ayudarla a bajar. Jack acababa de decirle claramente que su vida estaba en peligro, y en lo único que era capaz de pensar era en su hoyuelo. Si no se iba pronto de Londres, se iba a quedar allí para siempre... pero en el psiquiátrico de Bedlam, un sitio al que no le apetecía nada ir a parar.

Para llegar a las oficinas de Puddington había que subir unas estrechas escaleras. Frances iba por delante de Jack, para que así él pudiera sujetarla en caso de que tropezara, pero además eso le permitía contemplar a sus anchas su magnífico trasero y sus bien torneados tobillos, así como imaginarse esas largas piernas que había contemplado cuando llevaba puestos los pantalones, aunque sin prestarles la atención debida. Y ese pensamiento estaba teniendo consecuencias físicas inmediatas sobre él. Consecuencias que debía contener como fuera.

Permaneció detrás de ella, protegiéndose de sus lujuriosos pensamientos con la agradable, aunque mucho menos provocativa, visión de su falda, y por fin entraron en las oficinas.

El empleado de Puddington era un individuo encorvado y delgado como una caña, cuya nariz sostenía sin problemas los lentes que llevaba, dado su gran tamaño. Se puso de pie en cuanto los vio. Debía de ser más o menos de la edad de Jack, pero ya tenía entradas en el pelo, que quizá retrocedía ante el espectáculo del enorme montón de papeles que se acumulaban en el escritorio.

—¿Puedo ayudarle, señor? —dijo dirigiéndose a Jack y obviando la presencia de Frances.

—Creo que tenemos una cita con el señor Puddington —respondió Jack.

¿Acaso no se daba cuenta aquel pobre empleado de que su vida corría serio peligro? La barbilla de Frances se había elevado, lo que ponía de manifiesto que estaba a punto de estallar de ira.

—Sí —dijo ella, prácticamente escupiendo el monosílabo—. Soy la señorita Hadley y él es lord Jack.

Pareció como si el empleado hubiera entendido algo, aunque pronto quedó claro que no todo. Su mirada refulgió.

—Oh, sí, por supuesto. Perdóneme, por favor. El señor Puddington esperaba ansiosamente su llegada, lord Jack. No es habitual que un hombre de su rango visite nuestras oficinas. Por favor, pase por aquí.

Se volvió dejando su espalda al descubierto. El individuo tuvo la inmensa suerte de que Frances no llevara un cuchillo en su bolso de mano, porque si no se lo habría clavado entre los protuberantes hombros.

—Le pido por favor que no la emprenda a golpes con él, ni a puñetazos, ni tampoco utilice su ridículo para agredirle —murmuró Jack implorante.

Frances le dedicó una mirada glacial. El empleado abrió una puerta.

—Lord Jack está aquí, señor Puddington —anunció, y se hizo a un lado para permitir el paso.

La cara de Frances estaba roja de furia. Pobre Puddington. Si el hombre tuviera la más mínima sospecha de lo que le esperaba, se estaría escondiendo detrás del escritorio.

La verdad es que Puddington era tan borrego como su empleado.

—Lord Jack —dijo haciendo una reverencia y andando como un pato en cuanto entraron en su despacho—, es un auténtico placer conocerle. Había oído hablar de usted, por supuesto, pero jamás hubiera esperado verle en mi humilde lugar de trabajo.

—Señor Puddington —dijo Frances, y su voz sonó como un auténtico latigazo.

Desde luego, captó la atención de Puddington, que la miró y alzó las cejas.

—¿Sí? —acertó a decir.

Prácticamente vibraba de furia cuando empezó a hablar.

—Lord Jack ha sido muy amable al acompañarme a sus oficinas esta mañana, pero con quien debe hablar es conmigo, no con él.

Puddington, el muy cabeza de chorlito, rió, levantó las malditas cejas y se inclinó para comentar la jugada con Jack.

—¡Qué carácter!, ¿verdad? —dijo sonriendo—. Tengo que decirle que ni por un momento me he creído los cotilleos, dado que la chica siempre me ha parecido bastante antipática, pero ahora supongo que son ciertos, dado que usted está aquí con ella, ¿no es así? —dijo con malicia, y volvió a sonreír—. Doy por hecho que quieren organizar todo lo que tenga que ver con el matrimonio, claro.

A Jack le invadió una furia heladora, mucho más intensa que todas las que recordaba en toda su vida. Su mente se aclaró y se preparó como si fuera a enfrentarse a una pelea en los bajos fondos. Podía matar a este baboso de muchas maneras, todas rápidas, sencillas e indoloras... bueno, indoloras para él, no para Puddington.

Pero antes debía impedir que Frances le golpeara hasta matarlo ella misma.

—A ver, esto no tiene nada que ver con el matrimonio, maldito imbécil —exclamó.

Flexionó las manos como si de un momento a otro fuera a agarrar a Puddington por el cuello hasta ahogarlo.

—Señorita Hadley, cuide su lenguaje —dijo Puddington, y miró a Jack—. Diga algo, milord.

—¿Qué quiere que diga? —espetó Jack con una fría sonrisa.

Puddington no era idiota del todo y se dio cuenta de que estaba en peligro. Dio un paso atrás demasiado rápido, perdió el equilibrio y cayó sobre el escritorio, derramando la arena secante por todos sus documentos.

—Dados los rumores, pensé que venía a organizar los temas fi... financieros relacionados con el matrimonio —acertó a explicar con voz balbuceante.

Jack no dijo nada. Se limitó a observar cómo el sudor resbalaba por la frente de Puddington e invadía sus gruesas mejillas.

—Bueno, pues su pensamiento no puede ser más erróneo —dijo Frances apuntándole con su dedo índice como si fuera una pistola—. He venido a hablar con usted acerca de mi dote y cómo hacerme con ella, porque no tengo ninguna intención de casarme con nadie en toda mi vida —paró un momento e intentó tomarse un respiro y calmarse un poco—, y también para preguntarle si conoce la nueva dirección de Frederick —terminó, un poco menos envenenada.

Puddington se pasó un dedo por el cuello de la camisa y sacó un pañuelo del bolsillo. Se limpió la frente, que estaba inundada de sudor.

—La dirección de Frederick... —dijo, y le temblaba la voz—. Sí, la tengo. Voy a pedirle a Swigert que la anote. Por favor, siéntense. Volveré dentro de un momento.

—Dese prisa, no tenemos tiempo que perder —ordenó Frances.

—No, por supuesto que no, milord, señorita Hadley —dijo Puddington, rectificando rápido su primera intención de no nombrar a Frances.

Hizo una rápida reverencia y salió a toda prisa de la habitación, sin duda buscando el orinal más cercano.

—Me da la impresión de que le ha asustado —comentó Jack con sorna contenida.

Frances se había sentado en el borde de una de las sillas del despacho de Puddington. Movía el pie derecho arriba y abajo, pues aún estaba muy furiosa. Resopló antes de hablar.

—Y a mí me da la impresión de que su presencia tiene mucho que ver con su actitud.

Jack echó mano de la silla más cercana a ella y se sentó tras mirar el desastre de escritorio de Puddington.

—¿Siempre ha sido así de imbécil? —preguntó.

—Sí —respondió ella mirándole fijamente—, aunque no es mucho más imbécil que la mayoría de los hombres.

Apretó las piernas y sopesó con cuidado sus palabras. Dudaba si debía decir algo o no, ya que Frances era muy independiente y, en este momento, estaba ciega de furia. Pero bajo ningún concepto quería que pensara que estaba sola, como lo había estado hasta ahora.

—No ha debido de resultarle nada fácil bregar sola con este mostrenco todos estos años. Espero que sepa que puede confiar en mí, si así lo quiere, por supuesto, para ayudarla en lo que necesite, y eso incluye darle una paliza a este imbécil hasta quedar agotados; el estado final del individuo después de que lo hagamos me resulta indiferente. Además, hacerlo me causaría un enorme placer.

Apareció un brillo en sus ojos y también se dibujó en sus labios una tenue sonrisa antes de que bajara los ojos y se pusiera a juguetear con los cordones de su ridículo.

—Gracias —dijo sin más.

Puddington volvió en ese mismo momento al despacho.

—Aquí tiene, señorita Hadley —dijo entregándole desde lo más lejos que pudo una nota doblada—. Frederick está de viaje de luna de miel en estos momentos, pero la próxima semana podrá encontrarle en esta dirección. Su padre pensó, por supuesto, que en su condición de hombre casado debía vivir en un lugar más adecuado que la calle Hart.

Maldición. Frances iba a guardar en su bolso de mano el papel con la dirección, pero las palabras de Puddington la dejaron helada. Miró hacia arriba. Se había quedado pálida y sus ojos...

El fuego que salía de ellos hacía unos momentos se había apagado. Tenía la misma expresión que los niños que se encontraban dando tumbos y abandonados por las calles, perdidos y solos.

—¿Mi... mi padre? —dijo, y se aclaró la garganta— ¿Ha hablado con mi padre?

Puddington dejó caer con cierto cuidado su enorme humanidad en la butaca del escritorio.

—Oh, no en los últimos tiempos, por supuesto. Lleva fuera de Londres al menos un año —dijo el hombre sonriendo brevemente—. Cuando está en Inglaterra va y viene. No desea que Rothmarsh o Whildon sepan que anda por aquí. Ya sabe, no hay buenas relaciones entre ellos —aseveró, colocando la caja secante en su sitio y sacudiendo la arena que se había volcado—. Recibí una carta suya hace dos o tres semanas en la que me daba instrucciones respecto al alojamiento de Frederick.

—¿Así que no está en los Mares del Sur? —musitó Frances.

Que el demonio le llevara. La hermosa voz de Frances sonó rota. Si el canalla de su padre hubiera estado en la habitación en ese momento, le habría cortado la piel a tiras y también le habría arrancado el corazón, si es que lo tenía.

—Hace al menos cinco años que no está por allí —dijo Puddington meneando la cabeza.

—Entonces, ¿dónde está el señor Hadley padre? —dijo Jack, sin hacer ningún esfuerzo por ocultar su enfado.

Puddington le miró nervioso.

—En algún lugar de América del Sur. Seguro que Frederick podrá darles más datos cuando le localicen —aseguró Puddington—. Mantienen correspondencia de forma regular, sobre botánica y esos asuntos, o al menos tanto como lo permiten la distancia y la falta de continuidad del servicio postal con esas tierras tan lejanas.

Jack pudo observar con el rabillo del ojo cómo Frances se encogía de dolor.

—Por lo que me dice, ¿debo deducir que Hadley nunca sintió la necesidad de visitar su hacienda cuando pasaba por Inglaterra? —preguntó Jack, intentando mantener una voz neutra.

No quería mencionar a Frances. El hecho de que aquel desgraciado no hubiera visto a su hija jamás, ni siquiera le hubiera escrito alguna carta, era algo imposible de comprender para él. A no ser que... ¿podía haberle escrito y que la tía de Frances hubiera guardado las cartas, como hizo con las de la familia Rothmarsh?

No, no era posible. La tía podía guardar alguna carta, pero no evitar las visitas. Nada justificaba el hecho de que Hadley no hubiera visitado Landsford, estando a solo unas horas a caballo de Londres.

—¿Y para qué iba a visitar su hacienda? —dijo Puddington sonriendo mientras miraba a Frances—. La señorita Hadley estaba haciendo una labor más que satisfactoria en lo que se refiere a la gestión de la finca, sobre todo teniendo en cuenta que es una mujer. Como dice Hadley, la mantenía ocupada y sin crear problemas, ¿no? —dijo guiñándole un ojo a Jack.

Maldito idiota. Vio cómo Frances agarraba el brazo de la silla con más fuerza y el fuego volvía a asomar a su mirada.

—Y ahora, señorita Hadley —dijo Puddington colocándose el cinturón y volviéndose a Frances—, en lo que respecta a la absurda petición acerca de su dote, me temo que resulta imposible adelantarle ningún dinero. Y en todo caso, a no ser que lord Jack necesite algo de dinero extra, y todo el mundo sabe que eso es imposible, pues es tan rico como Creso, no va a ir al altar con las manos vacías, supongo.

Frances se adelantó y se colocó a un palmo del individuo.

—¿Acaso no me ha oído? —empezó, y después pronunció las palabras una por una, bien separadas, como si Puddington fuera tonto—: No. Me. Voy. A. Casar. Con. Lord. Jack —hizo una pausa para tomar aliento y después siseó—. ¡No me voy a casar con nadie!

Puddington se echó hacia atrás, con cara de falsa consternación y simulando una preocupación por ella que no sentía.

—¡Tenga en cuenta su reputación, señorita Hadley! ¡Piense en ella!

Puddington intentó colocarse el cinturón, pero sin ningún éxito. No era lo suficientemente largo como para abarcar su enorme barriga. Respiró hondo con la intención de recuperar el valor y se dirigió a Jack.

—Milord, por mucho que me duela decirlo, ¿qué pasa con la reputación de la señorita Hadley? Estoy seguro de que a su padre y a su hermano les gustaría que le señalara que los cotilleos son enormemente dañinos —apuntó arrugando sus estrechos hombros—. Extraordinariamente dañinos. La posibilidad de que la señorita Hadley encuentre a alguien que quiera casarse con ella después de que ustedes terminen su... relación son minúsculas.

—No me voy a casar con nadie —repitió Frances, a punto de estallar.

Esta vez fue Jack el que se adelantó y se puso a hablar a un palmo de la cara temblorosa de Puddington.

—La señorita Hadley no tiene que hacer nada que ella no desee hacer —dijo con enorme seriedad.

—Pero milord...

—Usted y los parientes de la señorita Hadley no deben preocuparse —aseveró Jack.

Estaba seguro de que lo único que les preocupaba a aquella panda de sinvergüenzas eran los acuerdos económicos matrimoniales.

—Mi madre y la abuela de la señorita Hadley tienen muy bien atadas las cosas. ¿Quién cree usted que se atrevería a contradecir a la duquesa de Greycliffe o a la marquesa de Rothmarsh, por no mencionar al duque y al marqués?

—Eh... Claro, por supuesto... Eso es... —balbuceó Puddington.

—Nadie, por supuesto —concluyó Jack con autoridad.

Jack disfrutaba con esa manera de tratar canallas de ciudad como aquel, y viendo cómo literalmente se retorcían de miedo. Puddington no era una excepción. Su cara adquirió un interesante tono verduzco.

—Puddington, debo decirle que mi madre es la mejor de las mujeres, pero no soporta las tonterías y estoy seguro de que mi padre no permitiría que nadie criticara a su esposa ni lo más mínimo. Me consta que Rothmarsh siente exactamente lo mismo.

—Ah, yo no pretendía implicar de ninguna manera... —balbuceó Puddington.

Dado que el hombre no acertaba a terminar la frase, Jack dio otra vuelta de tuerca.

—La prometida de mi hermano acaba de llegar a Londres y está haciendo su presentación en sociedad, así que la señorita Hadley ha accedido gentilmente a acompañarla a todos los eventos sociales de la temporada.

Frances hizo un pequeño ruido, a medias entre una risa nerviosa y un gruñido. Estaba claro que había llegado al límite y ya no podía más. Jack se levantó de inmediato.

—Bien, creo que, de momento, no tenemos nada más que hacer ni que decir aquí. ¿Esta usted de acuerdo, señorita Hadley?

Frances asintió sin hablar.

—Entonces que tenga un buen día, Puddington.

Ofreció el brazo a Frances. Ella lo tomó y caminó con él hacia la salida, con la cabeza alta y sin mirar ni a la derecha ni a la izquierda, con los ojos enfocados hacia un punto invisible situado por delante de ella. Jack sentía su tensión por la forma en que le apretaba el brazo y la veía en la rigidez de sus andares y en la forma crispada con la que mantenía la cabeza alta. De un momento a otro iba a derrumbarse como un castillo de naipes.

Jack no habló, pues la más mínima palabra hubiera resultado excesiva. Cuando llegaron a la calle la ayudó a subir al carruaje y dio la vuelta para llegar a su asiento.

Con toda seguridad, Frances no quería que nadie viera la pérdida de control que le sobrevendría de un momento a otro. Ni siquiera querría que él la viera, pero Jack no podía permitir que soportase sola la tormenta.

La nieve se había derretido y no hacía demasiado frío. La llevaría a algún lugar tranquilo de Hyde Park en el que pudieran dejar el carruaje con Sam y dar un corto paseo.

Su padre no estaba en ninguna isla del Pacífico Sur.

Frances se sentó en el carruaje de lord Jack. Apenas recordaba cómo había llegado hasta allí. Se agarró con fuerza al asiento.

Había estado en Inglaterra, en Londres, y había visto a Frederick. Incluso escribía a su hermano con cierta regularidad. Pero nunca había ido a Landsford. Ni una sola vez. No la había visto desde que había nacido. Si se cruzaran en la calle, no la reconocería. No la conocía. Podía ser cualquiera de los hombres que paseaban por las aceras...

No, Puddington había dicho que estaba en Sudamérica. Dio un suspiro profundo y tembloroso.

—Tranquila —dijo Jack—. Espere solo un momento más.

Frances parpadeó. Acababan de pasar por donde habitualmente torcían para dirigirse a la mansión Greycliffe.

—¿A dónde vamos? —preguntó.

—A dar un paseo por Hyde Park. Ahora habrá mucha gente, pero iremos a una de las zonas menos populares para estar seguros de que nadie nos molesta.

¿Acaso se había vuelto loco? Tragó saliva.

—No me apetece ir a pasear. Me... me duele la cabeza.

—No me extraña. A mí también. Puddington es uno de los mayores imbéciles que he conocido en mi vida —dijo asqueado.

Jack no daba la vuelta. De hecho, acababa de pasar por la puerta del parque. Debería pedirle, ordenarle, que diera la vuelta, pero no tenía la energía suficiente como para discutir con él. Ya era más que suficiente no estallar en lágrimas, maldita sea.

No iba a dejar que su padre la convirtiera en un continuo mar de lágrimas como había hecho con su madre. No la quería. ¡Qué absurdo! Le odiaba profundamente. Era un maldito canalla insensible, un granuja sin corazón ni sensibilidad, un...

Oh, Dios, se iba a poner a llorar.

—Aquí estamos.

Jack detuvo el carruaje y Sam corrió a sujetar las riendas. En un momento Jack estaba a su lado, extendiendo la mano para ayudarla a bajar.

Pero ella se mantuvo en el asiento, con los dedos bien agarrados al extremo del carruaje.

—Hace frío, no tengo ganas de pasear.

Quería volver a la mansión Greycliffe, cerrar la puerta de su habitación, echarse en la cama y dejar salir el torrente de lágrimas hasta quedarse seca.

Su padre había estado en Londres y no se había dignado siquiera hacer un corto, muy corto viaje a Landsford para verla. Ni siquiera ese cortísimo tiempo.

¿Y por qué le importaba? Era un animal asqueroso y sin cerebro, simplemente el hombre que dejó embarazada a su madre, solo un semental. Le había ido muy bien sin él.

Se mordió el labio y cerró los ojos con fuerza. Odiaba llorar. Era algo excesivamente femenino y que la hacía parecer débil. Era lo que su madre había hecho todos esos años que pasó sentada en Landsford, leyendo las páginas de cotilleos de los diarios londinenses.

—Vamos, Frances —oyó decir a Jack.

Todavía tenía la mano tendida hacia ella. Su expresión era de calma y determinación, como si fuera a quedarse allí hasta que ella decidiera salir del carruaje, pasara el tiempo que pasase. Estaba claro que no iba a llevarla de vuelta a su casa hasta que no dieran el maldito paseo. Tendría que pasar por ello.

Dejó que la ayudara a bajar. Hacía frío, pero no calaba hasta los huesos, y la tranquilidad era total. No se veía un alma. Le tomó del brazo y empezaron a andar por un sendero con bastantes baches. Tenía que fijarse dónde ponía los pies para no torcerse un tobillo, pero al menos estaba seco. La mayor parte de la nieve se había derretido y solo quedaban algunas manchas en las zonas más umbrías.

—Deberíamos traer aquí a *Shakespeare* —dijo Jack.

—Sí —respondió.

El hecho de que él hubiera utilizado el plural le produjo un sentimiento de calidez y alegría en el estómago. Nunca había formado parte de un «nosotros», como el que estaba implícito en la frase de Jack. Siempre se había visto obligada a utilizar, y a sufrir, un simple «yo».

Y aún era así. Jack era un mujeriego y unirse a un mujeriego era un desastre. Ella lo sabía mejor que nadie. Ahí estaba su madre. ¿Qué le había dicho su abuelo durante la cena? Que su madre había sido una mujer lista y decidida. Y mira en lo que se había convertido por enamorarse de Benedict Hadley. En un fantasma lloroso. Frances no iba a cometer el mismo error que su madre.

¿Pero qué podía hacer? A no ser que se produjera un milagro, Puddington no le daría ni un penique.

—¿Va a volver hoy *madame* Celeste a tomarte medidas para confeccionar más vestidos? —le preguntó Jack.

—Sí. Esta tarde. No puedo ni imaginarme para qué voy a necesitar tal cantidad de vestidos, pero su madre dice que sí que me harán falta —respondió.

—Si mamá dice que los necesita es que los necesita —dijo Jack riendo.

—Oh, no —respondió Frances, pensando que la duquesa era muy amable, pero que se equivocaba en eso—. Es un derroche. Son excesivamente elegantes como para llevarlos en una casa de campo.

—No va a vivir en una casa de campo —le dijo Jack frunciendo el ceño.

Muy cierto, dada la asquerosa terquedad de Puddington. Quizá debería pedirle el dinero a Frederick directamente...

¡Al diablo con todo y con todos! Había dirigido Landsford durante años, manteniendo la hacienda próspera y ahora tenía que arrastrarse a pedir al inútil de su hermano, que además era un irresponsable, como si fuera una mendiga, un dinero que era suyo. Era exasperante, un auténtico insulto. Malditos, condenados, asquerosos e inútiles hombres.

Y si no conseguía el dinero, ¿qué demonios haría? ¿Pasar el resto de su vida con Viola y la furcia que se había casado con Frederick?

El pánico le invadió el pecho, pero lo dominó. Ya se las arreglaría. Siempre lo había hecho.

—Frances, a propósito de su padre... —empezó a decir Jack.

¡Oh, por Dios, ella no quería hablar de su padre! Se apresuró a interrumpir a Jack.

—Pero incluso si su madre tiene razón y de verdad necesito esos vestidos, me temo que no puedo permitírmelos —dijo atropelladamente.

Lo que decía era verdad. Por mucho que le gustara la idea de dejar la hacienda en bancarrota, en conciencia no podía hacerlo. No era una irresponsable. Intuía que los vestidos de *madame* Celeste costaban una fortuna, pero todavía no había sido capaz de averiguar cuánto exactamente. Preguntarlo de manera directa sería una grosería, pero de todos modos lo haría hoy e insistiría en que le dieran una respuesta.

—No se preocupe por eso. Estoy seguro de que sus abuelos los costearán y si no mis padres.

Tropezó y él la sujetó.

¿Acaso ese hombre pensaba que no tenía ningún sentido de lo que era apropiado? Bueno, quizá no, dada su forma tan impropia de ir a Londres. Sin embargo, estaba del todo equivocado.

—No puedo exprimir a mis abuelos y mucho menos a sus padres —dijo con firmeza.

—No estaría exprimiendo a nadie, Frances. Por el contrario, haría muy felices a sus abuelos, o a mis padres, si aceptara los vestidos como regalo.

Ella le tocó en el pecho para poner más énfasis en sus palabras.

—¿Pero acaso se ha vuelto loco o cree que soy una completa paleta que no sabe nada de nada? Sería completamente inapropiado y además no servirá más que para dar aire al escándalo que nos afecta el hecho de que sus padres pagaran mi vestuario. Y por lo que se refiere a que se hagan cargo mis abuelos...

Oh Dios, sus abuelos. Aunque acababa de conocerlos, desde el mismo momento en que se fue de su casa empezó a echarles de menos. Pero el hecho de alejarse de ellos sería para bien. Tenían una familia grande, maravillosa y libre de escándalos. No la necesitaban y pronto descubrirían que tampoco deseaban tenerla entre ellos.

—... no puedo ni siquiera imaginarme que realmente deseen gastarse una pequeña fortuna en una chica con la que solo han pasado una velada.

Jack rodeó el dedo con el que le había tocado el pecho.

—Pero Frances, naturalmente que desean pasar mucho tiempo con usted, todo el que puedan a partir de ahora. Ya vio lo felices que estaban en la cena ayer por la noche.

Intentó retirar la mano, pero él no la liberó.

—Solo por un rato y para entretenerse, eso fue todo.

—No, ni mucho menos —respondió Jack casi indignado—. Usted es de su sangre.

¡Por Dios! Se soltó y dio un paso atrás.

—¡Sí, claro! ¿Igual que soy de la sangre de mi padre? ¿Su familia? —escupió Frances.

¿Qué ocurriría si sus abuelos le dieran también la espalda? Sería mucho peor, ahora que por fin había tenido la oportunidad de conocerles. Mejor que fuera ella la que tomara la iniciativa de alejarse.

—Me marcharé de Londres tan pronto como pueda.

Se alejó de él dirigiéndose hacia el carruaje, pero tropezó con una raíz. Maldita sea. Intentó recuperarse, pero se le dobló el tobillo y extendió las manos según caía de bruces...

El brazo de Jack la sujetó con fuerza y la atrajo hacia su pecho, duro como una roca, dándole la vuelta de forma que sus pechos quedaron apoyados en el suyo. Por un momento él la rodeó con sus brazos.

Nunca había estado así con un hombre, tan cerca, tan envuelta, tan protegida. Los hombros de Jack eran muy anchos. No veía los árboles, ni la hierba, ni la nieve. Solo veía a Jack.

Se estremeció y sintió un vacío en el estómago. Miró hacia arriba y vio su mentón, sus labios...

La apartó un poco y la sacudió mínimamente.

—Frances, su padre es un canalla de la peor especie, y no sabe hasta qué punto desearía decírselo y hacerle un poco de justicia con mis puños. No puedo entender siquiera que sea capaz de vivir consigo mismo. Pero no puede permitirle que dirija su vida de esta manera.

¿Pero qué demonios estaba diciendo Jack?

—¡Yo no estoy dejando que el inútil de mi padre dirija mi vida!

—Sí, por supuesto que sí —respondió Jack convencido de lo que le estaba diciendo en aquel momento— ¿No se da cuenta? Está furiosa porque nunca ha ido a verla, y sin embargo sí que está en contacto con su hermano. Es absolutamente comprensible. Pero tiene que entender que el hecho de que no quiera tener ninguna relación con usted es una pérdida para él, solo para él. A decir verdad, creo que tiene suerte de no tener la más mínima relación con su padre.

Frances intentó encogerse de hombros, pero sus manos todavía la sujetaban por los hombros, así que se limitó a mirarlo.

—Entiendo las limitaciones de mi padre. Es un hombre, y los hombres son así.

La apretó más fuerte y la miró con el ceño fruncido.

—Los hombres no son así. No. Yo soy un hombre, Frances, y mi forma de ser no tiene nada que ver con la de su padre —dijo entre enfadado y conmovido.

La extraña sensación que había empezado en su estómago creció hasta que toda ella se convirtió en una masa hueca y estremecida. Quería creerle con todo su ser...

Pero no pudo. Era un vividor, un mujeriego. Un maestro a la hora de encandilar a las mujeres.

Se obligó a sí misma a dar un paso atrás. Él bajó las manos y la dejó ir.

—Muchas gracias, lord Jack. Ahora, por favor, me gustaría regresar a la mansión Greycliffe.

Capítulo 12

Un baile en el salón a veces lleva a un baile en el dormitorio.
—de las *Notas de Venus*, duquesa de Greycliffe.

Jack y Frances entraron en la mansión Greycliffe mientras un ejército de doncellas armadas con mopas, escobas, paños y cubos limpiaba a fondo. Jack miró a Braxton levantando las cejas.

—Su excelencia está sacándole brillo a la casa, milord —dijo Braxton con voz resignada.

—Me doy cuenta —dijo Jack.

Normalmente huía a uno de los clubes cuando a mamá le daba por organizar un zafarrancho de limpieza, pero no quería dejar sola a Frances.

—Siendo así, ¿hay algún lugar en el que podamos escondernos, quiero decir, quitarnos de en medio? —preguntó.

—Creo que yo subiré a mi habitación —dijo Frances, dando un paso hacia las escaleras.

Braxton se aclaró la garganta antes de hablar.

—Si no les importa, milord, señorita Hadley, a su excelencia le gustaría que se reunieran con ella en la sala de música. Lord Ned y la señorita Bowman ya están allí.

—¿La sala de música, Braxton? —dijo Jack sorprendido. ¿Qué se traería mamá entre manos?

—Sí, milord. Ha contratado los servicios de un pianista para que puedan practicar el baile.

—¿El baile? Pero qué demonios…

Entonces vio como Frances se ponía rígida. Por su cara asomó un gesto inicial de pánico, que rápidamente ocultó tras una máscara inexpresiva. Salvo los ojos. No pudo ocultar la absoluta tristeza de sus ojos.

Maldición, ¿cuál era el problema?

—Me temo que estoy exhausta —dijo Frances dirigiéndose a las escaleras—. Por favor, transmita mis disculpas a su excelencia.

—Estoy seguro de que esto le vendrá bien, señorita Hadley —dijo Jack, que se había colocado entre Braxton y Frances. Después se dirigió al mayordomo—. Haga que lleven un poco de té y unos pastelitos, por favor.

—Muy bien, milord. William ya acercó una bandeja hace media hora, pero seguro que resultará muy adecuado llevar otra —dijo Braxton.

—¡Sin duda! Si mi hermano ha dispuesto de media hora para atacar las provisiones, seguro que hay que reponerlas —dijo Jack riendo.

—Eso mismo pienso yo, milord —dijo Braxton haciendo una reverencia para llevar la orden a la cocina.

—Estoy cansada —dijo Frances con un tono a medio camino entre el enfado y el miedo—. Quiero subir a mi habitación ya.

Intentó ir de nuevo hacia las escaleras, pero él no se lo permitió.

—Le aseguro que no hay manera de escaparse de mi madre, Frances. Si no aparece ahora en la sala de música, mandará a alguien a que la recoja o pospondrá los planes, cualesquiera que sean, para un poco más tarde. Lo mejor es enfrentarse a ello cuanto antes —la agarró del brazo y la miró detenidamente—. Me da la impresión de que está más asustada que cansada.

Le miró furiosa, apretando los dientes y con las aletas de la nariz temblorosas.

—No tengo miedo.

—Entonces, ¿cuál es el problema? Mamá a veces es demasiado entusiasta, pero no es peligrosa —dijo, pensando que eso no era del todo cierto si uno era joven y soltero y pretendía seguir siéndolo por un tiempo.

Frances miró hacia otro lado.

—Muy bien, ya que quiere saberlo, no puedo bailar —le dijo.

—¿Perdón? —dijo Jack, pensando que no había entendido bien— ¿Ha dicho que no puede bailar?

—Sí, maldita sea, eso he dicho —dijo mirándolo furiosa por un momento y con las mejillas tan rojas que parecía que iban a incendiarse. Desvió la mirada de nuevo.

—Pero usted no es sorda, ni ciega, ni tampoco cojea —dijo Jack frunciendo el entrecejo. No entendía nada.

Ese comentario hizo que volviera a mirarle, esta vez de forma casi peligrosa.

—Por supuesto que no, pedazo de zoquete. No es que tenga un impedimento físico, es que no sé bailar —le dijo entre dientes—. Se lo conté a su madre.

Él nunca había conocido a una mujer de la edad de Frances a la que no le hubieran enseñado a bailar, pero ahora, analizando el asunto, no resultaba tan sorprendente. Nada que tuviera que ver con la educación social de Frances era como uno podría esperar en una chica normal de la alta sociedad.

—¿Y ella qué dijo? —preguntó, ya repuesto de la sorpresa.

—Que usted era un excelente bailarín y que me enseñaría —dijo Frances encogiéndose de hombros.

Jack no pudo evitar echarse a reír. Condenada mamá...

—Bueno, no tengo claro si podría ganarme la vida como maestro de baile, pero creo que conozco todos los pasos. Y Ned y Ellie estarán allí para echar una mano si resulta que soy un completo fracaso.

—No sea ridículo —dijo Frances, cuya voz destilaba tensión y vergüenza—. Tengo que volver al campo. Este no es mi sitio.

Por supuesto que este era su sitio, pero no era momento de ponerse a discutir acerca de ese asunto. No la escucharía. Estaba demasiado enfadada.

Mejor alimentar su furia en su propio beneficio.

—No pensaba que fuera tan cobarde como para salir corriendo con el rabo entre las piernas por algo tan insignificante como aprender a bailar —le dijo.

Sacudió la cabeza como si él se la hubiera golpeado.

—No soy cobarde —dijo retadora.

—¿No? Pues yo creo que sí. Creo que tiene miedo a enfrentarse a un baile de sociedad lleno de gente —insistió Jack.

—No, no lo tengo.

—Y más todavía, creo que tiene miedo de admitir que el mundo no es exactamente como usted había decidido que era —continuó Jack, dando un salto cualitativo en su argumento.

—Eso es ridículo —respondió ella, cuyos ojos llameaban.

—¿Usted cree? —dijo Jack, y de repente se vio empujado por la frustración y el enfado que él mismo sentía—. Fundamentalmente creo que tiene miedo de admitir que no todos los hombres son unos malditos canallas como su padre.

Estuvo a punto de abofetearle, pero se detuvo antes de que la palma llegara a golpear la mejilla de Jack.

—Usted es un canalla, maldita sea —casi escupió Frances.

Durante un momento Jack se sintió como si realmente lo fuera. Debía disculparse, pero las palabras no terminaron de salirle. Vio cómo las lágrimas asomaban a los ojos de Frances. Quería abrazarla, lo estaba deseando, pero sabía que le daría un rodillazo en la ingle si lo hacía.

—Puede que lo sea —dijo, pensando que en realidad no eran esas las palabras que debería pronunciar—. Pero puede estar segura de que no le volveré la espalda. No la dejaré sola cuando me necesite.

Ella aspiró por la nariz, mostrando desdén pero también, y estaba tan seguro que apostaría por ello, porque era demasiado orgullosa como para sacar el pañuelo.

—No lo necesito.

Estaba mintiendo y los dos lo sabían. Al menos ya no parecía que fuera a echarse a llorar de un momento a otro.

—Entonces, ¿quién va a enseñarla a bailar? —dijo Jack sonriendo.

Sacudió la cabeza, y por fin sus labios dibujaron una tenue sonrisa.

—De acuerdo, me rindo. Estoy segura de que su madre me daría caza si no voy ahora —dijo apoyando la mano en su brazo—. Veamos si es un buen maestro de baile. Y si yo soy una buena alumna... —añadió con una mueca.

La condujo hacia la sala de música.

—Si realmente se aplica y se concentra, será una alumna excelente —le aseguró Jack—. El deber del profesor es que sus enseñanzas sean captadas por los alumnos, así que, si por cualquier extraña razón no lograra llegar a bailar bien, puede echarme a mí toda la culpa, porque la tendré.

—Bueno, al menos eso sería divertido de ver. Sospecho que no fracasa en casi ninguno de sus empeños —respondió ella, ya recuperada del todo.

—¡Exactamente! —dijo abriéndole la puerta, y cuando pasó a su lado aprovechó para susurrarle al oído—. Y no tengo la intención de fracasar con usted.

—¡Vaya, ya estáis aquí! —dijo la duquesa dedicándole una sonrisa a Frances. ¿Estaba un poco aliviada o eran imaginaciones suyas?—. ¿Habéis tenido suerte al buscar a tu hermano?

—Sí, su excelencia. El señor Puddington nos dijo dónde podremos encontrarle cuando vuelva de su luna de miel —respondió Frances.

Tal como había sospechado Jack, tan solo quedaban unos escasos restos de pastelillos en la bandeja. Lord Ned se limpió unas migas de la manga mientras se levantaba para saludarles y *Shakespeare* salió corriendo para investigar. Estornudó y enseguida se acercó para que le acariciaran, pues al parecer las migas no eran lo suficientemente grandes como para despertar su interés.

—Esta es la señorita Addison —dijo su excelencia, señalando a una mujer de pelo blanco que en ese momento colocaba en la bandeja su taza de té—. Tocará el piano para que aprendas unos cuantos pasos de baile, Frances, y Ned y Ellie podrán también repasarlos.

Las alfombras estaban enrolladas y había marcas de tiza en el suelo.

—Yo sé bailar y Ellie también —refunfuñó Ned.

—Pero me apetece mucho tener la oportunidad de practicar —dijo Ellie mirando fijamente a Ned, y se volvió para sonreírle a Frances—. Nunca he ido a un baile en Londres. Tengo que confesar que estoy un poco nerviosa.

«Un poco nerviosa» no era una descripción adecuada para el estado en el que se encontraba Frances. Su sentimiento se acercaba al pánico más absoluto, y casi no la dejaba ni respirar. Y había algo más, que tenía que ver con la idea de que iba a ser la alumna de Jack y que le llevaba a pensar en lo que había sentido en algún momento del accidentado paseo por el parque.

Debía de estar poniéndose enferma.

—De verdad que no me importa no bailar, su excelencia —dijo mientras acariciaba a *Shakespeare*.

—Tonterías. Ni hablar de eso. No puedes ir a un baile y no bailar, Frances. Bailar da mucha energía —la duquesa miró a Jack sonriendo—. Y es una forma excelente de flirtear, ¿verdad, Jack?

—No soy muy dado al flirteo, mamá —respondió Jack algo molesto.

—Pues hay un montón de mujeres que se lanzan de cabeza a por ti —dijo su madre.

—Eso no es culpa mía, y haría lo que fuera por evitarlo. Las mujeres de la buena sociedad suelen ser bastante estúpidas —dijo Jack encogiéndose de hombros.

—Igual que los caballeros —dijo el duque según entraba en el salón.

Llevaba un trozo de pastel en la mano y William iba tras él llevando una bandeja con otra tetera y el resto del pastel.

—¡Espléndido! —dijo la duquesa tomando del brazo a su esposo—. Ya estamos todos aquí. Ahora, que cada uno ocupe su lugar y empecemos.

—Pero Frances y yo queremos un poco de pastel y una taza de té —protestó Jack.

—Después de que hayamos ensayado unos cuantos bailes. No sería apropiado hacer esperar más a la señora Addison —dijo la duquesa, que dirigió a Frances una amplia sonrisa—. Espero que no estés muy hambrienta, querida, pero no te preocupes, porque Ned también va a bailar por fin. Así que el pastel seguirá ahí cuando paremos.

—No tengo nada de hambre, su excelencia —la tranquilizó Frances.

La sola idea de comer algo hizo que su estómago se encogiera todavía más. Esto sería la guinda de una mañana horrible, si es que no se producían más acontecimientos aparte de los que la esperaban de inmediato en el condenado salón de música.

—Yo creo que la tendrás después de algunos vigorosos bailes. Bueno, vamos a... Mmm —dijo la duquesa, parándose en seco al ver como *Shakespeare* observaba atentamente a William mientras colocaba sobre la mesa la bandeja con el pastel—. Tal vez el pastel corra peligro ahí. William, ponga la bandeja encima del armario, por favor. Lo contrario sería prácticamente obligar al pobre perro a hacer lo que no debe.

—Sí, su excelencia —dijo William, que retiró el plato y provocó que *Shakespeare* lanzara una tristísima mirada a la duquesa.

—Y ahora, *Shakespeare*, tendrás que esperar a que Jack y Frances estén listos para tomar el té. Tú ya has tenido tu parte. El pastel no es adecuado para ti.

Shakespeare se echó, apoyó la cabeza en las patas delanteras y se quedó mirando a la duquesa con sus grandes y expectantes ojos.

—Oh, querido. Tal vez un trocito... —empezó a decir la duquesa.

—Sé fuerte, mi querida duquesa —dijo el duque metiéndose en la boca el pedacito de pastel que le quedaba y sacudiéndose las manos—. No permitas que las dotes de interpretación de *Shakespeare* pasen por encima de tu buen juicio.

—Sí —confirmó Jack—. Si lo haces estarás malcriando al perro. Además, cuanto antes terminemos con el ensayo, antes podré tomarme mi trozo de pastel.

—Sí. La verdad es que siempre es mejor mantenerse firme con los animales —dijo la duquesa dando un suspiro.

—¿Alguna vez te has mantenido firme con alguno de los tuyos, querida? —le preguntó el duque entre risas.

—Por supuesto que sí.

—No con *Sir Reginald* —refunfuñó Ned.

La duquesa rechazó la acusación con un movimiento de la mano.

—*Reggie* es un gato. Los gatos son absolutamente distintos de los perros. Y ahora vamos, que cada uno ocupe su lugar. Frances, colócate entre Ellie y yo en ese triángulo de allí.

—¿Qué diantre has hecho con nuestro suelo, querida? —colocándose en un círculo más allá de la duquesa.

—Solo he dibujado las marcas de los pasos, para ayudar a Frances a que los aprenda, por supuesto —dijo sonriéndole a Frances—. Primero haremos las cosas despacio unas cuantas veces y después la señora Addison tocará para nosotros. Empecemos con la vuelta alrededor de la pareja. Toma a Jack de las manos, Frances, y vamos a empezar.

Al principio pensó que no le costaría demasiado, pues los pasos básicos eran bastante simples. Pero hacerlo todo seguido resultaba mucho más complicado y confuso, y tampoco ayudaban la distracción que le producían los toques de Jack ni el estado de nervios en que la había dejado la reunión con el sinvergüenza de Puddington. La fuerza de los dedos de Jack, su cercanía, el hecho de que se movieran juntos, todo le afectaba. Tenía problemas hasta para respirar, así que recordar los pasos era poco menos que imposible.

—En el sentido de las agujas del reloj, querida —le dijo la duquesa cuando tropezó con ella por cuarta vez—, muévete en el sentido de las agujas del reloj.

—Lo siento mucho, su excelencia —se disculpó—. Espero no haberle hecho daño.

—No, no, estoy bien —la tranquilizó la duquesa.

Sin embargo, Frances hubiera jurado que la duquesa había hecho un gesto de dolor.

—Puede que Frances lo haga mejor con música, mamá —dijo Jack.

—O quizá aprenda más rápido si me limito a mirar —dijo forzando una sonrisa—. Podría terminar llenándola de moratones.

Lord Ned empezó a asentir, pero Ellie le dio un buen pisotón.

—¡Ay!

—No te rindas —dijo Ellie, haciendo caso omiso de la exclamación de dolor de Ned—. Creo que lo estás haciendo bien.

Era una mentira como una catedral, pero Ellie sonrió con tanta amabilidad al decirlo que Frances se sintió algo más animada.

—Piensa demasiado —le dijo Jack—. Relájese. Cuando escuche la música, déjese guiar por ella y recordará mucho más fácilmente los pasos.

—Así es —dijo la duquesa, aunque en su mirada había cierto asomo de duda—. La música contribuirá sin duda a resolver el problema. Señorita Addison, si es usted tan amable.

La señorita Addison tocó el acorde inicial.

—Aunque tal vez un poco más lento de lo normal si no le importa —añadió la duquesa.

La música ayudó bastante. Tras ensayar el baile tres veces, la última a la velocidad adecuada, había conseguido cometer solo unos pocos errores, aunque con el último cayó contra Jack justo en el momento en el que terminaba la melodía.

Fue como estrellarse contra una pared, pero una pared cálida, masculina y enormemente atractiva.

Estaba segura de que todo su cuerpo se le había puesto tan rojo como el pelo.

—Oh, perdón —exclamó.

Los ojos de Jack brillaron de una forma extraña, en cierto modo cálida, pero simplemente se rió.

—Tranquila, no ha habido daños.

Su señoría estaba sonriendo, seguro que de alivio

—Creo que esto es todo por ahora. Has progresado muchísimo, Frances.

—Gracias, su excelencia —respondió Frances.

Debía de parecer un esperpento. El pelo se le escapaba de los prendedores y se sentía muy... húmeda. Sacó el pañuelo para secarse el sudor de la cara. También le dolían los pies.

—¿Entonces Frances y yo nos hemos ganado ya nuestros trozos de pastel, mamá? —preguntó Jack.

—Pues sí, merecéis un refrigerio, sin lugar a dudas. Vamos a...

¡Crash!

Todos se volvieron a mirar hacia la chimenea para ver qué había pasado. *Shakespeare* estaba saltando al suelo desde el sillón que se encontraba junto al armario y los restos del plato estaban en el suelo, mezclados con los trozos de pastel.

—¡Vaya por Dios! —exclamó la duquesa—. Bueno, en todo caso creo que es la hora del almuerzo.

—¿Crees que Frances estará preparada para el baile de boda de Eddie y Ned? —preguntó Drew mientras se desanudaba el pañuelo del cuello. Venus y él estaban en su habitación, preparándose para acostarse.

—Desde luego —dijo Venus.

Se sentó frente al tocador para luchar con las horquillas. Por lo menos confiaba en que lo estuviera. Drew levantó las cejas antes de quitarse la camisa por la cabeza.

—La boda es dentro de cuatro días. Sería un milagro que la señorita Hadley terminase sana y salva después del baile —afirmó pesaroso.

Lanzó la camisa a la alfombra y se dispuso a quitarse el calzado

—Aplastará un sinfín de dedos y tropezará con todo el mundo que se atreva a situarse cerca de ella. Nuestro salón de baile parecerá un campo de batalla —dijo, y pareció que hablaba en serio.

—Jack trabajará con ella. La señorita Addison va a venir todos los días hasta la boda —informó Venus.

—¿Veinticuatro horas al día? —dijo Drew dejando los calcetines encima de la camisa—. Jack tendrá que hacer vigilia todos los días para que la chica pase de ser un absoluto desastre a convertirse en una pareja moderadamente competente. Creo que deberíamos tener en cuenta su propuesta acerca de mirar sin bailar.

—Eres demasiado duro con ella —dijo Venus.

—Creo que tus moratones confirman lo que digo —gruñó Drew.

—No tengo moratones —dijo, aunque la verdad es que aún no se había mirado las espinillas— ¡Oh, Drew! ¿Qué vamos a hacer con la pobre chica?

Él se acercó para ayudarla a quitarse del pelo el resto de las horquillas.

—No doy crédito a lo que oigo. ¿La mismísima duquesa del amor solicita mi humilde consejo? —bromeó.

Intentó fruncir el ceño pero se distrajo al ver su cuello desnudo. Estaba en una forma excelente para un hombre de su edad, o más bien, para un hombre de cualquier edad. Mmm. Y el roce de sus dedos en el pelo resultaba enormemente agradable.

Pero estaban hablando de Jack y Frances.

—Pues puede que sí. Creo que Jack podría gustarle —aventuró Venus.

—Estoy seguro de que Jack le gusta. Es un muchacho muy afable. Le gusta casi todo el mundo —indicó él.

—Eso puede llegar a ser un defecto —dijo Venus arrugando la frente—. ¿Crees que le falta discernimiento?

—La verdad es que creo que Jack es una de las personas con más discernimiento que conozco —dijo Drew agarrando el cepillo y pasándoselo por el pelo.

—Pero los rumores... —musitó ella.

Cerró los ojos y sintió que la tensión la envolvía con cada pasada del cepillo. Cuando estaba en el campo tuvo conciencia de la potencia maligna de los rumores respecto a él. Seguro que no había criado a un mujeriego... ¿o sí?

—Por lo que dice la gente, uno pensaría que sus gustos apenas discriminan. *Lady* Dunlee me ha dejado caer en varias ocasiones que frecuenta algunos de los peores burdeles de la ciudad —dijo la duquesa en tono de preocupación.

—Venus, no debes hacer caso de lo que dicen *lady* Dunlee y todas esas viejas cotorras. Ya sabes que a mucha gente le gusta difundir medias verdades e incluso absolutos infundios —afirmó Drew.

—Por el humo se sabe dónde está el fuego —dijo ella preocupada.

—No te confundas, mi querida duquesa. A veces hay cortinas de humo, o de vapor, y no hay ningún fuego. Y piensa también en tu respiración cuando hace frío o en el vapor que sale del agua hirviendo —dijo sonriendo—. A veces se forma humo a propósito para despistar, y otras, lo que parece humo no lo es.

—¿Crees que los rumores proceden del trabajo de caridad de Jack? —le preguntó mirándolo de frente.

—Sí, eso es lo que creo, al menos muchos de ellos —se encogió de hombros y se dio la vuelta para poder seguir peinándola—. Jack no es un santo, pero tampoco es un canalla, ni mucho menos.

Dejó el cepillo y empezó a desabrocharle el vestido por la espalda. Estaba claro que no iba a decir una palabra más acerca de las actividades de Jack. Ella tendría que buscar otras fuentes de información.

—¿Qué dice Whildon sobre Frances? —preguntó Venus cambiando de tema.

Drew la levantó para poder llegar al resto de los botones.

—¿Qué va a decir? Acaba de conocerla —se detuvo y le dio un beso en la parte de atrás del cuello—. Sin embargo, tiene un montón de cosas que decir a propósito de su padre.

El padre de la señorita Hadley... Hacía mucho que no recordaba tener tantas ganas de darle una patada a un hombre en la parte más sensible de su anatomía.

—No encuentro calificativos para describir a un individuo que abandona a sus hijos de esa forma —dijo la duquesa haciendo una mueca de desprecio.

Drew terminó con los botones y le bajó el vestido.

—Me temo que es incluso peor que eso, o al menos peor para la señorita Hadley.

—¿Peor? ¿Cómo puede ser aún peor para Frances? —preguntó ella.

Dio un paso para evitar el vestido, y Drew le levantó el pelo de la espalda para poder quitarle los corchetes del corsé.

—Whildon se ha enterado de que Hadley ha venido a Londres de vez en cuando en los últimos años; de hecho, la última vez el otoño pasado, y también de que ha visitado con regularidad al hermano de la señorita Hadley —explicó Drew.

—¿Cómo dices? —exclamó Venus volviéndose hacia él. Sintió como si le hubieran echado un jarro de agua fría sobre la cabeza—. ¿Y no fue a visitar a Frances?

—Nunca —respondió, y le volvió a dar la vuelta suavemente para acabar de liberar los corchetes.

—Es horrible. ¿Puedes imaginarte a un padre que se comporte de esa manera? —dijo Venus, horrorizada.

—Pues, por desgracia, sí que puedo —respondió él.

Y, por desgracia, ella también. La verdad es que había muchos canallas en la alta sociedad inglesa.

—Whilton habló con Stephen Parker-Roth, un joven botánico más o menos de la edad de Jack, y supo por él que el hermano de Frances no quiere ni saber nada ni tener nada que ver con su familia materna —le contó, al tiempo que el corsé caía al suelo junto al vestido—. Whildon dice que a Frederick le importa un comino la alta sociedad, y en eso la verdad es que estoy de acuerdo con él —dijo Drew riendo.

—Pero tú eres duque. Te puedes permitir esa actitud. Una persona sin título... —dijo Venus sacudiendo la cabeza—. Todo el mundo, tenga título o no, debería preocuparse por su familia. Al menos debería ponerse en contacto para comprobar si quiere o no iniciar la relación.

Drew la rodeó con el brazo y la condujo a la cama.

—Probablemente el chico actúa por lealtad hacia su padre. Lord y *lady* Rothmarsh han dejado claro que no tolerarán ningún tipo de relación con Hadley padre, pero también el hijo tiene un comportamiento social inadecuado. Parker-Roth le dijo a Whildon que Frederick es un botánico muy brillante, pero que tiene muy pocos amigos. Y se ha casado con una actriz de teatro.

—¿Con una prostituta? —dijo Venus parpadeando.

—No. Creo que ni siquiera es actriz en realidad. Pero ya te puedes imaginar qué pensará Rothmarsh; no la aceptaría en la familia —concluyó el duque.

—Ya veo. Vaya situación. Y si Jack se casa con Frances, ese individuo tan poco presentable sería su cuñado —dijo Venus.

Drew la había tomado por la cintura para llevarla hacia la cama, pero se detuvo y se quedó mirándola con el ceño fruncido.

—Pensaba que ibas a restaurar la reputación de la señorita Hadley, para así evitar que Jack se viera obligado a llevarla al altar.

—Sí, claro, pero si resulta que a Jack le gusta... —dijo ella como hablando para sí misma.

Drew le puso un dedo sobre los labios.

—Que le guste no significa que quiera casarse con ella —dijo Drew.

Ella le apartó la mano. A veces Drew parecía bobo.

—Ya lo sé. Pero muchas veces la simpatía por alguien conduce al amor —explicó algo impaciente.

Drew la miró mientras la tomaba en brazos para meterla en la cama.

—Muchas veces el deseo conduce al amor... No estoy tan seguro en lo que se refiere a la pura simpatía —dijo.

—Yo sí. Admítelo, Drew. Los amantes tienen que gustarse, que caerse bien —explicó Venus.

—Es triste, querida duquesa, pero debo informarte de que eso no es así ni mucho menos. Los amantes tienen que atraerse físicamente. He conocido a parejas que no se llevan nada bien, excepto cuando están en la cama —dijo mientras se quitaba los pantalones y se metía en la cama a su lado—. Hacer el amor es una actividad que, desde una perspectiva puramente egoísta, puede resultar muy interesante.

—No. Si realmente hay amor, no es egoísta —dijo ella.

—Pero eso no es tan habitual —dijo Drew inclinando la cabeza en una especie de reverencia—, y ahora estaría encantado de llevarla a cabo, si cuento con tu permiso —concluyó mirándola a los labios.

Venus sonrió, sintiéndose como si volviera a tener diecinueve años. A pesar de todos sus años de matrimonio, le entusiasmaba compartir con él la vida... y la cama.

—Muy bien.

—Espléndido. Entonces vamos a ver si nos libramos de esa molesta combinación. No entiendo cómo puedes llevarla cuando estás en la cama —dijo Drew.

Y Venus levantó los brazos de inmediato para que se la quitara.

—Esto es imposible —dijo Frances—. Jamás voy a aprender a bailar—. La verdad es que Jack casi empezaba a estar de acuerdo con ella. Habían practicado de forma constante, o al menos eso le parecía a él, pero bailar con Frances seguía siendo algo parecido a intentar llevar al redil a una oveja díscola. En algunos casos, podía incluso compararse con intentar gobernar un toro salvaje. Aún le dolían los dedos del pie tras el último pisotón. Menos mal que ya no llevaba las botas de su hermano.

Hasta la señorita Addison parecía haber perdido la paciencia. Su manera de tocar se iba haciendo cada vez más rápida y violenta.

—Vamos a tomarnos un pequeño descanso. Señorita Addison, ¿le apetece un poco de té? —preguntó Jack.

—Sí, milord, muchas gracias. Sería muy agradable —dijo la señorita Addison levantándose despacio y echando una mirada algo enfadada a Frances—. Mis viejos huesos estaban empezando a cansarse de estar sobre esta silla tan rígida.

—La verdad es que no hay ninguna necesidad de torturar a nadie durante más tiempo —dijo Frances con voz algo tensa—. Ya saben el dicho: es imposible enseñarle trucos nuevos a un perro viejo.

La señorita Addison empezó a asentir mostrando su acuerdo, pero se paró en seco al captar la mirada helada de Jack.

—Hablando de perros, estoy seguro de que a *Shakespeare* le apetece dar un paseo. Señorita Addison, ¿por qué no descansa una media hora mientras la señorita Hadley y yo damos una vuelta por el parque?

—Muy bien, milord —dijo la señorita Addison esperanzada—. Estoy segura de que mejorará la condición de todos si nos tomamos un pequeño descanso.

—Señorita Hadley, póngase el abrigo y el sombrero, si hace el favor, y nos encontraremos en la puerta —le pidió Jack educadamente.

—Esto no va a servir de nada —gruñó Frances según salía por la puerta.

La expresión testaruda no la había abandonado cuando se juntaron unos minutos después, pero por lo menos sonrió ante el entusiasta recibimiento de *Shakespeare*.

Se lanzó al ataque en cuanto Jack cerró la puerta tras ellos.

—¿Cuándo va a admitir que esto es una pérdida de tiempo? Soy demasiado mayor para aprender a bailar —dijo.

—Tiene veinticuatro años, no ochenta y cuatro —bufó Jack.

Shakespeare tiró de la correa, intentado dirigir a Jack hacia el parque.

—Parece que vamos a cruzar la plazoleta —dijo Jack—. Por favor, tome mi brazo.

Ella puso los dedos de la mano sobre su manga.

—Está muy claro que no soy una octogenaria, pero la verdad es que es como si lo fuera. La mayoría de las chicas aprenden a bailar cuando tienen catorce o quince años, o incluso menos. Es demasiado tarde para mí —dijo absolutamente convencida.

—No, eso no es cierto. Lo único que pasa es que es demasiado terca para intentarlo —le respondió él tranquilamente.

Retiró de inmediato la mano de su brazo.

—¿Cómo puede decir eso? Lo he estado intentando hasta que todo el mundo, incluida la señorita Addison, ha terminado harto por la frustración y el dolor. Estoy segura de que de debe tener los dedos de los pies machacados. Hasta Ellie, que es una santa, ha desertado hoy.

Jack abrió la puerta del parque y dejó pasar a Frances y a *Shakespeare*.

—Solo porque la boda es mañana y *madame* Celeste quería hacer los últimos ajustes del vestido, lo sabe muy bien. Mamá está tan nerviosa que hasta papá y Ned han huido a White.

—Que es donde le gustaría estar a usted también —dijo ella.

Era verdad, pero jamás lo admitiría delante de ella.

—Tenemos clase de baile —dijo.

—Que es como intentar enseñar al agua del Támesis a correr hacia atrás. Nunca voy a aprender a bailar —espetó Frances.

Aquella mujer era exasperante.

—Estoy seguro de que no si sigue insistiendo en que no lo hará. Tampoco es una habilidad tan complicada. Apostaría a que hasta *Shakespeare* es perfectamente capaz —dijo para picarla.

Miró hacia el perro, que estaba sentado a su lado esperando pacientemente a que lo liberara de la correa.

—¿Puedes bailar, *Shakespeare*? —dijo Jack dirigiéndose a él.

El condenado perro se alzó sobre las patas traseras y dio unos pasos.

—Así se hace —dijo Jack acariciándole la cabeza y liberándolo de la correa. De inmediato, salió corriendo a toda velocidad detrás de una ardilla.

Vaya. Quizá no hubiera debido hacer eso. Se podría entender como si hubiera puesto de manifiesto que Frances tenía menos talento que un perro.

—Naturalmente que es capaz de aprender a bailar, Frances. Lo único que necesita es estar convencida de que puede hacerlo.

Ella tragó saliva y a Jack le pareció oír también un pequeño acceso de hipo, como si estuviera a punto de echarse a llorar.

—Lo único que haré será sentarme a ver cómo bailan los demás —dijo en un susurro.

Ya estaba otra vez. ¿Por qué era tan difícil?

Shakespeare dejó de seguir a una ardilla, pero enseguida empezó a perseguir a otra.

Porque tenía miedo, igual que los niños a los que rescataba de las calles. Era capaz de dirigir una hacienda sin ninguna ayuda, incluso superando impedimentos y falta de colaboración, pero le era imposible salir a una pista de baile. Era muy orgullosa y hacerlo mal podría ponerla en ridículo.

Pero también se sentía sola. Podía jurar que, bajo toda aquella obstinación, tenía unas enormes ganas de vivir. Lo único que necesitaba era darse cuenta.

—Baile conmigo, Frances —dijo tomándola de la mano y sonriendo—, y demuéstreme que es tan hábil como *Shakespeare*.

Ella le miró arrugando la frente, y por un momento Jack pensó que iba a darle una bofetada. Pero lo que hizo fue soltar una carcajada.

—Es usted absurdo —dijo moviendo la cabeza, pero sin parar de reír.

La tomó de la mano, y se dio cuenta de que se sentía por lo menos un poco atraída por él. O quizá lo que pasaba era que quien se sentía atraído por ella era él, no podía negarlo: era lo que sentía.

Muy a menudo Trent le acusaba de tener una inclinación antinatural por las almas solitarias. Y se preguntaba a sí mismo muchas veces por qué él, tercer hijo del duque de Greycliffe, poseedor de una gran riqueza y miembro de una familia a la que adoraba, que tenía prácticamente todo lo que quería, sentía esa necesidad de trabajar y actuar a favor de aquellos a los que nadie quería. Era cierto que todo empezó con el fallecimiento del hijo de Ned, pero eso no habría sido suficiente para sostenerlo tras meses de frustración y desaliento, para sobrellevar toda la basura que se había arrojado sobre su nombre ni para aguantar los falsos rumores sobre sus supuestas aventuras amorosas. Odiaba verse obligado a simular ser alguien que en realidad no era.

Pero también se había llevado muchas satisfacciones, y sobre todo se sentía así cuando visitaba a los niños de su casa de acogida. Estaba haciendo algo importante de verdad.

Tal vez era eso. Como tercer hijo, era el que sobra. En realidad, el que sobra después del segundón. Una redundancia. Pero esa actividad daba sentido a su vida. Las prostitutas y los niños abandonados le necesitaban y él intentaba que tuvieran una vida mejor, al menos por un tiempo. Y confiaba en que, en el caso de muchos de los niños, esa vida mejor lo fuera para siempre.

Frances no tenía nada que ver con las mujeres y los niños a los que ayudaba, pero ver cómo la había abandonado su padre y el gran valor que demostraba le llamaban con una fuerza que no podía ignorar.

Y le gustaba muchísimo que tuviera esos grandes ojos verdes, esa piel tan suave, una voz que le cautivaba y le atraía intensamente y una figura esbelta y fuerte, una figura que había abrazado en numerosas ocasiones durante las clases de baile.

—Baile conmigo —le volvió a decir, aunque esta vez se lo pidió con un tono más bajo y más profundo. Pensaba seducirla al tenerla entre sus brazos, si es que podía.

Jack sonrió. Como había dicho su madre, y tenía razón, bailar ayudaba mucho a flirtear.

Frances miró nerviosa a su alrededor.

—¿Aquí? Pero ¿y si nos ve alguien?

—Nadie nos verá. Las niñeras han llevado a los niños a dormir la siesta, y los árboles nos protegerán de cualquiera que esté mirando por las ventanas —respondió Jack.

La volvió a tomar de la mano y ella se dejó llevar, no totalmente convencida, pero al menos sin protestar. Afortunadamente, la población de ardillas era abundante, por lo que *Shakespeare* estaría ocupado todo el tiempo que hiciera falta.

—Pero no hay música —dijo Frances.

—Yo tararearé —dijo Jack volviendo la cara hacia ella—. Empezaremos con un vals.

Le desató el sombrero. No podía bailar con un sombrero chocando contra su cara. En los ojos de Frances apareció una expresión de alarma y sus dedos se movieron para detenerlo.

—Creo que no debemos...

—Relájese, vamos a divertirnos un rato, nada más. Confíe en mí —dijo él.

Se libró suavemente de su sujeción, acabó de desatar la cinta del sombrero y lo colocó en un banco cercano.

¿Se habría divertido alguna vez? ¿Y había confiado en alguien alguna vez? Seguro que esa era la raíz del problema. ¿En quién había podido confiar hasta ahora en toda su vida? Nada más que en sí misma.

Tenía que convencerla de que podía confiar en él. Ella dudó, pero al fin se rindió.

—Oh, está bien, pero esto es ridículo.

No perdió el tiempo discutiendo. Empezó a tararear y después a bailar.

—No es que lleve muy bien el ritmo tarareando, la verdad —le dijo ella.

—Tiene toda la razón. Todo el mundo me dice que tengo muy poco oído. Ya verá como mejora la cosa con la música de la señorita Addison cuando volvamos adentro —contestó Jack.

—No creo que le caiga muy bien —indicó Frances.

Frances se movía con mucha más soltura ahora que no se preocupaba de hacer los pasos exactos. La atrajo un poco más hacia sí, algo más cerca de lo que se permitiría en un baile de sociedad. Pero allí solo estaban ellos dos, más *Shakespeare* y las ardillas, por supuesto.

—¿Y qué importa la opinión de la señorita Addison? —preguntó Jack.

Dio un ligero tropiezo, pero él la sostuvo.

—No me importa.

Pudo aspirar el suave aroma de su aliento y de su piel.

—Tampoco pasa nada si le importa —le dijo susurrando, mientras pensaba que ojalá hubiera sido verano y hubieran llevado menos ropa—. A nadie le gusta no caer bien, pero siempre hay gente a la que no le gustamos, por lo que sea.

¿Sería ella capaz de sentir este hormigueo profundo, oscuro e insistente? ¿Sabría lo que significaba?

Él sí lo sabía, y demasiado bien. Pero llevaba sin sentirlo mucho tiempo, y nunca le había ocurrido con una mujer casadera.

¿Casadera? Por Dios. Se suponía que su madre tenía que salvarle de la obligación de casarse con la señorita Hadley. Era demasiado joven para casarse. A Ash y a Ned les había ido fatal con sus bodas tempranas. Y a la señorita Hadley no parecía que él le gustara mucho.

El hormigueo de atracción no cesó. Todo lo contrario, se intensificó. Su cerebro discutía con su cuerpo, y el que ganaba era su cuerpo. Bueno, disfrutaría de las sensaciones del momento. Su pensamiento se aclararía en cuanto dejara de estar tan cerca de ella. Sonrió y la soltó para iniciar otro paso.

—Seguramente le resultará difícil de creer, pero hasta hay gente a la que yo no le gusto —dio sonriendo.

Sus cejas se levantaron de forma teatral.

—¿De verdad? No puede ser —dijo con ironía.

Bien, le estaba tomando el pelo, y además estaba bailando muy bien, incluso sin música, ya que él no podía hablar y tararear al mismo tiempo.

—¿Y no está destrozado al conocer esa terrible verdad? —dijo en tono burlón, aunque a él le pareció notar también una cierta sinceridad.

—No, porque sé que le gusto a la gente a la que quiero y me importa de verdad —contestó, esta vez con toda seriedad.

Y le importaba la complicada señorita Hadley. La arrastró algo más adentro del parque, entre los árboles. Lo que iba a hacer era una estupidez, pero le daba igual. El hormigueo en sus entrañas, cada vez más potente, le empujaba a hacer algo.

Probablemente no serviría para nada, excepto para hacerle sufrir. Si tenía suerte, Frances le daría una sonora bofetada, lo que al menos le distraería de otro dolor más hondo.

—Aunque hay una persona a la que quiero mucho, pero a la que sospecho que yo no le importo en absoluto.

Estaban en la zona más profunda y apartada del pequeño parque, completamente solos, salvo por los pájaros, las ardillas y *Shakespeare*.

—¿En serio? ¿Y de quién se trata? —preguntó ella.

¿No se daba cuenta de lo bien que se adaptaban y se movían juntos sus cuerpos? ¿No notaba el tono seductor con el que había sonado su hermosa y profunda voz?

—De ti —murmuró Jack. Se detuvo y bajó la cabeza—. Te quiero.

Tras decirlo, juntó sus labios con los de ella.

Capítulo 13

Un beso puede ser la ventana que tu corazón abre al amor, si su cristal no está demasiado empañado por una respiración muy profunda.
—de las *Notas de Venus*,
duquesa de Greycliffe.

Era la primera vez que alguien la besaba. Nunca había querido que la besaran. A decir verdad, nunca había pensado siquiera en besar. Los labios de Jack no estaban en exceso húmedos, más bien lo contrario, y eran firmes. Se deslizaron sobre su boca sin apenas ejercer presión, pero el efecto fue devastador. Notó un flujo de calor en el vientre y empezó a dolerle el pecho.

Levantó la vista. Sus ojos de color avellana estaban húmedos y brillaban con intensidad.

Su cerebro, estupefacto, le envió un aviso de temor. Él sería capaz de ver su mente como a través del cristal si no desviaba la vista. Pero se sentía como un ratoncillo atacado por una serpiente. No podía moverse. ¿O no quería?

Con mucha suavidad, tiró de ella hasta que sus cuerpos estuvieron pegados, desde el pecho hasta los muslos. Le pareció que se derretía; tenía que apoyarse en él, porque si no se caería al suelo.

Esto no era bueno en absoluto. Tenía que librarse de él de inmediato. Sabía que él se lo permitiría.

Pero el deseo, el asombro y la curiosidad hicieron callar a su sentido común. Con toda su alma quería averiguar qué ocurriría después.

La boca de Jack volvió a descender. Le tocó la frente, la sien y la mejilla. Sus labios esperaban ansiosos y soltó un ligero suspiro cuando finalmente se juntaron con los de él.

Y en ese momento el calor de su vientre explotó como una hoguera avivada por el aire y toda precaución quedó atrás. Deslizó las manos alrededor de su espalda, ciñendo su cuerpo por completo al de él. Sintió como algo fuerte y potente le presionaba el estómago, y hubiera querido sentirlo más abajo, en la parte de su cuerpo donde la ansiedad era mayor.

Se estaba convirtiendo en alguien a quien no reconocía en absoluto, pero no le importaba.

Y entonces Jack levantó la cabeza. Ella emitió un mínimo sonido de disgusto y se apretó más, pero él aflojó el abrazo, se separó de ella y dio un paso atrás.

—Tenemos que volver con *Shakespeare*, Frances. La señorita Addison debe de estarse preguntando qué ha sido de nosotros.

¿La señorita Addison? ¿Quién era...? ¡Ah, sí, por supuesto! Esa mujer mayor que tocaba el piano. ¿Cómo podía haberse olvidado de su nombre?

—Sí —contestó Frances aclarándose la garganta, y procurando también aclararse el cerebro. ¡Por Dios bendito! Seguía abrazada a Jack y apretándolo con todas sus fuerzas—. Sí, por supuesto.

A la mañana siguiente, el día de la boda de Ned y Ellie, Frances estaba de pie en el salón azul, con *Shakespeare* a su lado y esperando a que bajara Ellie. No había dormido bien. Había soñado con Jack y se despertó acalorada e incómoda, con las sábanas y la colcha completamente deshechas. Ahora procuraba no mirarle siquiera.

—¿Cómo es posible que tarden tanto las mujeres? —preguntó el padre de Ellie, sin dirigirse a nadie en particular. Estaba de pie junto a la chimenea, vestido con su ropa de pastor y con un libro de oraciones entre las manos. Parecía feliz, lleno de orgullo y, tal vez, algo nervioso.

Ellie todavía estaba arriba, acompañada de su madre y de la duquesa. Invitaron a Frances a que se uniera a ellas, pero no quiso inmiscuirse. En realidad no le correspondía. Sí, Ellie le había pedido que fuese dama de honor, pero solo porque ninguna de sus hermanas había podido acudir, ya que estaban ocupadas en casa con sus respectivas familias.

—Preparativos de última hora, sin duda —dijo el duque—. Está casado, así que ya sabe cómo son las mujeres cuando se visten para una ocasión especial —aseveró el duque con una sonrisa—. Y sospecho que mi querida esposa no para de llorar sobre el hombro de su hija.

—Igual que mi mujer —respondió el vicario devolviéndole la sonrisa, y después miró a Ned—. Lágrimas de alegría, por supuesto.

Su madre no tendría la ocasión de llorar cuando ella se casase...

Maldita sea, ¿y eso qué importaba? Ella no se casaría nunca. Y su madre había tenido una buena ración de llanto, todo por cometer el inmenso error de casarse con un mujeriego.

—Por supuesto —confirmó Ned riendo, aunque volvió a mirar ansioso hacia la puerta, y eso que ya debía de haberlo hecho antes unas cien veces.

¿Y si esta boda fuera la suya, la suya y la de Jack? Frances se agachó para acariciar a *Shakespeare* en las orejas y, sobre todo, para disimular el sonrojo. Diablos, se estaba volviendo loca. De ninguna manera repetiría el error de su madre.

Cuanto antes hablase con Frederick para obtener su dinero y buscase la casa de campo, mejor. Jack había enviado una carta a la nueva dirección de Frederick, pidiéndole que se pusiera en contacto a la mayor brevedad posible.

—Pues yo no estoy tan seguro de que sea eso lo que está pasando —dijo Jack, que estaba de pie al otro lado del vicario y junto a Ned—. Puede que la pobre Ellie por fin haya recobrado la razón y se haya dado cuenta de que atarse de por vida a mi aburrido y soso hermano es un inmenso error.

Ned le golpeó el brazo y Jack se rió, y su risa fue para Frances como el canto de las sirenas, aquel que conducía a los marineros a su destino mortal.

Estaba guapísimo con su traje de etiqueta y el pañuelo, blanco como la nieve, alrededor del cuello. Su estúpido corazón empezó a bailar un absurdo vals, como aquel que habían bailado sin música en el parque. Sus ojos se posaron en los labios de Jack, y vio como se curvaban en un gesto suave y dulce. Oh, la estaba mirando de forma intensa, cálida y sonriente. Le hizo un guiño.

Bajó los ojos hacia *Shakespeare*. Y gracias a Dios llegó por fin Ellie, con un aspecto magnífico. Llevaba un precioso vestido blanco con cintas rojas y un amplio velo nupcial.

—Nuestras disculpas por la espera, que confiamos en que no os haya resultado excesivamente larga —dijo la duquesa, que caminaba del brazo de la madre de Ellie. La nariz y los ojos de la señora Bowman estaban bastante enrojecidos, y llevaba un pañuelo muy arrugado en la mano derecha, aunque sonreía.

—Como podéis ver, la espera ha merecido la pena —insistió la marquesa—. Por supuesto, Ellie siempre está preciosa, pero hoy muchísimo más, ¿verdad, Ned?

El joven asintió sin hablar y con una sonrisa deslumbrante.

—Eres una novia preciosa, Ellie —dijo entonces el vicario, que se centró los lentes y abrió el libro de oraciones. Se aclaró un poco la garganta—. ¿Empezamos?

Frances dejó a *Shakespeare* y fue a colocarse junto a Ellie.

—Queridos todos, nos hemos reunido aquí para... —empezó el vicario.

Ellie irradiaba felicidad por todos los poros. ¿Habría estado su madre así de feliz cuando se casó? Solo tenía veintiún años y abandonó su hogar, su familia y sus amigos por un hombre del que se había enamorado en contra de toda lógica.

¿O simplemente actuó empujada por su juventud y su rebeldía? ¿Se arrepintió de su decisión de manera casi inmediata, dándose cuenta de que los besos y una cara atractiva no eran suficientes?

Ned tomó de la mano a Ellie y recitó su parte después de que acabara el vicario.

—Yo, Edward Walter Valentine, te tomo como esposa a ti, Eleanor Úrsula Bowman... —dijo con voz fuerte y segura.

¿También habría sonado fuerte y segura la voz de su padre? ¿Acaso alguna vez tuvo la intención de mantener sus votos?

Jack estaba mucho más serio de lo habitual en él, prestando atención sin distraerse a las palabras del vicario y de su hermano. ¿Qué clase de marido sería? Sería muy reconfortante tener un compañero, no estar tan sola...

Pero los hombres siempre te dejaban, ¿verdad? O al menos la dejaban a ella, como su padre, como Frederick.

—Con este anillo te desposo —dijo Ned deslizando el anillo en su dedo—. Con mi cuerpo te venero...

¡Oh! Sintió una ola de calor por todo el cuerpo, y sin querer buscó la mirada de Jack. Él tenía la misma expresión ansiosa que en el parque cuando la besó.

Frederick tenía que aparecer cuanto antes y darle su dinero, el que le pertenecía por derecho, antes de que cometiese algún error estúpido e irreparable.

Jack estaba de pie, apoyado en una columna cerca de una ventana abierta, y observaba la sala de baile. Vaya, allí estaba la señorita Wharton. La había estado evitando otra vez durante toda la noche, pero en este momento bailaba con Stevenson, un tipo maleducado, alto, delgado y con nariz ganchuda. Casi sintió pena por ella.

Como era de esperar, el baile de boda de Ellie y Ned estaba siendo un acontecimiento social espectacular. Cientos de personas vestidas de gala se apiñaban en un espacio mucho más adecuado para la mitad, o hasta un tercio, del gentío que había acudido. Era evidente que nadie había rechazado su invitación. Todos estaban deseando contemplar en directo al hijo de la duquesa del amor que sentía una nada disimulada aversión por Londres. Por lo que se refería a Ash, cuya extraña situación conyugal llevaba fascinando durante años a las cotorras, tanto masculinas como femeninas, no había venido. De haberlo hecho su padre hubiera tenido que pedir ayuda a la guardia real para mantener alejados a todos los curiosos.

Por lo menos Frances no había tenido que preocuparse por los errores que hubiera podido cometer al bailar, pues no había sitio ni para dar un mal paso. Y lo había hecho muy bien cuando bailó con ella. ¿Con quién estaba bailando ahora? Buscó entre la abigarrada masa de gente.

Pettigrew. Qué raro. Pensaba que aquel individuo preferiría mantenerse apartado de Frances. Aparte del hecho de que el odioso personaje solo se pasaba por las fiestas de su madre para atiborrarse de canapés de langosta, era el responsable de los problemas de Frances. Si hubiera mantenido la boca cerrada, la muchacha habría podido volver al campo sin que nadie lo hubiera notado.

Y eso hubiera estado bien. Hubiera estado estupendamente en realidad. La vida de Jack sería ahora mucho más tranquila y sencilla si Frances no hubiera irrumpido en ella. No hubiera tenido que hacer de profesor de baile y podría haber dedicado mucho más tiempo a buscar al Degollador.

Y tampoco vería interrumpido su sueño, generalmente tranquilo, con sueños más que inapropiados, con sueños eróticos.

Demonios.

Sí, ella estaba convirtiendo su vida en un infierno. Era discutidora, llevaba la contraria siempre, resultaba irritante.

También tenía unos labios suaves, una voluntad de hierro y un valor indomable, y además le necesitaba.

Y, muy probablemente, él también la necesitaba a ella. Sentía una sensación de vacío casi insoportable solo de pensar que se iría.

En fin, pensar en eso no llevaba a ninguna parte. Estaba aquí, y aquí seguiría.

Y entonces, ¿por qué Pettigrew estaba bailando con ella? Quizá se había arrepentido de sus actos y estaba buscando la forma de enmendar las consecuencias. Eso estaría bien. Contribuiría a acabar con los cotilleos.

El hombre tendía más a la torpeza que a la habilidad al bailar, pero Frances parecía apañárselas bien con él. Tenía las cejas algo fruncidas y parecía mover los labios para llevar la cuenta de los pasos.

Esos labios...

No debería haberla besado ayer. Lo supo en ese mismo momento, pero fue incapaz de detenerse. No pudo. Estaba tan hermosa, con sus ojos verdes, su piel clara y su cabello pelirrojo brillando al sol... le pareció un hada enfurruñada.

No debería haberla besado, pero le encantó hacerlo por segunda vez. La primera vez le pareció que ella dudaba, pero no demostró miedo alguno, gracias a Dios. Y tampoco remilgos. Era obvio que se trataba de su primer beso. Pero el segundo...

Cambió de posición para tratar de frenar un crecimiento repentino y bastante obvio de una zona específica de su anatomía, o al menos para ocultarlo. El segundo beso había sido también bastante casto, pero su reacción no lo fue. Si no la hubiera llevado inmediatamente de vuelta a la sala de música, con la compañía nada estimulante de la señorita Addison, podía haber terminado enseñándole una manera de bailar absolutamente diferente a la socialmente aceptable.

Se había pasado la mayor parte de la ceremonia de la boda de Ned imaginando cómo sería su propia noche de bodas con la señorita Hadley de novia. Si era tan apasionada en todos los aspectos, ¿por qué no iba a serlo también en la cama?

—¿Qué joven dama ha sido capaz de hacerte sonreír de esa manera solo de pensar en ella, amigo mío? No será mi prima recién llegada, ¿verdad? —dijo una voz amistosa, que lo sacó de su ensimismamiento.

Maldita sea. Gracias a Dios su anterior excitación había decrecido, pues de haberla notado Trent le habría tomado el pelo sin piedad.

—¡Vaya, Trent! ¿No tienes nada mejor que hacer que espiarme por ahí?

—Ni era espionaje ni ando espiándote por ahí. Si hubiera pasado junto a ti una manada de elefantes tampoco te habrías dado cuenta —dijo Trent en tono bromista.

—Seguro que hubiera distinguido a ciertos elefantes en el salón de baile de mis padres —contestó Jack siguiendo el hilo.

—Pues parece que mi prima está bailando con uno de ellos en este mismo momento —dijo Trent riendo—. ¿Habías visto alguna vez a Pettigrew bailotear de esta forma? Yo creía que solo venía a estas fiestas por la comida.

—A mi también me ha sorprendido verle bailando, pero he pensado que tal vez esté intentando ayudar a Frances a recuperar su buena reputación, dado que él fue uno de los que inició los rumores —explicó Jack.

—Piensas demasiado bien de ese individuo —bufó Trent—. Lo que no es comestible carece de la menor importancia para él.

—Seguramente tienes razón —dijo Jack.

En esos momentos Pettigrew intentaba bailar torpemente una alemanda, y su gesto le resultó horriblemente familiar a Jack.

—No sé, me suena haberle visto bailar hace poco, pero la visión fue tan espeluznante que debo de haberla borrado de mi memoria —le explicó Jack a su amigo.

—Solo espero que mi pobre prima ponga los pies a buen recaudo. Sería una pena que se quedara coja tan joven —dijo Trent moviendo la cabeza.

—Sí, eso espero.

Jack dio un respingo al ver cómo Frances evitaba ser arrollada dando un hábil saltito. En comparación con Pettigrew, debía sentirse una magnífica bailarina.

Una ráfaga de aire bastante frío entró por la ventana y Trent suspiró encantado.

—Si me hubiera dado cuenta de que habías encontrado la única zona fresca de este infernal salón, hubiera venido mucho antes. Moverse de acá para allá en este lugar lleno de velas y chocando con todo el mundo es una auténtica pesadilla —dijo Trent, arrugando la nariz—. Y algunos de los invitados aún no han descubierto la maravilla que supone ponerse ropa limpia y usar la bañera de forma habitual.

—Es verdad —coincidió Jack.

Frances estaba poniendo ahora mucha atención cada vez que tenía que agarrar la mano de Pettigrew, para asegurarse de dejar una distancia de seguridad entre sus pies y los de aquel individuo. El que fuera una mujer alta ayudaba bastante.

Pero quizá Trent había ido en su busca porque tenía noticias. Jack miró alrededor y bajó la voz.

—¿Has tenido suerte en tu búsqueda de testigos de los asesinatos? —preguntó.

—Pues no —contestó Trent arrugando el entrecejo— y resulta condenadamente frustrante. No es lógico, por Dios. Alguien tiene que haber visto algo. Lo que pasa es que todavía no hemos localizado a esa persona.

—Yo no tenía esperanzas de encontrar a nadie en Covent Garden que diera el paso para hablar sobre los asesinatos, pero sí en lo que se refiere a las chicas de la alta sociedad —comentó Jack—. El maldito cotilleo no para cuando se refiere a otras cosas. Habrás preguntado a los sirvientes, por supuesto.

—Sí, varias veces —dijo Trent, que empezó a pasarse la mano por el pelo, hasta que paró para no estropearse el peinado—, pero ya sabes lo ocupados que están en este tipo de eventos. Apuesto a que ninguno de los sirvientes de tu casa es capaz de decir mañana quién se fue con quién al final del baile. Si la mujer en cuestión no intenta defenderse o llamar la atención de alguna forma, ¿quién podría notar nada o fijarse?

Trent tenía toda la razón.

—¿Pudiste hablar con la señora Black, la mujer con la que *lady* Bárbara dijo que volvía a casa tras el baile de los Chesterman? —le preguntó Jack. Si no hubiera estado tan ocupado con Frances él mismo habría hablado con la señora Black.

—Sí, y estaba muy molesta por el hecho de que su nombre hubiera salido a relucir en el relato de los hechos que habían publicado los periódicos sobre el asunto. Insistió en que no sabía absolutamente nada —le dijo Trent—, y que se había marchado pronto y sola porque le dolía la cabeza.

—Mmm, es muy posible que *lady* Bárbara estuviera al tanto de las mujeres que se fueron pronto para poderle contar a su madre una mentira plausible —dijo Jack reflexionando en voz alta. Maldita sea, no sabía por dónde seguir. Miró hacia la sala abarrotada. ¿Estaría el asesino allí?—. ¿Quién crees que es el Degollador?

—Ruland y Botsley parecen los candidatos más lógicos. Los dos estaban en las fiestas de las que desaparecieron la señorita Fielding, la señora Hubble y *lady* Bárbara y ambos estaban ausentes después de que ellas se fueran. Los dos frecuentan los bajos fondos y, para terminar, ambos son unos canallas sin escrúpulos. Pero el hecho de que sean escoria no es prueba suficiente como para acusarlos de asesinato. Además, nadie puede afirmar que estuvieran en el camino de las mujeres muertas —Trent soltó un suspiro de cansancio y enfado—. Si al menos pudiéramos encontrar un testigo...

—Nan está segura de que Ruland es el asesino, pero no tiene ninguna prueba —le dijo Jack—. Yo apostaría por Botsley. Ruland es un fanfarrón, pero no creo que sea capaz de matar a nadie.

—Pero no tienes ninguna prueba —argumentó Trent.

—Es cierto —asintió Jack.

—¡Maldita sea! —exclamó Trent apretando los dientes—. Lo peor de todo es que tenemos que esperar a que otra pobre chica sea asesinada, e incluso en tal caso puede que tampoco podamos avanzar nada para atrapar a ese canalla.

—Así es —dijo Jack, pensando que debería estar ocupado haciendo averiguaciones para descubrir al asesino en lugar de en el condenado baile—. Tengo varios chicos siguiendo a Ruland y a Botsley y Nan procura vigilar a las chicas de Covent Garden. Tenemos que estar muy alerta y tratar de atraparlo antes de que vuelva a matar —dijo, aunque nada convencido de que fuera la forma de actuar más apropiada dadas las circunstancias.

—Hablando de sinvergüenzas, veo que ha llegado el cuñado de Ned —le informó Trent.

—¿Cómo? ¡Vaya, maldita sea! —espetó Jack.

Sir Percy acababa de entrar en el salón de baile. Hacía poco más de una semana que Ned le había dado una buena paliza en la fiesta de los Valentine, pero parecía como si la mayor parte de los moratones hubieran desaparecido, o bien se hubieran disimulado con maquillaje.

—¿Deberíamos añadirlo a la lista de sospechosos? —preguntó Trent—. Aunque, entre sus muchos defectos, no creo que pueda añadirse el de asesino.

—No —dijo Jack, a quien tampoco le caía nada bien. De hecho le desagradaba desde que eran niños—. Percy es un fanfarrón, como Ruland, pero dudo que sea capaz de matar a nadie. Y, en todo caso, estaba en Greycliffe la noche en que Martha fue asesinada.

—Cierto, la fiesta anual de la duquesa del amor. De momento, he tenido la suerte de librarme de la lista de invitados a esa fiesta hasta ahora —dijo Trent con sorna.

—¡Un descuido imperdonable! No te preocupes, ya le diré a mamá que incluya tu nombre para la próxima ocasión —dijo Jack siguiendo la broma.

—No serás capaz de hacerme una cosa así, ¿verdad? —preguntó Trent un tanto alarmado.

—¡No hombre, no! Quiero seguir teniendo amigos —le tranquilizó Jack entre risas.

—Me alegro, porque sé dónde conseguir ejemplares de las *Notas de Amor* de la duquesa, y si alguna vez me invita, te ataré a un árbol y te leeré hasta la última palabra de lo que ha escrito —le amenazó Trent muy serio.

—Me gustaría ver cómo lo haces. ¿A quién conoces tú que tenga ejemplares de esos miserables pasquines? —preguntó Jack divertido.

—A mi madre —contestó Trent muerto de risa.

—¡Por Dios bendito! —exclamó Jack—. ¿En serio que tu madre necesita leer los consejos de amor de la mía?

—No tengo la menor idea de por qué las tiene —dijo Jack haciendo una mueca—, ni se me ocurre intentar averiguar el porqué.

—Ahora ya sabes cómo me siento —dijo Jack algo avergonzado.

Jack oyó una voz algo aflautada tras su hombro derecho.

—Ah, Jack, qué alegría volver a verte —le saludó Percy.

Maldita sea. ¿Por qué le buscaba aquel tipo? Se volvió hacia el hermano de Cicely, la primera esposa de Ned.

—Hola, Percy. Parece que… te has recuperado bastante —dijo Jack dándose cuenta de que, en efecto, el hombre utilizaba maquillaje para disimular los moratones más persistentes.

Percy sonrió forzadamente y saludó a Trent con la cabeza. Y Trent, el muy cobarde, le devolvió el saludo y salió casi de estampida.

—Sí, estoy mucho mejor, gracias —dijo Percy, señalando con la cabeza el lugar en el que Ned y Ellie charlaban con otra pareja—. Tengo que confesar que no me esperaba esta boda, aunque supongo que tu madre ha estado intentando por todos los medios que Ned se casara con Ellie casi desde que murió Cicely.

¿Qué quería decir Percy?

—Todos echamos de menos a Cicely, por supuesto, pero nos alegra mucho que Ned haya superado finalmente el duelo. Ned y Ellie se conocen de toda la vida, así que su matrimonio no debería ser una sorpresa para nadie —aseveró Jack.

—Puede ser —dijo Percy dejando el asunto—. Lo que sí resulta sorprendente es que Ash no haya venido a la ciudad para la ceremonia. ¿No es un viaje corto y fácil desde el castillo? Espero que se encuentre bien.

—Sí, por supuesto. Su salud es tan buena que da asco —replicó Jack, sabedor de que Percy esperaba que no lo fuera. Por otra parte, Ash no estaba en el castillo—. Simplemente está ocupado en otros asuntos.

—¿Asuntos más importantes que la boda de su hermano? —exclamó Percy levantando las cejas—. Vaya, vaya. Sabes de sobra que todo el mundo atribuirá su ausencia a puros celos. No es un secreto para nadie que Ellie se ha mostrado muy atenta con Ash en las fiestas de tu madre.

—Los estúpidos y cotillas habituales pueden pensar lo que les venga en gana —dijo Jack pensando que Percy haría correr esa teoría, por muy inverosímil que fuera—. Ni los hechos ni la lógica los detienen. No crees problemas a costa de Ash, Percy, te lo aconsejo.

—Ni se me ocurriría —dijo Percy sonriendo, con un gesto que, como siempre, a Jack le recordó una serpiente—. Bueno, ya está bien de hablar de tus hermanos. Háblame de ti. Últimamente me han llegado rumores de lo más interesantes, mucho más interesantes que los que me llegan de manera habitual.

El encuentro estaba llegando a su fin. Jack echó un vistazo para ver qué tal se manejaba Frances con Pettigrew. Tenía que advertirla que debía evitar a Percy como fuera, pues no podía salir nada bueno de una conversación entre los dos.

—Sí —dijo Percy, siguiendo su mirada sin el más mínimo disimulo—, la nieta de Rothmarsh. Todo el mundo dice que desempeñaste un papel muy interesante en su viaje a la ciudad. Así que está alojada aquí, en lugar de con sus abuelos. Qué... oportuno.

—Percy, disfrutaría enormemente añadiendo mi parte al estupendo trabajo que realizó contigo Ned —dijo Jack sonriendo de manera forzada—. Por cierto, ¿el maquillaje de los moratones te lo has aplicado tú solo o te ha ayudado algún profesional del teatro? En todo caso, y por mucho que me apetezca completar la labor de Ned, por desgracia tengo asuntos más importantes que atender en estos momentos. Procura no actuar como un imbécil redomado, si es que puedes. ¿Serás capaz?

Y Jack se fue de inmediato al rescate de Frances.

Capítulo 14

Esfuérzate para conseguir
lo que desea tu corazón.
—de las *Notas de Venus*,
duquesa de Greycliffe.

¡Gracias a Dios! Frances procuró disimular su alivio cuando la orquesta remató con el último acorde. Había logrado sobrevivir al baile con Pettigrew sin lesiones permanentes. Y ahora quería librarse de aquel tipo tan desagradable lo más rápido que pudiera. El señor Littleton también estaba allí, pero afortunadamente se había limitado a lanzarle alguna mirada incisiva. No había intentado aproximarse a ella.

—¿Puedo acompañarla a la zona de los refrescos, señorita Hadley? ¿Le apetece algo de comer o de beber? —preguntó el señor Pettigrew—. Debería probar los canapés de langosta de la duquesa. Son los mejores de todo Londres. De hecho, yo diría que son los mejores de Inglaterra.

—Me temo que no tengo nada de hambre, señor Pettigrew —se excusó Frances.

—¿Un poco de limonada entonces? No hay nada mejor que la limonada para saciar la sed de una dama y nada que despierte más la sed que un buen baile —insistió Pettigrew.

Estaba claro que el hombre no aceptaría un no por respuesta. La verdad es que tenía un poco de sed y no quería que Pettigrew se llevara la impresión de que le tenía miedo.

—De acuerdo. Muchas gracias, caballero. Será muy agradable —dijo, permitiendo que la acompañara fuera del salón de baile.

El individuo no le gustaba en absoluto. Era amigo del señor Littleton y no había hecho nada para disuadirle de su intento de atraparla. Por el contrario, el señor Pettigrew se había reído mucho y había animado a esa pequeña comadreja. Habría jurado que se lo pasó muy bien cuando averiguó quién era en la posada Crowing Cock y lo confirmó después, en el carruaje de Jack, y también apostaría a que incluso se lo había pasado mejor divulgando la historia a los cuatro vientos.

Pero incluso aunque hubiera sido la primera vez que lo veía, no le habría gustado nada. Era tan grande que se sentía como acompañada por un oso. En la posada no se había dado cuenta de que era alto, quizá porque solo le había visto sentado, aunque probablemente no tan alto como Jack. Pero también era mucho más gordo que él, por lo menos siete u ocho kilos, de huesos más grandes y con una barriga enorme. A su lado se sentía pequeña y eso no le hacía ninguna gracia.

¡Y su olor! Ya detectó un hedor a rancio cuando le pidió que bailara con ella, pero bailar con él hizo que la cosa fuera desde luego a peor. Estaba claro que el baño no era una de las prioridades de aquel individuo. Empezó a respirar por la boca.

El señor Pettigrew se inclinó hacia ella cuando dejaron la sala de baile.

—¿Cómo consiguió que la duquesa la aceptara? —murmuró Pettigrew.

Su aliento a ajo y a cebolla la dejó aturdida por un momento.

—Perdón, ¿qué ha dicho? —preguntó, pensando si podría usar el pañuelo para taparse la nariz.

—La duquesa —dijo mirándola inquisitivamente—. ¿Cómo consiguió que la aceptara después de haber pasado una noche con su hijo?

¡Por Dios! Se sintió como si le hubieran dado una patada en el estómago. Luchó para llenar de aire los pulmones y no abofetear a aquel canalla insensible. Los ojos insultantes de Pettigrew sugerían con absoluta claridad que estaba seguro de que habían ocurrido muchas más cosas, y más sucias, que el simple hecho de que dos personas compartieran la cama.

Quería defender su virtud y decirle que su estancia en la posada había sido del todo inocente, pero ponerse a discutir sobre aquello habría sido como intentar bailar un vals en la arena de una playa. El hecho es que había dormido con lord Jack.

Quizá la mejor salida era hacer caso omiso de la pregunta y del asunto.

—No me parece haber visto hoy por aquí al señor Dantley. ¿Se encuentra bien?

Pettigrew parpadeó y esa intensidad tan peculiar de su mirada se desvaneció por completo.

—Ha tenido que irse a casa. Su madre está enferma, así que pasa más tiempo en el campo que en la ciudad —respondió el hombre algo perplejo.

—Lo siento. Espero que no sea nada serio —dijo Frances simulando preocupación.

Se detuvieron frente a las jarras de limonada.

—La verdad es que no creo que lo sea —dijo él sirviendo refresco en un vaso y acercándoselo—. En realidad su madre es algo hipocondríaca.

—Ah —respondió Frances antes de dar un sorbo, buscando desesperadamente otro tema de conversación.

Para su desgracia, el señor Pettigrew se le adelantó, escogiendo otro casi tan desagradable como el anterior. Pero aquello no podía sorprenderla, ya que Pettigrew era alguien ya de por sí desagradable.

—Supongo que habrá visto por aquí a ese tal Littleton, ¿verdad? —dijo volviéndose un momento para echar mano de una copa de champán que evidentemente no era la primera que se tomaba—. Imagino que le hará feliz saber que su padre le rescató de los acreedores, así que tiene un poco más de tiempo para buscar esposa.

El aspecto del señor Pettigrew mejoraría mucho con un vaso de limonada estampado en la cara. Santo Dios, así que Littleton intentaría atrapar a otra pobre mujer. ¡Menudo desgraciado!

—No me hace feliz saberlo —dijo Frances—. Señor Pettigrew, es evidente que su amigo debería aprender a manejar mejor su economía, en lugar de embaucar a una pobre chica y arruinarle la vida casándose con ella.

Pettigrew bajó la cabeza y dirigió su enorme nariz hacia ella.

—Es curioso que diga usted eso —empezó a decirle con mirada aviesa—. Estoy seguro de que ahora se arrepiente de haber salido huyendo de él como alma que lleva el diablo, señorita, pues nadie la tendrá en consideración para un futuro matrimonio. Nadie se interesa por el material usado y deteriorado, como es su caso ahora, ¿no le parece? Resulta sorprendente que Rothmarsh la haya reconocido como miembro de su familia, pero pensándolo bien tampoco lo es tanto, pues todo el mundo dice que su madre era tan «decidida» como lo es usted. De casta le viene al galgo, ¿no es así?

No iba a tirarle a la cabeza el vaso de limonada. No quería protagonizar una escena en la mansión de la duquesa de Greycliffe, en el baile de celebración de la boda de su hijo, pero de verdad que le gustaría desparramar el pegajoso líquido por encima de aquel desgraciado. En vez de eso, le ayudaría a formarse una mejor opinión acerca de...

—¿Sabe Rothmarsh que su hermano se ha casado con una monja de Covent Garden? —se le adelantó Pettigrew.

Se quedó con el vaso de limonada a medio camino de la boca. ¿A qué se refería ese estúpido?

—¿Con una monja? —preguntó desconcertada—. No, no lo creo. Bueno, en realidad no conozco a la esposa de mi hermano, pero no me puedo imaginar... Quiero decir, ¿dónde iba a conocer a tal persona? ¿Hay monjas en Inglaterra?

—Quería decir una prostituta —dijo mirándola con intensidad.

Le devolvió la mirada sin pestañear. El individuo debía de estar totalmente borracho, pues se había olvidado por completo de mantener los modales. Bueno, a ella no le sucedería lo mismo, dadas las circunstancias.

—Como ya le he dicho, aún no he tenido el placer de conocer a la esposa de mi hermano, pero creo que mi padre ha aprobado el enlace —dijo.

Después de todo, tras la boda de su hermano, había dado instrucciones a Puddington para que Frederick se mudara a un alojamiento mejor y no había roto con él sin darle ni un penique.

Pettigrew bufó como el oso que era y dio otro largo trago de champán.

—No me extraña —espetó.

Cielo santo, la conversación iba de mal en peor. Lo malo del asunto era que por desgracia tenía que darle la razón a Pettigrew en ese aspecto concreto. Dio un sorbo a la limonada y paseó la mirada por la sala. Los únicos invitados que había en ese momento eran hombres jóvenes que se servían ávidamente los famosos canapés de langosta de la duquesa. Ninguno de ellos tenía cara de salvador o de héroe, capaz de renunciar a un trocito de langosta para rescatarla del oso.

Tampoco es que necesitara la ayuda de nadie. Se tomaría toda la limonada y se rescataría a sí misma.

—Vamos a dar un paseo por los jardines —propuso Pettigrew—. Aquí dentro hace demasiado calor.

El tipo estaría mucho mejor en el psiquiátrico de Bedlam. Sí, hacía mucho calor pero ¿cómo podía siquiera imaginar que estaría dispuesta a pasar ni un minuto más en su detestable compañía?

Dios bendito, no pensaría que era una casquivana a la que podía robar un beso o algo peor, ¿no? Con solo pensar en sus asquerosos labios oliendo y sabiendo a cebolla y ajo, su enorme y sudoroso cuerpo tan cerca...

¡Aj, qué asco!

—No, gracias.

Frunció el ceño y abrió la boca con la evidente intención de insistir, pero esta vez fue ella la que se le adelantó.

—¿Va a pasar mucho tiempo en Londres, caballero? —preguntó de forma desenvuelta.

Por favor, que tenga muchos amigos en Yorkshire o, casi mejor, en Escocia, y que sus planes sean visitarlos durante un periodo largo, de años o lustros, a ser posible.

—Sí, claro. Igual que lord Jack, paso aquí la mayor parte del tiempo. El campo me aburre soberanamente —respondió Pettigrew.

—Me ha parecido oír mi nombre —dijo el hijo menor de la duquesa.

¡Espléndido! Jack se había librado por fin del ramillete de jovencitas, y no tan jovencitas, que revoloteaban a su alrededor en el baile. Habría jurado que todas las mujeres del baile por debajo de los cuarenta habían intentado estar con él a solas para conseguir un poco de conversación o una simple sonrisa de sus labios. Y por supuesto él las había atendido a todas encantado.

Se volvió y le sonrió. Pero ahora estaba aquí. Lo que le permitiría escapar de aquel patán de manera adecuada, sin necesidad de salir corriendo.

Cuando Jack le devolvió la sonrisa la embargó una emoción mucho más intensa.

Demonios, no debía sentir eso. En pocas semanas, uno o dos meses a lo sumo, habría dejado Londres. Lord Jack no sería más que un recuerdo. Puede que ahora fuera una compañía necesaria, pero por poco tiempo.

—Le decía a la señorita que nosotros dos preferimos Londres al campo —dijo Pettigrew como excusándose.

—La verdad es que no sé si prefiero la ciudad —dijo Jack pensativo—. Lo que ocurre es que aquí hay asuntos que requieren mi atención.

—Sí, por supuesto, muchos más —dijo Pettigrew volviendo a las andadas con su habitual sonrisa lasciva—. En mi caso, cuando estoy en Londres no tengo que soportar el sonsonete habitual de mi padre hablando de las ovejas.

—Sabes que algún día heredarás esas ovejas y tendrás que ocuparte tú mismo de ellas, ¿no? —dijo Jack bastante serio, sin ocultar lo poco que le gustaba aquel individuo.

—Sí, lo sé —dijo Pettigrew con una mueca de fastidio.

Así que aquel petimetre era igual que su hermano, que daba por hecha su fortuna y no quería saber nada de las obligaciones inherentes a ella.

—¿Tiene usted hermanos, señor Pettigrew? —preguntó Frances.

Puede que parte del enfado que sentía asomara a su tono de voz, pues Jack le dirigió una mirada inquisitiva e hizo un mínimo movimiento con la cabeza.

—Solo una hermana mayor —contestó Pettigrew.

Una hermana mayor que, en un mundo más justo, sería la heredera, en lugar de este perezoso, irresponsable y estúpido individuo.

—Ya veo. Así que... ¡Ay! —exclamó Frances.

¡Lord Jack la había pisado! Le miró enfadada, pero él no le hizo ni caso.

—Te ruego que nos excuses, Pettigrew, pero creo que mi madre desea hablar con la señorita Hadley.

—Por supuesto, adelante. Y, por favor, dile a la duquesa lo mucho que he disfrutado de los canapés de langosta —dijo Pettigrew con una inclinación hacia Frances y dirigiéndose a toda prisa hacia el bufé.

—Has mentido —siseó Frances mientras volvía con Jack al salón de baile—. Tu madre no quiere hablar conmigo.

—Todo lo contrario —murmuró Jack mientras saludaba con la cabeza a una mujer mayor con un bosque de plumas moradas a modo de adorno sobre la cabeza—. Estoy seguro de que le encantará comentarte que discutir con Pettigrew es un acto inútil y poco recomendable.

—No le tengo miedo —espetó Frances con su tozudez habitual.

—No estoy diciendo que se lo tengas —indicó Jack—. Lo único que digo es que deberías ser más prudente. Discutir con él acerca de los derechos de los primogénitos masculinos no va hacer que se convierta de la noche a la mañana en una persona más responsable, pero sí que podría hacer que se enfadara y un hombre furioso es más proclive a cotillear por ahí. Yo... vaya, maldita sea.

—¿Qué...? ¡Oh, Dios! —exclamó ella.

Lord Ruland se dirigía a ellos de forma decidida.

—¿Nos estaba esperando? —preguntó Frances.

—Es probable. Es otro de los personajes a los que no conviene enfrentarse —aconsejó Jack.

—Lo sé muy bien. ¿No podríamos esquivarlo? —musitó Frances.

—Solo conseguiríamos retrasar lo inevitable —susurró a su vez Jack, y enseguida lord Ruland llegó a su altura.

—Lord Jack —dijo Ruland— y el señor...

Sus ojos pequeños y brillantes recorrieron el cuerpo de Frances, desde la cabeza hasta los pies, y las pobladísimas cejas se levantaron casi hasta la altura de su prominente calva.

—¡Oh!, más bien debería decir señorita Haddon, ¿verdad? Aunque tampoco creo que el apellido se corresponda con la realidad. ¿Cuál es su nombre, querida?

Hubiera sido mucho más educado pedirle a Jack que se la presentara en lugar de hacer referencia a su primer encuentro, en unas circunstancias poco decorosas para ambos, pero ella ya sabía que el conde no destacaba precisamente por su cortesía. Bien, tampoco iba a dejar que este individuo la intimidara. Así que le habló mirándole directamente a sus repugnantes ojillos.

—Señorita Frances Hadley —dijo.

—La señorita Hadley es la nieta de Rothmarsh, Ruland —dijo Jack, moviéndose ligeramente hacia adelante en un ademán de protección—, y la nueva protegida de mi madre.

—Ah, sí, ahora reconozco el parecido. Cuando no va vestida con pantalones, señorita Hadley, se parece mucho a su madre —dijo con la mala intención saliéndole por los ojos.

Así que este individuo había conocido a su madre. No debería sorprenderla. Probablemente la mayoría de los hombres de esa edad la conocieron. Sus labios se curvaron formando una desagradable sonrisa y ella estiró la palma de la mano para abofetearle.

—Pero los cotilleos acerca de usted son incluso más interesantes que los que corrieron sobre ella en su momento —concluyó el conde.

—Ruland, seguramente sabes que nunca... —dijo Jack, haciendo una pausa intencionada. Sonreía con la boca, pero sus ojos transmitían una dureza increíble—... conviene hacer caso de los cotilleos.

Lord Ruland era o muy valiente o muy estúpido. Le devolvió la mirada a Jack.

—Ya, pero yo mismo fui testigo de uno de los detalles más interesantes, ¿no es así? —dijo, y volvió a dirigir su atención hacia Frances—. Me pregunto si lord Rothmarsh sabe que su nieta estaba bailoteando en un burdel vestida con pantalones.

—No estaba bailoteando —dijo Frances, dándose cuenta de que era una tontería, pero no pudo evitarlo.

Jack veía cómo se acercaba la tormenta y, en contra de lo que pudiera esperarse, soltó una carcajada.

—Por supuesto que no lo hacía —dijo—. Y ahora, con tu permiso Ruland, nos vamos, tenemos que dejarte.

Jack la condujo hacia el lugar donde la duquesa hablaba animadamente con *lady* Rothmarsh. Se obligó a sí misma a mirar hacia adelante, pero estaba segura de que los desagradables ojillos de Ruland le estaban taladrando la espalda.

—¿Estás disfrutando de tu baile de boda? —preguntó Jack, aunque estaba claro que no necesitaba la respuesta de Ned para saberlo. Su hermano estaba apoyado en una columna y miraba ceñudo a Ellie, que en ese momento bailaba con Peter, el hermano pequeño de Trent. Por su parte, el propio Trent bailaba con Frances.

—No, ni mucho menos. Estoy deseando que acabe y llevarme a Ellie a la c... —dio Ned, interrumpiéndose con un carraspeo al tiempo que se ponía un poco colorado—... a dormir. Ha sido un día agotador. Ella está exhausta.

Pero la joven no aparentaba estar exhausta en absoluto, ni tan siquiera un poco cansada. Lo que sí parecía era muy feliz, mucho más de lo que Jack la había visto nunca, como si hubiera conseguido exactamente lo que deseaba en el fondo de su corazón. Lo que tenía. Por fin era la esposa de Ned.

¿Cómo sería conseguir el amor de una mujer de la que estás profundamente enamorado?

Si Frances...

Pero Frances no se lo daría. Y él era demasiado joven como para plantearse el matrimonio. Con la excepción del de su padre y su madre, los matrimonios tempranos raramente tenían éxito. Ahí estaba el ejemplo del primer matrimonio de Ned. Y el de Ash.

Seguiría haciendo uso de las mujeres más adecuadas de los burdeles cuando la necesidad le acuciara y esperaría a tener treinta años más o menos para casarse.

Pero ¿cómo sería el acto sexual si supusiera algo más que una mera satisfacción física...?

—Pues parece que Ellie se lo está pasando muy bien —dijo.

Sus ojos se posaron en Frances. Su expresión era mucho más seria, como si todavía estuviera contando los pasos de baile.

Había tenido mucha suerte de que no le mordiera cuando la besó ayer en el parque. Probablemente lo único que le salvó fue la sorpresa y lo aturdida que estaba.

¿Qué deseaba en el fondo de su corazón?

¿A él?

Dios bendito, se estaba volviendo loco.

En el fondo de su corazón estaba el deseo de cambiar lo antes posible el derecho inglés de primogenitura, para así poder heredar Landsford.

—Pues sí, maldita sea, creo que Ellie se lo está pasando muy bien —corroboró Ned dando un suspiro profundo y nada feliz—. Creo que mamá tiene razón. Deberíamos quedarnos en Londres durante un tiempo. Ellie merece la oportunidad de disfrutar de las fiestas de la temporada, de ir de compras y de ver los monumentos antes de tener... un hijo —concluyó, y se puso un poco pálido.

¡Ah, vaya! Así que Ned ya estaba preocupado por eso, ¿no? A Jack no le sorprendió, pero no podía hacer nada al respecto, salvo recordarle que no todas las mujeres morían en el parto, y eso sería malgastar palabras, además de que no tranquilizaría a su hermano.

—Mamá tiene toda la razón como siempre, o al menos como casi siempre —dijo Jack dándole una palmadita amistosa en el hombro a su hermano—. Y tú también deberías intentar divertirte un poco antes de refugiarte de nuevo como un oso en Linden Hall.

—¿Y cómo puedo divertirme sabiendo que hay un asesino suelto, tal vez aquí mismo? —dijo mirando ceñudo a Jack.

El atribulado lord Angustias volvía a la carga.

—Hasta ahora, el Degollador se ha limitado a asesinar prostitutas y mujeres solteras de la buena sociedad con mala reputación. Ellie está ahora casada. Creo que está completamente a salvo —razonó Jack.

Pero Frances... los malditos rumores la convertían la típica víctima para el asesino. Miró a su alrededor con cierta aprensión, buscando a Ruland.

El hombre probablemente se había marchado, o tal vez estaba acompañando a Pettigrew en el bufé. Y Botsley era un indeseable, así que no le habrían invitado al baile.

—¿Cómo puedes predecir lo que va a hacer un lunático? —preguntó Ned, con una mezcla de enfado y frustración.

—No puedo, y aunque creo que lo más probable es que Ellie esté fuera de peligro, he tomado la precaución de que uno de mis muchachos la siga allá donde vaya —le informó Jack.

—¿Qué quieres decir con «uno de tus muchachos»? —preguntó Ned algo escamado.

Su familia no sabía nada acerca de sus actividades caritativas de Londres, y desde luego no le apetecía nada entrar en detalles en la ruidosa sala de baile.

—Uno de los chicos que he contratado. Su nombre es Robin, te lo presentaré mañana —respondió.

—Primero tendrías que habérmelo consultado —dijo Ned.

—¿Por qué? Sabía que estabas preocupado... —contestó Jack.

Maldita sea, Ned se había puesto rígido. Era demasiado sensible, pero hasta ahora Jack siempre le había tomado el pelo por su excesiva tendencia a la inquietud.

—Y tienes razón para estarlo —siguió Jack—. Creo que Frances corre más peligro, por lo que puse a un muchacho a seguir sus pasos. Y entonces decidí que debía contratar a otro para que le echara un ojo a Ellie. ¿Acaso no querías que tomara las medidas que pudiera para garantizar la seguridad de tu esposa?

—Sí, por supuesto, claro que quiero que hagas todo lo que esté en tu mano. Perdóname, es solo que... —titubeó Ned y miró al grupo que estaba bailando— no me gusta nada Londres. Hay demasiada gente.

Jack hizo un esfuerzo por no sonreír. Ned estaba demasiado ansioso por llevarse a su mujer a una habitación con una cama confortable y la puerta bien cerrada. Las lunas de miel tenían su razón de ser. Y se dio cuenta con sorpresa de lo mucho que envidiaba a su hermano.

Pero también debía recordar que no todos los matrimonios conducían a la felicidad. Ahí estaba el de Ash. Si el matrimonio de su hermano mayor había fracasado pese a que él y Jess se conocían muy bien, ¿cómo podía esperar que una unión con Frances tuviera alguna posibilidad de éxito?

—No me puedo creer que se hayan terminado los canapés de langosta —gruñó Drew mientras se servía unas rodajas de jamón, finas como hojas de papel. En ese momento, la sala del bufé estaba desierta.

Venus le dio unos golpecitos cariñosos en el brazo.

—Ya sabes que muchos de nuestros invitados vienen más por la comida que por el baile en sí —le recordó.

—La mayoría viene por la comida —confirmó Drew sirviéndose un par de panecillos en el plato.

—Y los canapés de langosta de nuestra cocina son muy apreciados —añadió Venus.

Lo normal era que estuviera hambrienta, pero después del almuerzo de la boda y con toda la emoción del día, su apetito había desaparecido. Se sirvió un canapé de carne. Bueno, y quizá tomaría uno de esos pastelillos de ratafía, o tal vez dos. Eran muy pequeños.

Se llevaron los platos a una mesa medio escondida entre grandes macetas con plantas exuberantes. Los sirvientes sabían cómo organizar la estancia para que pudiera haber escondrijos de este tipo que, con suerte, nadie salvo ellos sabía descubrir. Resultaba agradable tomarse un respiro.

—El baile está teniendo un éxito total, ¿verdad? —le preguntó a Drew mientras él le ofrecía una silla.

—Por supuesto. Tus fiestas siempre lo tienen —respondió él sentándose frente a ella y levantando una copa de champán—. Por tus grandes cualidades como anfitriona y también como casamentera.

Venus levantó su vaso inclinando la cabeza, pero en el fondo de su corazón no se sentía del todo feliz.

—La verdad es que esta noche no he tenido mucho éxito a la hora de facilitar noviazgos —dijo algo apesadumbrada.

—¿Cómo puedes decir eso? —se asombró Drew levantando las cejas—. Esta debería ser una noche triunfal para ti. Todos estos años de planificación e intrigas han culminado: Ned se ha casado con Ellie. Al menos uno de nuestros hijo está felizmente casado.

—Sí, pero, ¿y Jack qué? —Venus miró su plato y suspiró. En ese momento la comida no le parecía nada apetecible.

—¿Qué pasa con Jack? —inquirió Drew.

Tomó el canapé, pero lo soltó sin llevárselo a la boca.

—No puedo tomar una decisión con respecto a la señorita Hadley —declaró Venus.

Drew era un hombre. No había nada que afectara a su apetito. Masticó un buen trozo de jamón y se lo tragó antes de contestar.

—¿Y qué es lo que necesitas saber antes de tomar una decisión respecto a la señorita Hadley? —preguntó sinceramente sorprendido.

—Pues si es la persona adecuada para Jack, naturalmente —respondió Venus.

—Creo que tendrá que ser Jack quien decida sobre esa materia —aseveró Drew después de resoplar, y volvió a meterse en la boca un trozo de jamón.

¿Cómo podía comer tanto de una sentada?

—Pero es que siempre parece enfadada y a la defensiva —dijo Venus casi hablando para sí misma.

—Es curioso. Ni que hubiera pasado la niñez y la juventud sin la presencia de sus padres y la hubiera cuidado una tía bastante odiosa —dijo Drew irónicamente—. Por cierto, ¿te vas a comer esos dos pasteles?

—No, creo que no —respondió Venus algo escamada.

Por si acaso cambiaba de opinión, Drew echó mano de uno de los pasteles inmediatamente.

—No creo que sea la chica que yo escogería para Jack —concluyó Venus.

Drew se detuvo con el pastel a medio camino de la boca. Lo volvió a dejar en el plato de ella y se inclinó para tomarle las manos.

—Venus, resultas magnífica a la hora de escoger jóvenes que podrían formar buenas parejas, pero no eres infalible. ¿No te acuerdas de que los dos pensábamos que Jess era una pareja perfecta para Ash? —le recordó Drew.

—Sí —respondió Venus de forma adusta.

Empezó a notar como si su corazón le pesara más de lo normal. Seguramente renunciaría también al otro pastelillo.

La cara de Drew adoptó una expresión más seria y le apretó las manos un poco más.

—No desesperes respecto a la situación de Ash. Puede que él y Jess se reconcilien. Al fin ha ido a verla. Pero el que se reconcilien o no es asunto solo de ellos. Nosotros lo único que podemos y debemos hacer es guardar silencio al respecto, y creo que lo estamos haciendo bastante bien —dijo removiéndose un poco en la silla—. Bueno, al menos por lo que respecta a la propia Jess, aunque no en lo que se refiere a la necesidad de abordar el problema. Hay que tener en cuenta el asunto de la sucesión.

Venus asintió. Había hecho todo lo posible por no echarle la culpa a Jess ni menospreciarla en forma alguna, pero la situación la irritaba profundamente. ¿Por qué Jess no había hecho ningún esfuerzo para resolver el problema, fuera el que fuese? Tenía que saber que los hombres eran incapaces de enfrentarse a determinadas situaciones y, por supuesto, de resolverlas. Eran maravillosos en muchos aspectos, pero hacer frente a problemas emocionales no era una de sus habilidades. Tendían a fanfarronear, o a gruñir, al menos según su experiencia. Le apretó las manos a Drew. Además, una vez que el problema había desaparecido, era como si no hubiera ocurrido nunca. No concebían el resentimiento, ni la sensación de culpabilidad.

—Pero volviendo al asunto de Jack, debes dejarle que tome su propia decisión al respecto. De lo único que tenemos que preocuparnos es de que no se sienta obligado a casarse con la señorita Hadley, porque su reputación debe mantenerse sin necesidad de un anillo de compromiso. Una vez conseguido eso, todo quedará a su propia elección, la de ambos —concluyó Drew, soltándole las manos y volviendo a hacerse con el pastelillo—. Puedes confiar en Jack. Tiene la cabeza bien asentada sobre los hombros.

—Pero ¿qué me dices de su carrera con el carruaje y de algunos otros comportamientos negligentes? ¿Y de los rumores acerca de que es un mujeriego? —dijo Venus, realmente preocupada.

—No tienen la menor importancia. Deja de pensar en todos esos cuentos que has oído de lenguas viperinas y piensa en él como persona. Sabes que ayudó mucho a unir a Ned y a Ellie. Jack tiene mucha visión y mucha inteligencia para aplicarla —dijo Drew, y soltó una risita—. Es tu hijo, aunque espero que no aspire a quitarte el puesto como casamentero.

Venus sonrió, y sintió como si se le quitara un gran peso de encima.

—Puede que tengas razón —dijo ella tomando finalmente el pastelillo y dándole un pequeño bocado. Estaba delicioso.

—Por supuesto que tengo razón —dijo Drew volviendo a mirar su plato con cierta avidez—. ¿Qué pasa con ese otro pastelillo?

Venus lo protegió con ambas manos.

—Creo que vas a tener que ir a buscar otro para ti. Este es mío.

Capítulo 15

A veces un rodillazo en la ingle es la única respuesta posible.
—de las *Notas de Venus*, duquesa de Greycliffe.

Jack estaba en la biblioteca después de que su madre le echara del salón rojo. Le había acusado de mirar con el ceño fruncido a sus invitados.

—¿Y quién podría evitar mirarlos de esa forma? —le preguntó a *Shakespeare*, que descansaba al sol junto a sus pies—. Es la mayor reunión de malditos cotillas y aduladores que he visto en mi vida, y he tenido la mala suerte de toparme con ellos.

Shakespeare abrió un solo ojo y movió la cola mostrando su acuerdo de forma un tanto perezosa.

—¿Te has divertido con Billy? —preguntó Jack. Billy, el chico de los recados, había hecho una pequeña representación con *Shakespeare* esa mañana.

El perro ladró en tono bajo y empezó a rodar, dejando al descubierto la tripa para que se la acariciara. Jack lo hizo encantado.

Ya había pasado una semana desde el baile de la boda, una semana en la que los actos sociales se habían sucedido uno tras otro. Ahora mamá, Ellie y Frances estaban de nuevo en casa, atendiendo a cualquier estúpido a quien se le ocurriera llamar a la puerta. Ned y su padre habían huido a White's, y Jack se sintió muy tentado de acompañarles, pero al final decidió quedarse en casa.

—¿Crees que Frances terminará por verter su taza de té sobre la cabeza de alguno de esos petimetres? —le preguntó esperanzado a *Shakespeare*.

El perro ladró dos veces, pero Jack no supo interpretar si el animal pensaba que Frances lo haría y la animaba a ello o que por el contrario se aguantaría las ganas.

No pensaba que Frances fuera capaz de hacer algo tan inapropiado, pero con ella nunca se sabía. Había estado a punto de explotar en más de una ocasión durante la última semana. Al menos, la presencia de Ellie parecía tener sobre ella un efecto tranquilizador, aunque quizá fuera más adecuado decir que la contenía.

Alguien llamó a la puerta y *Shakespeare* saltó de inmediato, poniéndose alerta.

—Adelante.

El mayordomo entró llevando un pequeño paquete envuelto con papel y bramante.

—Acaban de traer esto para usted, milord —dijo Braxton.

—Muchas gracias. ¿Quién lo ha traído? —preguntó Jack recogiendo el paquete y manteniéndolo fuera del alcance de *Shakespeare*.

Braxton frunció el ceño y acarició al perro distraídamente.

—Un chico, milord. Dice que su nombre es Jeb y que tiene un mensaje para usted. Lo dejé esperando en la puerta de atrás —dijo Braxton arrugando la nariz—. Su olor es bastante desagradable.

—Supongo que no voy a ser capaz de convencerle de que lleve al chico al salón rojo, ¿verdad? —preguntó Jack sonriendo.

—No, milord, no lo va a conseguir —dijo el mayordomo devolviéndole la sonrisa.

—Qué pena. Bueno, acompañe al muchacho hasta aquí. Creo que podré soportar el aroma, aunque tendré a mano el pañuelo por si acaso —le informó Jack.

—Muy bien, milord —dijo Braxton yendo a buscar a Jeb.

Shakespeare pareció entender que quedarse en la biblioteca resultaría más entretenido que seguir a Braxton, por lo que se sentó y levantó la cabeza mirando a Jack.

—Estoy seguro de que no es nada de comer, *Shakespeare* —dijo Jack dándole vueltas al paquete.

Era más o menos del tamaño de su mano extendida y contenía algo que pesaba bastante. ¿Lo habría enviado Nan? Jeb era el chico al que había asignado la vigilancia de Covent Garden. Cortó el hilo de bramante con un cortaplumas y retiró el papel, que contenía... un reloj de oro. ¿Por qué demonios le habría traído Jeb un reloj de oro?

Se abrió la puerta y entró Jeb. Braxton tenía razón: el muchacho desprendía ese olor característico de los chicos jóvenes, una mezcla de sudor y suciedad bastante repugnante. *Shakespeare* saltó encantado y se acercó a olisquear con deleite el interesante aroma. ¿Le recordaría de alguna manera su pasado reciente, cuando todavía no era un perro de la alta sociedad?

—¡Pero si es *Shakespeare*! —exclamó Jeb, también encantado— Chócala, *Shakespeare*.

Inmediatamente, el perro se sentó y extendió la pata. Una vez completado el turno de saludos, Jack se dirigió al chico.

—Jeb, dime ¿dónde has encontrado ese paquete que me has traído? —preguntó.

—Lo envía Nan, milord —dijo el chico poniéndose muy serio de inmediato—. Me dijo que el Degollador ha matado esta mañana a su Bessie, ya sabe, una de sus chicas.

—¡Maldita sea! —exclamó Jack. ¿Cuántas chicas más morirían antes de que pudieran atrapar a ese desgraciado?—. Pero ¿y el reloj?

—Esa es la buena noticia, milord. Nan dice que Bessie ha debido de resistirse como una posesa. Gritó tan fuerte que Albert la oyó desde dentro. Le despertó de un sueño muy profundo, fíjese.

—Espera un momento. ¿Por qué estaba la chica fuera? —dijo Jack, sabiendo que Nan era la más precavida de todas las madamas de Covent Garden—. Pensaba que Nan había advertido a todas sus chicas del peligro que corrían si salían de noche.

—Claro que lo había hecho, milord, pero me contó que no servía de nada advertir a Bessie. Siempre hacía lo que le daba la gana. Albert había cerrado con cerrojo todas las puertas después de que se fuera el último cliente, y también las ventanas del piso bajo. Pero Bessie debió de llegar a un acuerdo con algún tipo para que le pagara directamente y así obtener más dinero al no tener que darle la comisión a Nan. Salió por una ventana del piso de arriba y se descolgó por un tubo de desagüe —explicó el muchacho, muy asustado.

—Y el cliente era el Degollador —concluyó Jack.

—Sí —contestó Jeb asintiendo apesadumbrado—. Aunque Albert llegó a toda prisa, sin haberse puesto siquiera los pantalones, la pobre Bessie ya tenía la garganta rebanada. Vio a alguien que huía por el callejón, pero estaba muy oscuro y no pudo reconocerlo ni darse cuenta de cómo era. Además, se detuvo para ver si podía ayudar a Bessie.

Jeb se calló durante un momento y empezó a acariciar a *Shakespeare*.

—Con Bessie ya no había nada que hacer —continuó Jeb—, pero Albert encontró el reloj. La pobre chica lo tenía bien agarrado. Nan piensa que tiene que ser del asesino, así que me dijo que se lo trajera enseguida.

Jack asintió, sintiendo a la vez rabia y nerviosismo. Al fin tenía una pista, pero había costado otra muerte. La respuesta respecto a la identidad del Degollador podía estar encima del escritorio, delante de él.

—Muy buen trabajo, Jeb —dijo acariciándole la cabeza y dándole un chelín—. Dile a Nan que has entregado el paquete y que le haré saber si descubro algo.

—Sí, milord, gracias —dijo Jeb, acariciando por última vez a *Shakespeare* según salía.

Jack tomó el reloj una vez que se hubo cerrado la puerta y lo examinó. Una de las caras estaba muy suave, pero la otra...

—¡Ajá! —exclamó.

Allí, en la tapa frontal del reloj, había un monograma grabado.

—¡Iniciales, *Shakespeare*! Una H, una E y una B. ¡Creo que ya tenemos al canalla!

Shakespeare puso las patas delanteras sobre el escritorio y empezó a ladrar entusiasmado.

—Puede ser Botsley, pero voy a comprobar sus nombres de pila, *Shakespeare* —dijo Jack.

A toda prisa tomó el *Debrett's* de una de las estanterías y lo llevó al escritorio, donde miró el índice y buscó la página correspondiente a los datos de Botsley.

—Sí, aquí está, Hugh Edgard Botsley. Lo sabía.

Tenía que haber golpeado al maldito canalla mucho más fuerte cuando se llevó a Jenny, lo suficiente como para haberle enviado al infierno directamente. Si lo hubiera hecho, se habrían salvado diez vidas. ¿Por qué...?

En ese momento, tuvo una intuición. ¿Cuál era el apellido de Ruland? Consultó de nuevo el índice para averiguar la página correspondiente a Ruland...

—¡Maldita sea! ¡Es increíble! —exclamó asombrado.

Shakespeare gimoteó y se cubrió la cara con las patas delanteras. Jack se hubiera reído de no haberse sentido tan frustrado. El nombre de Ruland era Henry Edward Benton. Era increíble que las iniciales de sus dos sospechosos fueran exactamente las mismas.

—Puede que encontremos algo más en el reloj, *Shakespeare* —dijo pensando que el destino no podía ser tan cruel como para facilitar una pista tan importante y a la vez tan inútil.

Dio un pequeño golpe en la tapa del reloj para ver si caía algo, pero no había nada, ni una foto, ni un recuerdo... nada. Miró en la parte interna de la tapa. Había algo grabado en ella, pero no quería ilusionarse demasiado. Se acercó con el reloj a la ventana para examinar el grabado a la luz del sol.

La inscripción estaba en latín, pero era fácil de traducir: «Muerte a todos los enemigos». Jack miró a *Shakespeare*.

—Una frase bastante violenta, pero muy apropiada para el caso que nos ocupa. ¿Crees que puede ser el lema de la familia? Yo no lo creo, sería demasiado fácil.

Por supuesto, habría sido demasiado fácil. Buscó de nuevo las referencias de Botsley y de Ruland en el *Debrett's*. El lema de la familia Ruland era arrogante: «Siempre acertados». Y el de Botsley, santurrón: «La virtud por encima de todo». Pero ninguno de ellos parecía sediento de sangre.

—Maldita sea, *Shakespeare*, la respuesta tiene que estar aquí. Si por lo menos...

Alguien volvió a llamar a la puerta.

—Sí, ¿quién es? —respondió Jack.

Braxton asomó la cabeza.

—Ha llamado a la puerta el señor Frederick Hadley, milord, y ha preguntado por usted —dijo el mayordomo arrugando un poco la nariz. Evidentemente, no le gustaba nada el aspecto del hermano de Frances—. Le he acomodado en el salón amarillo.

—Gracias, Braxton. Iré directamente allí —dijo Jack.

Era obvio que Hadley no había despertado la menor simpatía en Braxton. El salón amarillo estaba decorado con los muebles más incómodos de toda la casa, y probablemente de todo Londres.

Jack cerró el reloj cuando Braxton se hubo marchado y miró a *Shakespeare*.

—¿Te apetece conocer al hermano de Frances? Te advierto que a Braxton no le gusta nada, y debo confesarte que no creo que a mí me vaya a agradar demasiado.

Ese hombre había tratado a su hermana de una forma vergonzosa. No decirle que iba a casarse ya era malo, pero el hecho de ocultarle que su padre había estado en Inglaterra varias veces le parecía el colmo.

Hadley paseaba por el salón cuando llegó Jack. No le sorprendió, pues el propio Jack no se habría sentado en ninguna de las sillas o sillones que lo amueblaban, mucho más apropiados para una sala de tortura.

—Señor Hadley —dijo Jack, dejando que entrara *Shakespeare* antes que él.

El perro pasó trotando y se puso a olisquear los pantalones de Hadley. El hombre frunció el ceño al tiempo que acariciaba al perro.

—Ah, así que se conocen —dijo Jack.

El hermano de Frances tenía el pelo rojo, como su hermana, y la misma expresión terca que ella. También parecía algo molesto con el lugar en el que se encontraba, y no precisamente por el mobiliario. Sus labios se curvaron para hacer una mueca desdeñosa en cuanto vio a Jack.

Jack cerró los puños al verle, pero se obligó a extender los dedos. Pensó que sería bueno aplicarse a sí mismo el consejo que le dio a Frances, en su versión Francis, cuando se les cruzó aquel borracho delante del carruaje al volver de Bromley: no reaccionar ante agresiones o insultos que no merecen la pena. Es mejor guardarse la furia para los asuntos importantes. Lo que estaba por verse era si la visita de Hadley era una de esos asuntos importantes.

—Doy por hecho que conoce a *Shakespeare* de cuando ambos vivían en la calle Hart —afirmó Jack.

—Sí —contestó Hadley con cierta sequedad—. Es el perro de Dick Dutton. ¿Dónde está Dutton?

El tono de Hadley hacía pensar que Jack había asesinado al hombre para robarle el perro.

A *Shakespeare* no le gustó nada el tono de Hadley. Empezó a gruñir y se le erizó el pelo.

—Sí, este hombre no cuida mucho sus modales, *Shakespeare* —dijo Jack—, pero de momento es nuestro invitado. Tenemos que ser, como poco, moderadamente amables con él.

Shakespeare miró a Jack como si le estuviera pidiendo hacer una excepción con las habituales reglas de cortesía. Al notar que no había respuesta, dejó de hacer ruidos intimidatorios y se sentó a los pies de Jack.

Hadley reaccionó ruborizándose inmediatamente.

—Le pido perdón. Yo solo... —se encogió de hombros—. Sí, conocí al perro cuando mi esposa trabajaba en el teatro —dijo, pero inmediatamente volvió a lanzarle una mirada oscura a Jack—. Entonces, ¿dónde está Dutton?

—No lo sé. Al parecer desapareció y dejó atrás a *Shakespeare* —respondió Jack.

—Es raro. Mary, mi esposa —empezó, volviendo a lanzar una mirada crítica y retadora a Jack— nunca me dijo nada acerca de que Dutton pensara irse.

—¿Así que cuando se casaron estaba todavía en el teatro? —preguntó Jack.

—Sí. Fue uno de nuestros testigos —contestó Hadley cambiando de postura. Se notaba su impaciencia y sus ganas de irse cuanto antes—. Mire, estoy aquí simplemente porque mi esposa insistió en que viniera. «No debes enemistarte con el hijo de un duque», me dijo, «aunque sea un mujeriego y un proxeneta». Pero por mí como si usted es el mismísimo príncipe de Gales. No me gusta perder el tiempo, así que vayamos al grano. ¿Para qué quería verme?

—La verdad es que yo no tenía ningunas ganas de conocerle, pero pensé que quizás usted tendría interés en ver a su hermana —dijo Jack, y sonrió de forma desagradable—. Sobre todo teniendo en cuenta que soy un mujeriego y un proxeneta. Tal vez desea estar seguro de que no ejerzo con ella mis actividades.

Hadley hizo una mueca extraña, una mezcla de enfado y dolor, y finalmente se limitó a fruncir el ceño.

—Bien, la verdad es que no tengo ningún temor de esa clase. No creo que vaya a hacer ninguna barbaridad en casa de su padre y delante de las narices de su madre, y si ha seducido a Frances, el problema es de ella, no mío. Estoy seguro de que es perfectamente capaz de manejar la situación. En realidad, si los rumores son ciertos, ha estado acudiendo a todos esos eventos sociales y se ha convertido en un miembro activo de la alta sociedad, lo que significa que ha caído rendida a sus pies, ¿no es así? —dijo, y agarró su sombrero, que estaba en la mesa—. Así que, si me disculpa...

La puerta de la habitación se abrió de repente. Era lo mejor que podía haber ocurrido, porque si hubiera transcurrido un poco más de tiempo

Jack se habría convertido en un horroroso anfitrión y le habría soltado un furioso puñetazo a Hadley, que probablemente lo hubiera dejado fuera de combate. Se volvió para ver quién les había interrumpido con tanta audacia.

Era Frances, por supuesto.

—¡Frederick! —exclamó.

Se quedó boquiabierta. *Shakespeare* trotó hasta ella para darle la bienvenida y lo acarició mecánicamente.

—Hola, Frances —la saludó su hermano.

La expresión ceñuda se convirtió en un gesto de mal humor. Hadley no soltó el sombrero.

—¿Te ha avisado Braxton de la visita? —preguntó Jack.

Frances seguía con los ojos fijos en su hermano.

—No. Me sentía aburrida, quiero decir cansada, y dejé a Ellie y a tu madre con los estúpidos, eh, con los visitantes. Le pregunté a Braxton dónde estabas y me dijo que aquí, con mi hermano —explicó.

Sus cejas empezaron a fruncirse también. El parecido de las expresiones de los dos hermanos era sorprendente.

—¿Por qué no fuiste a avisarme cuando llegó Frederick? —preguntó molesta.

Era una buena pregunta. ¿Era porque quería saber el tipo de peligro que podía suponer su hermano para ella, peligro para su mente y para su espíritu, para poder protegerla de alguna manera?

Él no podía protegerla de esto. Lo único que podía hacer era estar ahí para recoger los pedazos.

—Iba a hacerlo después de conocer al señor Hadley. Pero ahora, ya que estás aquí, os dejaré solos —dijo.

—No es necesario —dijo Hadley, empezando a andar hacia la puerta—. Yo ya me iba.

—No, nada de eso —dijo Frances bloqueándole el paso—. No te vas a ninguna parte hasta que accedas a que el señor Puddington me dé mi dote y... —se interrumpió para tomar aire— me expliques qué pasa con nuestro pa... padre.

Hadley apretó las mandíbulas y su expresión se volvió pétrea. Por un momento Jack dudó sobre si el individuo iba a irse o a quedarse y qué sería lo mejor en tales circunstancias. Pero finalmente volvió a dejar el sombrero sobre la mesa.

—Muy bien, pues hablemos. Supongo que ya va siendo hora de hacerlo —dijo, y la verdad es que no sonó nada bien.

—¿Debo quedarme, Frances? —preguntó Jack.

Frances mantuvo los ojos fijos en su hermano.

—No, por supuesto que no —respondió.

—Muy bien. Estaré cerca por si me necesitas. Excúsenme entonces, por favor —dijo retirándose de la habitación.

Jack estaba bastante seguro de que Hadley no le haría ningún daño físico a Frances. El aspecto emocional era otra historia. Ninguno de los dos le miró cuando salía de la habitación.

—¿Por qué no me dijiste que ibas a casarte? —le preguntó Frances.

Se quedó donde estaba, a unos tres metros de su hermano. Le reconocía, por supuesto, pero al mismo tiempo le parecía un completo extraño. No le veía desde hacía... ¿Cuánto? ¿Seis años? Ya no era un niño, todo brazos, piernas y articulaciones angulosas. Deseaba...

No deseaba nada. Estaba furiosa. El que no le hubiera dicho nada acerca de su boda y, como consecuencia de ella, de su cambio de domicilio, la había puesto en peligro. Y tampoco le había dicho nada de su padre. Por supuesto que estaba muy enfadada. Pero...

Frederick era su mellizo. ¿Acaso no era normal que sintiera algo por él, aparte de estar enfadada? Jack parecía tan unido a su hermano...

Pero no había comparación posible. Jack y Ned eran del mismo sexo. Se entendían. Y tenían unos padres atentos y entregados.

Frederick la miraba con la frente arrugada.

—Le escribí a Viola. Di por hecho que esa vieja bruja te lo contaría. Ella y tú estabais muy unidas, maldita sea... —explicó Frederick.

—¿Unidas? —exclamó Frances. ¿Cómo podía decir Frederick tal cosa?—. Yo no estoy unida a Viola, nunca lo he estado.

Y menos después de que la traicionara con Littleton.

—Vamos, Frances. Te lo consentía todo y te mimaba. Eras la niña perfecta. Todo lo hacías bien —dijo Frederick masticando las palabras.

—Viola no me mimó en absoluto —estalló Frances.

¿Acaso su hermano se había vuelto loco? Era verdad que Viola no la había dejado de lado y no había puesto en práctica esas nociones absurdas acerca de lo que debe ser la educación de una señorita. Por eso, como a Frederick, le hizo dar clases de matemáticas, de latín y de todas las materias que él estudió, sin forzarla a aprender cosas absurdas y supuestamente femeninas como bordar, pintar y bailar.

Bueno, lo cierto era que aprender a bailar le hubiera venido bien.

Y Viola tampoco trató de evitar que Frances gestionara Landsford. Pero su tía siempre ponía en duda sus decisiones y la criticaba constantemente, por mucho que se esforzara y que acertara.

Frederick torció la boca en un gesto de desprecio.

—¿Ah, no? Viola siempre ha estado restregándome lo lista que eras y que aprendiste a leer, a sumar y a restar antes que yo —le echó en cara su hermano.

¿Bueno, y qué esperaba? Era más lista que él. Todos sus tutores lo decían. Ellos, y también la tía Viola, a menudo pinchaban a Frederick diciéndole que cómo era posible que una chica fuera más inteligente que él, pero eso nunca consiguió motivarlo para que trabajara más.

Estaba a punto de decirle todo eso, pero de repente se acordó de la forma en que Jack la había enseñado a bailar. En ningún momento ni él ni nadie de su familia le había echado en cara lo retrasada e inepta que era en comparación con la debutante más joven. Si lo hubieran hecho, lo más probable es que hubieran acabado por completo con su ya escaso deseo de aprender los malditos pasos.

—Viola jamás alabó nada de lo que yo hacía —estaba diciendo Frederick, con las manos en los bolsillos—. Si lo hubiera hecho, seguro que se habría atragantado con las palabras. Era la crítica constante, el menosprecio eterno, el desprecio total lo que no podía soportar. Padre me dijo que ya era así cuando él era un niño, y que siempre le estaba echando en cara que era ella quien debería de haber heredado Landsford puesto que era la hermana mayor.

Frances había empezado a sentir cierta compasión por Frederick, pero la mención de su padre cortó en seco el sentimiento. Maldita sea, cualquier sufrimiento de Frederick infligido por Viola no era nada si se comparaba con la forma en que su padre la había ignorado a ella.

—En realidad, Landsford debería ser de Viola —afirmó Frances.

No cabe duda de que Viola hubiera cuidado mucho mejor de la propiedad que su maldito padre.

—No, de ninguna manera —dijo Frederick mirándola con disgusto.

—Una mujer es igual de capaz de gestionar una propiedad que un hombre —insistió Frances, pensando que su hermano era tan idiota como todos los demás de su sexo.

—Y el segundo hijo es tan capaz como el primero —dijo Frederick—, pero la ley establece que el que hereda es el primero.

—Entonces la ley debe cambiarse. Es injusta —concluyó Frances.

—Frances, la primogenitura no es injusta —dijo Frederick poniendo los ojos en blanco—. ¿Acaso se queja lord Jack porque no va a heredar las vastas extensiones de Greycliffe?

—No... no. Pero él es un hombre. Puede hacer lo que quiera —protestó.

Jack podría sentir envidia de su hermano Ash... aunque la situación no era la misma, ni mucho menos.

—No, no puede. No puede convertirse en el próximo duque de Greycliffe, ¿o sí? Solo en el caso de que sus hermanos mueran sin tener hijos varones.

—Jack no quiere convertirse en duque —dijo Frances, pensando que Frederick le llevaba la contraria a propósito, contra toda lógica.

—¿Ah, no? Lo más probable es que sea lo suficientemente inteligente como para no desear lo que de ninguna manera puede tener. Tú deberías tener la misma actitud —dijo levantando los brazos para dar más énfasis a su razonamiento—. Maldita sea, Frances, deja de intentar ser un hombre y, aunque solo sea por una vez, compórtate como una mujer, por favor.

Oh, Dios. Fue como si la golpearan en el estómago. ¿Era así como él, como todo el mundo, la juzgaba: como una mujer que intentaba ser un hombre?

¿Era así como la veía Jack?

Pero si ella no hubiera estado dispuesta a tomar las riendas y hacer lo que todo el mundo consideraba poco femenino, la propiedad habría ido de mal en peor, prácticamente se habría perdido.

—A ti y a tu padre os ha ido muy bien dejando que esta mujer gestionara Landsford durante todos estos años. Nunca has mirado siquiera un libro de contabilidad —le reprochó Frances.

—No me hubieras dejado hacerlo. ¿Por qué crees que me dediqué a la botánica? Así podía pasar el tiempo en el campo, lejos de ti y de tus actitudes de marimacho —dijo Frederick con desprecio.

¿La consideraba un marimacho? ¿La clasificaba en la misma categoría que a Viola? Cerró los ojos durante un instante. Estaba furiosa. Ese doloroso sentimiento que la embargaba era puro furor.

Intentó recobrar la compostura. No tenía sentido continuar esa discusión.

—Sea como fuere, Viola no me dijo que te habías casado. Estaba demasiado ocupada intentando engañarme para que no tuviera más remedio que casarme con Félix Littleton —explicó.

—¿De verdad? —dijo Frederick levantando las cejas. Parecía bastante interesado en el asunto— ¿Y por qué hizo eso?

—Por lo que deduzco después de todos los reproches que me hizo, tu intención era echarla de Landsford, y quería asegurarse un hogar confortable. El precio de su ayuda era que Littleton le permitiera que me acompañara y pudiera vivir en su propiedad —le explicó.

—Pues sí que se hubiera llevado una sorpresa desagradable —bufó Frederick—. La hacienda de Littleton no pasa de ser un montón de escombros. Pero me sorprende que estuviera dispuesta a sacrificarte con tanta facilidad —añadió encogiéndose de hombros—. Supongo que debió de deducir que padre jamás aprobaría tu estúpida idea de hacerte con el dinero de tu dote y alquilar una casa de campo.

—¿Conocías mi plan? —exclamó Frances asombrada.

Demonios, ¿cuánto tiempo llevaban aquellos malditos hablando de ella?

—Por supuesto que lo conocía. Puddington, padre y yo nos hemos reído mucho a costa de eso.

¿Se habían estado riendo de ella? La vergüenza, el dolor y el enfado se le juntaron en el pecho. Ganó el enfado.

Maldita sea, iba a estrangular a Frederick.

Apretó los puños hasta clavarse las uñas en las palmas. No, no podía llegar a eso, sería caer muy bajo. Pero demonios, se había expuesto tanto, había pasado por tantas dificultades, había llegado a Londres y había quedado inerme a los fatales encantos de lord Jack, ¿y todo el mundo se había estado riendo de ella? Puddington, su hermano...

Su padre.

Su padre era un mujeriego, un canalla, un sinvergüenza. No le importaba nada lo que pensara de ella. Entonces, ¿por qué se sentía tan herida?

—Y está claro que no te voy a dejar en la calle, por supuesto —dijo Frederick—, pero como le he dicho a Viola en una carta, voy a volver a Landsford y, la verdad, no creo que a mi esposa le apetezca que tú o Viola os quedéis en la casa —concluyó, y se estiró las mangas del abrigo—. He hablado del asunto con Puddington y padre. Hemos encontrado una casita muy agradable cerca de Bath a la que os podríais mudar Viola y tú.

¡Oh! Esto ya era demasiado, esos imbéciles decidiendo lo que iba a ser de su vida.

—Yo no quiero vivir con Viola —espetó.

Ni tampoco quería vivir cerca de Bath, el sitio al que iban todos los hipocondríacos a tomar las aguas.

—Lo entiendo perfectamente —dijo Frederick encogiéndose de hombros—, pero me temo que es la única solución. No puedes vivir sola, eso está fuera de toda lógica, y ahora que tengo una familia, no puedo dejar que manches mi nombre —añadió mirándola con dureza—. Ya es suficiente con lo que has hecho tras esa huida absurda y escandalosa a la ciudad.

—¿Manchar tu nombre? —dijo pensando que era imposible estar más furiosa.

—Sí —dijo Frederick con una increíble altanería—. Francamente, estoy asombrado de que la duquesa te haya permitido entrar en su hogar después de haberte disfrazado de chico y de que te metieras en la cama con su hijo. ¡Y Rothmarsh! Tuvo la arrogancia de vetar de la alta sociedad a nuestro padre por su atrevimiento al casarse con su hija y, pese a ello, te da la bienvenida. A ti, una mujer que se comporta prácticamente como una prostituta.

—¡No ocurrió nada en Crowing Cock! —exclamó Frances, y después tomó aire. No iba a gritar. No iba abofetear a su hermano. No haría nada de eso.

Pero, Dios, qué ganas tenía de hacerlo.

—Ya veo, pasaste la noche sola con el mayor mujeriego de todo Londres y aún así mantienes la virginidad —dijo con tono irónico y arrogante—. Por todos los santos, Frances, sé que siempre me has considerado bastante lerdo, pero no lo soy tanto como para no ver lo que tengo delante de mis narices.

—Es la pura verdad, maldita sea —insistió ella.

Frederick se limitó a levantar una ceja en señal de burla.

Ya le había advertido Jack que nadie la creería. Desde luego Pettigrew no lo había hecho, pero era para volverse loca el que su propio hermano se lo echara en cara de esa manera.

La verdad es que, después de todo, si la juzgaba según sus propios parámetros era lo más lógico.

—No entiendo cómo he contribuido yo a ensuciar tu nombre, nuestro nombre —dijo Frances—. Nuestro padre salió huyendo con nuestra madre y después nos dejó abandonados, o al menos a mí, y probablemente tenga más de media docena de bastardos repartidos por todo el mundo...

Frederick abrió la boca, pero Frances se le adelantó.

—... y tú te has casado con una prostituta.

Su cara se puso púrpura, y se acercó a ella hasta colocarse a escasos centímetros. Frances pudo ver una vena hinchada en su sien, y la verdad es que se asustó un poco, pero seguía muy, pero que muy enfadada.

—No quiero que vuelvas a decir eso jamás —dijo masticando cada palabra—. María trabajaba en el teatro como costurera. Nunca ha sido una... —tragó saliva—. Nunca ha sido lo que tú dices que es. Es una mujer adorable, tranquila y muy femenina, todo lo contrario que tú. Y si quieres saber toda la verdad, no te dije que me iba a casar porque sabía que te comportarías con ella de una forma rastrera, odiosa y malintencionada, y no iba a tolerarlo ni lo toleraré jamás. ¿Lo entiendes?

—Sí —contestó, pensando que no debía haber sido tan cruel al referirse a la esposa de Frederick. Por supuesto que no debía—. Yo...

Frederick se alejó de ella, recogió el sombrero y se lo puso.

—No quiero volver a saber nada de ti. Encontraré mi propio camino —dijo, dando un portazo al salir del salón.

—Yo... —Frances se quedó un momento junto a la puerta, y de repente todas las lágrimas que había estado reteniendo surgieron a borbotones. Se dejó caer en uno de los asientos más incómodos que había ocupado en su vida, escondió la cabeza entre las manos y sollozó sin poder contenerse.

Jack se había retirado a la biblioteca intentando descubrir la identidad del Degollador, pero no podía apartar de su mente lo que tal vez estuviera ocurriendo en el salón amarillo.

—¿Crees que alguno de los chismes de ese horrible salón sobrevivirá al encuentro de la señorita Hadley con su hermano, *Shakespeare*? —dijo.

El perro metió la cabeza entre las patas delanteras y arqueó las cejas como si reflexionara. Parecía claro que no creía que hubiera muchas posibilidades de que algo quedara indemne.

—Por lo menos es una ventaja el hecho de que nada de lo que hay allí tenga el más mínimo valor para mamá. No entiendo por qué no lo tira todo y redecora el salón. Puede que los Hadley nos hagan un favor si destrozan una o dos sillas, como mínimo —siguió diciendo Jack.

Le echó una mirada a su reloj de bolsillo. ¿Durante cuánto tiempo debía dejarlos solos? Le había dicho a Braxton que le avisara si notaba signos de violencia. Frances estaría a salvo... ¿De verdad lo estaría?

La puerta se abrió de repente. Jack y *Shakespeare* se levantaron de inmediato.

—¿Sí, Braxton? —inquirió Jack, viendo que el mayordomo tenía una expresión algo torva.

—El señor Hadley acaba de marcharse, milord, sin olvidarse de dar un buen portazo al salir del salón —indicó Braxton.

—¿Y la señorita Hadley? —se interesó Jack.

Braxton se estiró el cinturón, lo que en él era una alarmante señal de preocupación.

—Como no la vi salir del salón, milord, me tomé la libertad de mirar por el agujero de la cerradura... —dijo Braxton algo avergonzado.

—¿Y? —dijo Jack, deseando estrangular a alguien, y estaba claro que Braxton era el candidato más a mano.

El mayordomo abrió mucho los ojos, algo alarmado, como si adivinara el curso de los pensamientos de Jack.

—Siento tener que decirle, milord, que creo que la señorita Hadley está llorando —dijo contrito.

—«¡Por todos los demonios!» —pensó Jack.

Esquivó a Braxton con la intención de llegar al salón amarillo lo más rápido posible. Si Frederick se había atrevido a ponerle un dedo encima a Frances, aunque solo le hubiera rozado el vestido con una uña, Jack le arrancaría la cabeza y la tiraría a…

Bueno, primero tendría que hablar con Frances. Probablemente no se enamoraría de él si mutilara o matara a su hermano sin su consentimiento. Pensó que no debería haberlos dejado solos. Se detuvo ante la puerta del salón, tomó aire y… oyó un sollozo.

Había pensado que sería imposible enfadarse aún más de lo que estaba, pero se equivocaba. Le invadió una cascada de furia ardiente, que lo cegó por un momento. Lo único en lo que podía pensar era en agarrar a Hadley por el cuello y apretar.

Luchó por controlarse. Si Hadley había golpeado a Frances lo peor que podía hacer era entrar en la habitación hecho una furia. Lo había aprendido de su experiencia con las mujeres y los niños de los barrios bajos. Las emociones solo desataban más emociones, incluso más intensas, y el furor, incluso si era por causa de otra persona, producía miedo y enfado en el interlocutor. Lo que Frances necesitaba era calma y alguien que la escuchara sin hacer juicios de valor.

Shakespeare tocó con la nariz la pierna de Jack y miró hacia arriba con expresión de desconcierto. Está claro que se preguntaba el porqué de la demora.

Volvió a inspirar profundamente, relajó los músculos con cierto esfuerzo y abrió la puerta. Frances levantó la vista desde su asiento.

—Vete —le dijo, sorbiendo por la nariz—. Déjame sola.

Se aproximó a ella con cautela. *Shakespeare*, el muy cobarde, escondió el rabo entre las piernas y se separó de él.

—¿Estás bien? —le preguntó, viendo que no tenía cortes ni contusiones.

—Sí —respondió ella, aspirando de nuevo el aire por la nariz y tratando de eliminar las lágrimas de la cara con los dedos.

—Entonces, ¿por qué estás llorando? —preguntó, sabiendo que mentía.

—No… no estoy llo… llorando —negó con voz vacilante.

Le ofreció su pañuelo. Ella se quedó mirándolo fijamente, pero terminó tomándole de su mano.

Se sentó despacio a su lado en el canapé, dejando a propósito un espacio bastante amplio entre ellos.

—Tu hermano no te ha tocado, ¿verdad? —dijo él, procurando mantener un tono neutro.

—¿Qué quieres decir? —preguntó Frances antes de utilizar el pañuelo.

—¿Te ha puesto la mano encima? —preguntó, de nuevo con tono tranquilo— ¿Te ha golpeado o te ha empujado?

—No, por supuesto que no —contestó ella mirándole con el ceño fruncido, y después se sonó la nariz—. ¿Cómo se te puede ocurrir semejante cosa?

La opresión que Jack estaba sintiendo en el pecho desde que los dejó solos desapareció. Exhaló un suspiro de alivio. Gracias a Dios.

—Tu hermano estaba muy exaltado. No pensaba que fuera a hacerte daño, nunca se me habría ocurrido dejarte sola si lo hubiera pensado, pero temí haberme equivocado cuando te he visto llorando —explicó.

—Bueno, pues no me ha tocado —dijo ella, y levantó el mentón—. Me hubiera gustado verle siquiera intentándolo.

Maldita sea. No era ni mucho menos el momento adecuado para una lección de ese tipo, pero no podía permitirle que pensara ni por un omento que estaba en condiciones de desafiar físicamente a un hombre. Era demasiado peligroso, y sobre todo en esas circunstancias, con un asesino suelto y en plena actividad.

—No te engañes a ti misma, Frances; si un hombre quiere hacerte daño físico, lo hará. La mayoría de los hombres somos más grandes y más fuertes que la mayoría de las mujeres, y por lo general sabemos pelear —explicó Jack.

—Yo puedo defenderme sola —insistió Frances.

—¿Te has visto obligada a hacerlo alguna vez? —preguntó Jack.

—No, pero soy lista —contestó ella, aspirando de nuevo por la nariz, pero esta vez con desdén—. Puedo adelantarme... ¿Qué estás haciendo?

Jack se acercó a ella y le agarró la muñeca.

—Voy a hacerte una mínima demostración de lo que significa estar sujeta. Vamos. Intenta liberarte.

Le miró enfadada y trató de levantar el brazo, pero él mantuvo la presión sin mucho esfuerzo. Frances apretó los dientes, movió la mano y trató de girarla, de nuevo sin lograrlo.

—Suéltame —terminó diciendo.

La soltó, y ella se miró la muñeca, que estaba algo enrojecida.

—Me has hecho daño —dijo.

—No, te lo has hecho tú misma intentando liberarte. Ahora imagínate que hubiera querido de verdad hacerte daño. Hubieras corrido serio peligro —le dijo con tranquilidad.

—Hubiera gritado —contestó, y volvió a levantar el mentón.

Con un movimiento muy rápido, volvió a sujetarle la muñeca y tiró de ella, obligándola a acercarse a él y tapándole la boca con la otra mano.

Ella intentó gritar y le agarró los dedos para separárselos de la boca. No pudo hacer ninguna de las dos cosas. Lo intentó con más fuerza. Nada. Él acercó la boca a su oreja para estar seguro de que podía oírle.

Mmm. Olía a limones. Sus labios eran extraordinariamente suaves, y le gustaba sentir su cuerpo pegado. Sería mucho mejor tener la boca pegada a la de ella, en vez de la mano, para silenciarla y hacer alguna otra cosa más agradable. Pero hacía muy poco que había estado llorando y pasándolo muy mal. Tenía que autocontrolarse.

Y además tenía que enseñarle una lección muy importante, casi de vida o muerte.

—Un hombre puede saber de antemano que vas a gritar pidiendo ayuda y evitarlo como yo lo estoy haciendo ahora —le murmuró al oído.

Ella dejó de luchar. Debía de estar escuchándole, pero tenía que seguir tapándole la boca para asegurarse de que no le iba a interrumpir.

—No te confíes nunca, ni subestimes a tu oponente. ¿Me entiendes? —le preguntó en tono bajo y tranquilo.

Ella hizo un ruido ahogado, que Jack tomó como un asentimiento.

—Bien. Tienes que estar alerta. Mantente en zonas bien iluminadas y siempre con gente cerca, y si te encuentras sola en algún momento, averigua dónde puedes ponerte a salvo y corre hacia allí —concluyó.

¿Le seguía escuchando? Mantuvo la sujeción un momento más.

—Si un hombre consigue agarrarte, actúa de inmediato, no dudes ni un segundo. Golpéale con el codo y con todas tus fuerzas en el estómago; patea, muerde, grita. Sam siempre te sigue, así que, si haces ruido, él te oirá. ¿Podrás hacer eso?

Frances le demostró que sí podía, pero él había previsto su reacción y se separó de ella antes de que pudiera siquiera tocarle.

—Muy bien, pero si te atacan de verdad, deberás moverte más deprisa y con la intención de hacer daño de verdad.

Sus ojos se convirtieron casi en dos líneas rectas. Bien. La furia era mucho mejor que las lágrimas.

—¿Puedo intentarlo de nuevo? —le preguntó.

Jack sonrió, pero no eran las circunstancias adecuadas.

—No es probable que vayas a estar sentada junto al hombre que quiera atacarte —le dijo.

Se puso de pie y le ofreció la mano. Ella le miró como si fuera una serpiente, pero finalmente se la dio, y Jack tiró de ella para que se colocara a su lado.

—Si te agarran solo de un brazo —dijo él, acompasando sus movimientos a las explicaciones—, golpéale en la cara o en el mentón con el puño o con la base de la otra mano, de modo que tenga que echar la cabeza hacia atrás —dijo levantándole la otra mano hasta ponerla a la altura de su barbilla—. Vamos. Inténtalo.

—¿Debo agarrarte la mano? —le preguntó.

—Sí, al menos por esta vez —contestó él sonriendo.

La hizo practicar hasta conseguir que aplicara toda la fuerza de su cuerpo. Después la tomó por ambas manos y la atrajo hacia sí.

Ella respiraba muy rápido debido al esfuerzo. Su aroma, a limones y a mujer, era más intenso. Le llegó directo a la cabeza, como el vino que entra en un estómago vacío.

Era alta, pero él lo era bastante más, y también más delgada. Ella le miró y creyó ver pasión en sus ojos. Sus labios estaban entreabiertos, y tan cerca...

¿Estaba loco? No era pasión, era enfado, y creyó observar que también algo de desconcierto. No pensó que fuera miedo en ningún caso. Estaba llorando cuando entró en la habitación, por el amor de Dios. Ya había pasado por demasiadas cosas esta mañana.

—¿Puedes liberarte ahora? —le preguntó.

Ella se dobló y se contoneó, lo que hizo que él tuviera que luchar bastante para mantener su autocontrol. Movió las caderas hacia atrás ligeramente, para que ella no se alarmara ante su más que evidente reacción. Trató de centrarse exclusivamente en la lección que le estaba enseñando y no en la que todo su cuerpo le pedía que le enseñara.

—Si te atrapa de esta manera —dijo— tienes que gritar y darle con la rodilla entre las piernas todo lo fuerte que puedas. Cuando se doble de dolor, golpéale con los codos o con los puños en la nuca para que caiga al suelo; después corre lo más deprisa que puedas hacia donde haya gente. La clave es actuar deprisa. No dudes y no mires hacia atrás.

Ella parpadeó. ¿Había estado prestando atención?

—Sí, creo que lo he captado. ¿Quieres que te lo demuestre? —le preguntó, ¡sonriendo!

En la situación física en la que se encontraba, una demostración práctica habría sido bastante más dolorosa de lo normal… La soltó y se alejó a una distancia prudencial.

—No, no creo que sea necesario, gracias —dijo devolviéndole la sonrisa.

Capítulo 16

El amor te confunde, te asusta,
te enloquece... y además es maravilloso.
—de las *Notas de Venus,*
duquesa de Greycliffe.

Venus encontró al duque en su estudio.

—Ah, estupendo, todavía no te has ido a White's.

Cerró la puerta tras ella y se acercó casi bailando al escritorio. No la veía tan feliz, o demostrando de esta manera su felicidad, desde hacía cuatro años.

Drew levantó las cejas al ver cómo se acercaba.

—¿Tienes buenas noticias? —preguntó.

—Las mejores —dijo acercándose a él y rodeándole con los brazos—. Ellie cree que está en cinta.

Ella notó una luz inicial de alegría en su mirada, pero enseguida arrugó la frente.

—¿Lo sabe Ned? —preguntó.

Ese era el problema, claro. Ella apoyó la cabeza en su pecho.

—Sí, estoy casi segura de que lo sospecha, porque Ellie lleva unos cuantos días sintiéndose indispuesta por las mañanas y bastante más cansada de lo habitual. Pero ahora que ya lleva un retraso de dos semanas... —dijo Venus suspirando—, Ellie se lo ha contado esta mañana, antes de decírmelo a mí.

—¿Y cómo se lo ha tomado? —dijo Drew, acariciándola en la base del cuello.

—Pues tan mal como supones. Ellie me ha dicho que se ha puesto blanco como el papel y que ha salido de la habitación sin pronunciar palabra —respondió ella, y suspiró de nuevo.

—¡Vaya por Dios! —exclamó Drew conduciéndola al sofá—. No es la mejor forma de reaccionar ante tales noticias. ¿Y cómo se ha tomado Ellie tal falta de entusiasmo? —preguntó Drew.

—Seguro que está decepcionada, pero lo entiende —dijo Venus sentándose—. Bueno, si alguien es capaz de entenderlo, esa es Ellie. Ha entrado en su vida tras el fallecimiento de Cicely, ¿no?

—Sí, por supuesto —dijo Drew sentándose a su lado y poniendo el brazo en el respaldo del sofá.

—Pero está preocupada por él —dijo Venus.

—No lo dudo. ¿Dónde está ahora?

—Braxton dice que se ha encerrado en la biblioteca con una botella de *brandy* —le informó Venus.

—Maldita sea. Seguro que para brindar por las buenas noticias. ¿Te gustaría que hablara con él? — preguntó Drew.

—Sí. Dale un poco de tiempo y después inténtalo, por favor, aunque no sé si conseguirás algo. Van a ser nueve meses muy largos.

Ned tendía a preocuparse por muchas cosas, pero el embarazo de Ellie seguro que le llevaba a cotas más altas o, mejor dicho, más profundas.

—Sí, tienes razón —dijo Drew sonriendo y acariciándole el pelo—, pero al menos vamos a tomarnos tú y yo un rato para celebrar las buenas noticias. Sé las ganas que tienes de tener nietos.

—Igual que tú —dijo ella.

—Por supuesto que sí —la atrajo hacia sí y la besó.

Ella le devolvió el beso. Estaba muy agradecida de vivir con alguien como él. Daba igual cuáles fueran las penas que le deparara la vida, porque podría hacerles frente siempre que contara con la presencia de Drew a su lado.

Apoyó la cabeza en su hombro y la mano en su pecho. El latido de su corazón era lento y sólido. Su calma la ayudó a recobrar la suya propia. Seguro que esta vez las cosas no irían tan mal. Dios no podía ser tan cruel.

Pero, como ya sabía muy bien, Dios no hacía promesas. A veces las cosas iban mal, terriblemente mal. En la vida no había ninguna clase de garantías. Se mordió el labio.

—Espero de verdad que el final de esta historia sea tan feliz como deseamos todos —dijo muy seria.

Drew la sacudió mínimamente y utilizó un tono muy afectuoso.

—Ahora no empieces a preocuparte tú, Venus —la reprendió con suavidad—. Sabes que tenemos que actuar como si todo fuera a ir perfectamente, para animar y apoyar Ellie y a Ned. Todo va a ir bien. La mayoría de las madres y sus hijos superan el parto sin problemas.

—Ya lo sé —contestó.

Y también sabía que, en el fondo de su corazón, Drew estaba tan preocupado como ella.

—Una actitud de preocupación sería muy negativa para ti y para todos nosotros. Y, además, no afecta para nada a lo que vaya a pasar —dijo Drew, y sonrió—. Sé que esto mismo se lo has dicho tú a Ned en más de una ocasión.

—Puedo ser muy pesada, la verdad —dijo Venus haciendo una mueca.

—Pero también muy inteligente —añadió Drew, y se retrepó en el sofá—. Y hablando de inteligencia y de acontecimientos interesantes, ¿qué has hecho a propósito de Jack y de la señorita Hadley? Mi reconocidamente escasa capacidad de observación masculina me lleva a pensar que la joven es algo menos fría respecto a Jack y que él ya no siente aversión hacia ella, lo que ya es algo, puesto que ningún otro hombre, salvo el joven Pettigrew, ha tenido el valor de acercarse a ella —dijo con su ironía habitual, y se encogió de hombros—. No incluyo a Percy. Él solo se acerca para causar problemas, como siempre.

Venus sonrió. Por una vez pensó en Percy para una de sus tramas.

—¿Te has dado cuenta de que Percy se aleja de Frances cada vez que aparece la señorita Wharton? Tengo grandes esperanzas puestas en esa pareja —dijo Venus.

—Si tú lo dices —contestó Drew, con un desinterés evidente por ambos personajes.

—Hombre de poca fe —remató Venus.

Volvió a darle un beso y después arrugó la frente.

—Y por lo que se refiere a Jack y Frances... pues sí, creo que tienes razón. Parece que hay cierto interés mutuo —indicó Venus.

—¿Y eso no te hace feliz? —preguntó Drew al observar su gesto.

—Pues francamente, no lo sé —respondió ella.

No era capaz de decidir si Frances sería o no una buena esposa para Jack. Era mucho más sencillo y seguro preparar emparejamientos en los que sus hijos no estuvieran involucrados.

—No estarás pensando en darle un empujoncito hacia Pettigrew, ¿verdad? Ha estado tras de sus faldas como un oso tras la miel desde el baile de la boda —afirmó Drew.

Ella también se había dado cuenta y había sopesado la posibilidad de favorecer el emparejamiento, pero había algo en el asunto que no le terminaba de cuadrar, y había aprendido a seguir sus corazonadas. Una unión que, sobre el papel, parecía perfecta en función de los aspectos que podían considerarse importantes a priori, como el patrimonio, la belleza, la salud o los intereses, a veces fracasaba miserablemente cuando las dos partes se encontraban. Faltaba ese «algo» intangible, tan importante como difícil de definir.

—Oh, no. Él es demasiado joven —dijo Venus.

—Como mucho, será dos años más joven que ella —dijo Drew levantando las cejas—. Apuesto a que es mayor de lo que yo era cuando me casé contigo.

—Sí, pero... —respondió Venus negando con la cabeza—. Hay algo en él que no me acaba de gustar.

Drew bajó la cabeza para buscar una improbable mancha en sus impolutos pantalones.

—Seguramente también tienes razón en eso. ¿Recuerdas el escándalo entre su hermana y el militar, hace unos cinco años? —dijo Drew.

—Sí, ahora que lo mencionas, sí que me acuerdo —dijo Venus—. Ophelia solo tenía diecisiete años, ¿verdad? Sucedió inmediatamente antes de su presentación en sociedad, ¿no es así? Y sus padres la cancelaron, por supuesto.

—Por supuesto. Pettigrew padre los atrapó antes de que llegaran a Gretna Green, pero ya llevaban dos días de viaje. La chica perdió la reputación por completo —recordó Drew.

—Pero no podemos cargar sobre los hombros del señor Pettigrew los pecados de su hermana. Por aquel entonces él debía de tener unos dieciséis años —dijo Venus—. Pobre chico. Según recuerdo, tuvo que ir con su padre a recoger a Ophelia y devolverla a casa. Y ella nunca se lo perdonó, aunque sigue siendo un misterio el porqué de su enorme enfado con él. Todo el mundo dice que hasta ese momento habían estado muy unidos.

—Quizá demasiado unidos —dijo Drew.

Venus se quedó rígida. Drew no podía querer decir... pero el tono de voz que utilizó era muy significativo. Le miró interrogativamente.

—Puede que no sea nada —explicó Drew—, pero en el momento en que Pettigrew empezó a mostrar cierto interés en la señorita Hadley, me puse a hacer preguntas... con disimulo, por supuesto.

—Por supuesto —reafirmó Venus.

El duque podía ser extraordinariamente discreto cuando la ocasión lo requería.

—Todo el mundo dice que Pettigrew y su hermana no se llevan bien, e incluso que no se hablan —continuó Drew.

—Pero esa situación también describe a Frances y a su hermano —argumentó Venus.

—Exacto, y por eso no la describo como alarmante en exceso. Pero todo el mundo dice también que hasta ese momento eran inseparables… —aclaró Drew, aunque hizo una pausa al final, como si no hubiera terminado la frase.

—Oh, querido, no me gusta nada que haya roces y problemas ente familiares, sea por lo que sea —se lamentó Venus.

Ash y Jess habían sido inseparables en su juventud y ahora estaban separados, y quizá camino del divorcio. Tembló solamente de pensarlo, aunque por supuesto apoyaría a Ash fuera cual fuese la situación que finalmente se diera. Y hasta puede que el divorcio fuera mejor que la situación actual, que seguía sin resolverse.

—… íntimamente inseparables —terminó Drew por fin.

—¿Cómo? —exclamó Venus, pensando que no debía pensar en otras cosas en mitad de una conversación interesante— ¿Qué has dicho?

—Deberías prestarme más atención —le reprochó Drew.

—Perdóname. Empecé a pensar en… —dijo Venus, pero no terminó la frase.

No, no iba a mencionar a Ash. Drew le diría, como siempre, que los problemas matrimoniales de Ash no eran de su incumbencia

—Estaba pensando en, eh…, separaciones —concluyó.

Drew la miró y fue como si hablara. Sabía exactamente lo que había estado pensando, pero tuvo la delicadeza de no mencionarlo.

—Te iba a decir que Cranburt, que vive cerca de la familia de Pettigrew, dio a entender que Pettigrew y su hermana mantenían una relación antinatural.

El estómago de Venus se volvió del revés, lo que le hizo temer por el destino de su desayuno.

—¿Y me dices esto ahora? —le preguntó en tono admonitorio.

—Me enteré anoche. Cranburt había tomado alguna copa de más, pero no fue absolutamente explícito, por lo que tuve que leer entre líneas. Suele irse de la lengua con demasiada facilidad y a veces no se ciñe del todo a la verdad, y es bien sabido que detesta al padre de Pettigrew por algo que pasó cuando ambos iban a la escuela. Por eso solo lo menciono como advertencia. Quizá sería mejor que la señorita Hadley no se interesara mucho por el señor Pettigrew, en cualquier caso.

—Sin lugar a dudas —dijo Venus.

Ya le diría algo a Frances, pero ¿qué? Muy probablemente la chica ni se imaginaría que tales situaciones fuesen posibles y, además, tal vez no era cierto. Sería horrible contar una historia tan truculenta y que fuera falsa.

—Pero volviendo al asunto que de verdad nos interesa —dijo Drew encogiéndose de hombros—, pensemos cómo podríamos evitar que Ned se preocupe hasta ponerse enfermo por Ellie y el bebé, y que de paso nos vuelva locos a todos.

—Felicidades, Ellie. He oído que estás en cinta —dijo Frances. Ellie merodeaba alrededor de la biblioteca en el momento en que Frances recorría el pasillo para llevar a *Shakespeare* a dar un paseo. Las noticias acerca del embarazo y la reacción de Ned habían corrido como la pólvora entre la servidumbre. En esa parte de la casa no se hablaba de otra cosa.

—Gra... gracias, Frances —respondió Ellie con una sonrisa algo titubeante, mientras se agachaba para acariciar a *Shakespeare*. No parecía muy eufórica.

—¿Qué tal te encuentras? ¿No te sientes bien? —preguntó Frances.

—Sí, sí, estoy bi... bien, salvo por la mañana al despertarme —la tranquilizó Ellie, y después dirigió la vista hacia la puerta cerrada de la biblioteca.

—¿Ibas a buscar un libro? Hazlo, por favor, no quiero interrumpirte —dijo Frances disculpándose.

Ellie negó enseguida con la cabeza.

—Oh, no, tranquila. Es que... —volvió a titubear y soltó un largo suspiro de desazón—... Ned está dentro, y quiere estar solo. Está pre... preocupado por el bebé y por mí. Su primera esposa murió en el parto, ya sabes, y, bueno... —dijo Ellie intentando esbozar una sonrisa que no terminó de formarse—. Es comprensible, pero yo confiaba en que...

Ellie no paraba de balbucear, y Frances pensó que esta situación tan tensa no podía ser buena ni para Ellie ni para el bebé.

—¿Por qué no te vienes conmigo a dar una vuelta con *Shakespeare*? Solo vamos al parque de la plaza —le propuso.

—Me encantaría. Si no te importa, voy a por el sombrero y el abrigo —dijo Ellie, e hizo ademán de salir corriendo.

—No hay prisa, tranquila. Te esperamos en la puerta principal.

—Te prometo que no tardaré.

Ellie subió por las escaleras de atrás. Frances y *Shakespeare* siguieron su camino hacia la fachada, y de camino pasaron por el salón amarillo.

Maldita sea.

Habían pasado ya dos semanas desde la visita de su hermano, y ella todavía se encogía cada vez que pasaba por delante de aquella puerta, y no precisamente por la incomodidad del mobiliario.

Cuando se aproximaba a la puerta principal vio como Sam, el pequeño guardaespaldas que la seguía a todas partes, se levantaba de la silla y casi se cuadraba en un saludo militar.

—Hola, señora. Si lo desea, puedo pasear a *Shakespeare* por usted —le ofreció, mientras acariciaba la cabeza del perro. Le tenía mucho aprecio a *Shakespeare*.

—Muchas gracias, Sam, pero me apetece respirar un poco de aire fresco, ya lo paseo yo —respondió Frances amablemente. No estaba acostumbrada a pasarse el día sentada, sin nada importante que hacer—. Además, *lady* Edward va a venir conmigo.

Le hubiera gustado decirle a Sam que se quedara en casa. Ellie había conseguido librarse de su guardaespaldas, simplemente por el hecho de que, por fin, Ned había decidido que no hacía falta que el chico estuviera siempre en medio estando él, sobre todo cuando le entraba un arrebato de pasión. Y como Ellie casi nunca salía sin Ned, el chico se aburría soberanamente, así que había empezado a hacer alguna que otra travesura. Por eso, todo el mundo estuvo de acuerdo en que sería mejor que se dedicara a otras cosas y en otro sitio.

Frances entendía perfectamente su aburrimiento. Observó como Sam le daba la mano a *Shakespeare*. Era muy propio de Jack preocuparse por ella, pero también resultaba un tanto agotador tener al chico todo el tiempo pegado como si fuera sombra. No parecía que hubiera ningún peligro real.

Sam se reía de algo que había hecho *Shakespeare*, e inmediatamente la miró sonriendo para compartir la diversión con ella. No tenía ni idea de cuál había sido la ocurrencia de *Shakespeare*, pero la risa de Sam era muy contagiosa y le devolvió la sonrisa.

¿Alguna vez, cuando era niño, habría sido Frederick tan feliz como lo era Sam en ese momento? Nunca le había visto reírse, casi ni siquiera sonreír.

Arrugó la frente. Las palabras de Frederick en el salón amarillo todavía la perseguían como fantasmas. Se habían instalado en su corazón y la acechaban continuamente: cuando se iba a dormir, cuando asistía a algún aburrido evento social o cuando se estaba vistiendo o se bañaba. No podía evitar sentir pena y remordimiento.

Era verdad que Viola lo había criticado constantemente y, lo que era peor, que Frances no había hecho nada por acabar con su crueldad o al menos reducirla. De hecho, siempre había hecho lo posible por superarle en todo, ávida de demostrar que era mejor que él en lo que se propusiera.

Y nunca debió tildar a su mujer de prostituta.

Le había escrito, rogándole que la perdonara por todo ello, pero estaba aún por verse que aceptara sus disculpas. Había enviado la carta hacía una semana más o menos y todavía no había recibido respuesta.

—Siento haberte hecho esperar, Frances —dijo Ellie al tiempo que llegaba a toda prisa de la parte de atrás de la casa—. Me he retrasado un poco porque Mary quería darme algún consejo.

—¿Sobre qué? —preguntó Frances mientras la comitiva que formaban ellas dos, Sam y el perro salía de la casa.

—Sobre... —empezó Ellie, pero miró a Sam y se ruborizó.

Aquello no podía ser.

—Sam, creo que estás demasiado pegado a nosotras —le dijo Frances—. ¿Por qué no te sientas aquí fuera, en las escaleras? Si tenemos algún problema, te llamaremos y nos oirás perfectamente —dijo Frances, y después sonrió—, y además *Shakespeare* también estará ahí para protegernos.

—No puedo hacer eso, señorita —respondió Sam frunciendo el entrecejo—. Lord Jack me dijo que fuera con usted a todas partes y a cualquier hora.

—Ya lo sé, pero estoy segura de que no se refería a un simple paseo por el parquecito de enfrente de casa y acompañada de *lady* Edward —insistió Frances.

Sam la miró dudando, pero finalmente dio un profundo suspiro y se sentó a regañadientes en los escalones.

Una vez que estuvieron fuera del alcance de sus oídos, Ellie se rió.

—Gracias. Me siento mucho más libre para hablar sin la presencia del joven Sam —explicó.

—Sí, claro —coincidió Frances.

Sam estaba en la casa de acogida de Jack, por lo que, con toda seguridad, habría visto y oído cosas que Ellie y ella ni siquiera podrían imaginarse, pero Frances también se sentía mucho más libre sin su presencia.

—Entonces, ¿qué ibas a decir? —preguntó Frances solícita.

—Es increíble como todo el mundo, y quiero decir «todo el mundo», se siente obligado a darme un consejo o una opinión, o dos, o tres, cuando averigua que estoy embarazada. Tiemblo solo de pensar en lo que harán y dirán mis hermanas cuando vuelva a casa.

Ellie hizo una pausa y en su rostro se dibujó en aquel instante una expresión de desconcierto.

—Pero claro, no voy a volver a la casa parroquial, ¿verdad? Mi hogar está ahora en Linden Hall, con Ned —dijo, y sonrió encantada.

Maldita sea, pensó Frances, su hogar sería en poco tiempo una pequeña casa cerca de Bath, y nada menos que con la única compañía de Viola. ¿Se podría hacer una definición más breve y sucinta del infierno?

Shakespeare notó un olor interesante en la valla del parque y se quedó inmóvil de repente.

—Yo no sé absolutamente nada de embarazos ni de niños —dijo Frances tirando de la correa, pues parecía como si la nariz de *Shakespeare* se hubiera quedado pegada a la valla—. No te preocupes, que no te voy a dar ningún consejo.

—No, si no me importa. La gente lo hace con su mejor intención, aunque lo que sí que me gustaría es que se guardaran para sí sus historias de terror —respondió Ellie arrugando la frente—. No obstante, si quieren contarlas, prefiero que me las cuenten a mí y no a Ned. Él está un poco... —empezó, como buscando una palabra no excesivamente alarmante—... digamos ansioso.

—Creo que es en cierto modo agradable y digno de encomio que se preocupe —dijo Frances tirando de nuevo de la correa de *Shakespeare*, que por fin separó la nariz de la valla, levantó la cabeza, estornudó y empezó a andar hacia la entrada del parque—. Yo pensaba que los hombres apenas se preocupaban de los niños una vez habían plantado la semilla.

Se ruborizó nada más caer en la implicación de las palabras que había pronunciado. ¡Qué atrevimiento! Seguro que Ellie pensaría que no tenía modales ni educación. Y además parecía como si no tuviera idea de lo que implicaba decir aquello.

—Lo siento. No debí decir eso —se disculpó.

La expresión de Ellie era seria cuando abrieron la puerta del parque.

—No todos los hombres son como tu padre, Frances —dijo Ellie.

—No, por supuesto que no —corroboró Frances.

No quería hablar de su padre. Desató la correa de *Shakespeare* para que el perro pudiera seguir sin trabas cualquier olor que le apeteciera sin arrastrarla tras él.

Ellie empezó a andar hacia el lugar en el que Frances había bailado con Jack. Oh, no, aquel sitio le traía demasiados recuerdos, y Frances cambió de dirección.

—Vamos a sentarnos en ese banco al sol —le propuso a Ellie.

—Muy bien. Los sombreros impedirán que la luz del sol nos dé en la cara —dijo Ellie uniéndose a ella—. Es increíble que tuviéramos un temporal de nieve el día de San Valentín y que ahora todo esté verdeando. Pasa todos los años, pero también todos los años me sigue pareciendo un milagro.

—Y el próximo año tendrás un bebé —dijo Frances.

¿Cómo sería el próximo año de Frances? Viviendo con Viola en una pequeña casita de campo. Tal vez tampoco fuera tan horrible. Había estado viviendo con su tía todos estos años y seguramente ninguna casa podía ser tan pequeña como para no poder encontrar una forma de evitarla.

No tendría ninguna hacienda que gestionar, pero quizá podría dedicarse a alguna otra cosa. Jack ocupaba su tiempo ayudando a los más necesitados. Puede que ella pudiera hacer algo parecido.

Pero Jack tenía las casas de Bromley, dedicadas a sus hijos y a sus respectivas madres...

No, ya no pensaba que eso fuera verdad. No estaba segura de cuándo había cambiado de opinión, pero lo había hecho.

—Sí —dijo Ellie suspirando de felicidad—. Hace justo un mes, cuando llegué a la fiesta de la duquesa, había renunciado a cualquier esperanza de matrimonio con Ned y estaba decidida a buscar otra alternativa. Quería tener hijos, ya sabes, y ya estaba haciéndome mayor. Y ahora tengo a Ned y un bebé en camino.

Frances sintió una inesperada punzada de envidia. ¿Qué le estaba pasando? Ella nunca había sentido la necesidad ni de un marido ni de tener hijos.

No hasta que conoció a Jack.

Desde que la besó en el parque, allí mismo, detrás de esos árboles, se había sentido como una extraña dentro de su propia piel. Había deseado que la besara otra vez. Seguía deseándolo.

Su corazón empezaba a acelerarse cuando él entraba en una habitación en la que ella estuviera, se le mojaban las palmas de las manos, su estómago se encogía de nervios y de excitación y también sentía una especie de felicidad frenética, que la dejaba agotada. Al principio incluso se preguntó si no estaría sufriendo alguna enfermedad, pero cuando Jack no estaba se encontraba perfectamente.

Y cuando estuvo llorando en el salón amarillo después de que Frederick se hubiera ido, y se sentía más triste de lo que recordaba en toda su vida, la sola presencia de Jack le levantó el ánimo.

—Espero que tú también encuentres a alguien, Frances. ¿Te ha llamado la atención algún hombre? —preguntó Ellie.

Solo Jack.

No, no era ella misma cuando Jack estaba cerca. Se desazonaba demasiado y perdía el control. Y, en cualquier caso, no quería un marido, no quería estar sujeta a ningún hombre ignorante.

Sí, no estar sujeta, pero... ¿y tener un compañero?

Oh, todo lo que para ella estaba claro en el pasado ahora se había vuelto turbio e incierto.

—Sospecho que estoy hecha para ser una solterona. Puedo tejer ropita para vuestros niños —dijo, aunque no tenía la menor idea sobre la materia.

En cualquier caso, si se iba a ver obligada a pasar el resto de su vida encerrada con Viola, tendría que aprender a hacer algo con lo que utilizar las manos, porque si no terminaría estrangulando a su tía.

—Oh, no, Frances —dijo Ellie inclinándose hacia ella y apretándole el brazo—. No renuncies al amor. Yo me sentía exactamente así cuando me di cuenta de que el único hombre que me importaba era Ned, por mucho que quisiera evitarlo. Me había resignado a ser toda mi vida la tía Ellie, a ayudar a mis hermanas con sus niños, y ese mismo día Ned, eh... —empezó a decir, y de repente se ruborizó—... me pidió que me casara con él.

En ese momento *Shakespeare* apareció trotando con la legua fuera, y Frances se levantó, esperando que su alivio no resultase excesivamente evidente. Ellie podía ser su amiga, pero no estaba preparada para más confidencias, y menos para las que parecía que se acercaban.

—Creo que ya es hora de que volvamos a casa —dijo.

Mientras le ponía la correa a *Shakespeare*, se quedó un momento quieta. Ellie era su amiga, ¿no?

Nunca había tenido una amiga. Nunca se había relacionado con las demás chicas del vecindario; siempre había pensado que eran estúpidas, con sus muñecas y su charla insustancial sobre chicos, ropa, fiestas, bodas e hijos. Tenía cosas mucho más importantes de las que preocuparse: sus estudios y la gestión de Landsford.

¿Cómo podía haberse vuelto tan arrogante?

Ellie se levantó también y se alisó la falda.

—Muchas gracias por invitarme a pasear contigo, Frances. El aire fresco y el sol, y por supuesto nuestra charla, me han ayudado a ver las cosas en perspectiva. Me siento mucho más animada —le dijo volviendo a apretarle el brazo—. Me gustaría que miraras alrededor para ver si encuentras un marido. Perdona que te diga esto, pero me parece que la situación en la que te encuentras no te hace feliz. No es un secreto para nadie en la casa que la visita de tu hermano te dejó muy triste.

—Ah.

Frances miró hacia abajo, simulando que ajustaba la correa de *Shakespeare*, que movía la cabeza como preguntando por qué no se marchaban. Una magnífica pregunta; empezó a andar hacia la puerta del parque.

—Mi hermano y yo no nos llevamos nada bien —terminó diciendo.

Frederick le había dicho que dejara de intentar ser como un hombre. ¿De verdad que la gente la veía de esa forma?

Tal vez. Era cierto que la gente de Landsford decía desde hacía tiempo que era un marimacho. Lo había considerado una forma de envidia, pero es posible que hubiera debido hacer un poco más de caso al comentario. Seguro que no había nada malo en ser decidida y en mostrar confianza en sí misma, pero quizá debía haber sido un poco más amable con la gente y también más diplomática. Más como Jack.

—Pensaba que estabas interesada en Jack —dijo Ellie.

Agarró con fuerza la puerta del parque. No podía hablar sobre él.

—El señor Pettigrew ha mostrado cierto interés —respondió Frances.

—Sí, ya me he dado cuenta —los ojos de Ellie brillaron traviesos—. Ha estado intentando varias veces que fuerais al jardín solos, ¿verdad?

—Sí —dijo Frances enrojeciendo.

Y sobre todo últimamente, pues empezaba a hacer menos frío. Nunca se había sentido tentada de aceptar sus ofrecimientos, pero quizá debería haberlo hecho, aunque solo fuera para saber si besar a otro hombre le hacía sentir lo mismo que había sentido al besar a Jack.

No, por supuesto que no, por lo menos tratándose de Pettigrew. El tipo era desgarbado y seguía oliendo fatal, y su aliento siempre permitía saber con certeza qué era lo último que había comido.

E, incluso aunque hubiera mantenido a raya las reacciones negativas de su nariz, no le gustaba nada. Sus temas de conversación eran aburridos, no tenía ningún sentido del humor y tampoco parecía muy inteligente. Lo único que tenía en común con Jack era que ambos eran hombres.

—Pero volviendo a Jack... —dijo Ellie.

No, por Dios, no volvamos a Jack.

—... Ned y yo pensamos que le gustas —le informó Ellie.

El pánico la invadió. No consiguió centrar sus pensamientos.

—Oh, bueno. Parece que a Jack le gustan todas las mujeres, ¿no es así? —dijo intentando aparentar despreocupación.

Lo que sí que era cierto es que a todas las mujeres les gustaba Jack.

Shakespeare se paró a olisquear en medio de la calle. Si tenía suerte, un carruaje torcería a toda velocidad por la esquina y acabaría con todos sus problemas.

Ellie la miraba frunciendo el ceño.

—¿Qué quieres decir? —le preguntó en un tono menos amable que el habitual en ella.

¿Qué quería decir?

—La verdad es que, eh, he oído todos los rumores —dijo, pensando que también había visto por sí misma lo que pasaba en los bailes y los salones de Londres—. Lord Jack es el favorito de las mujeres, tanto de las de la alta sociedad como de las que están muy lejos de pertenecer a ella.

Pero eso no era del todo justo. Ella sabía que la mayoría de los cotilleos eran falsos. Jack le había hablado de su casa para mujeres de Bromley. Su interés por las prostitutas no se limitaba a acostarse con ellas.

No obstante, todas las mujeres de la alta sociedad rivalizaban por conseguir sus atenciones.

—No quiero ser una más en su lista de conquistas —concluyó.

—¡Frances! —exclamó Ellie de veras contrariada—. Jack no es así.

Finalmente, *Shakespeare* había decidido moverse. Sam se había levantado y movía los pies con cierta impaciencia. Si se daba prisa, podría terminar con aquella molesta conversación enseguida. Pero Ellie la agarró del brazo y la detuvo cuando aún estaban fuera del alcance de los atentos oídos de Sam. Su alegato sonó sincero y fue muy directo.

—No debes hacer caso a los cotilleos. Jack no es ni mucho menos el individuo disipado que se piensa, y que él mismo a menudo finge ser. Yo le estaré agradecida toda mi vida por algunas de las cosas que me dijo en la fiesta de la duquesa, cosas que me ayudaron a averiguar lo que tenía que hacer para conseguir la felicidad —dijo Ellie bastante conmovida.

—Oh, entonces yo solo soy una más de sus obras de caridad. Solo otra alma solitaria que salvar —dijo Frances.

Nunca había considerado el asunto desde esa perspectiva, pero tenía todo el sentido.

Ellie la miraba de hito en hito, con las cejas levantadas y muy sorprendida.

—¿Sus obras de caridad? ¿Qué quieres decir? —preguntó asombrada.

Oh, maldita sea, había olvidado que su familia no sabía nada acerca de sus casas en Bromley, aunque ella no entendía por qué mantenía sus actividades en secreto. Con todo, no era quien para desvelarlas. De hecho, le había prometido muchas veces que no diría nada.

—Nada. Solo que, como has dicho tú misma, Jack se preocupa y es amable. Yo soy solo un pobre animalito extraviado, como *Shakespeare*, que necesita ayuda. Eso es todo lo que significo para Jack —explicó.

—No creo que ese sea el caso en absoluto. Me da la impresión de que lo único que pasa es que cierras los ojos para ver lo que tienes delante de ti —dijo Ellie convencida, y agitando el brazo de Frances para dar más énfasis a sus palabras—. No le tengas miedo al amor, Frances. Ve tras él con el mismo valor que demostraste al venir a Londres.

En ese momento no se sentía valiente en absoluto.

—Eh, sí, por supuesto —se liberó de la mano de Ellie y casi salió corriendo hacia donde estaba Sam.

Por todos los diablos. Otras tres chicas habían sido asesinadas en las últimas dos semanas pero, puesto que eran prostitutas, a la alta sociedad y a la policía apenas les importó. Bueno, la verdad es que eso no era del todo cierto. Algún imbécil había escrito en un tabloide que la sociedad debía alegrarse de que el Degollador estuviera haciendo una limpieza en los bajos fondos de Londres, como hacen los jardineros que arrancan las malas hierbas.

Jack abrió bruscamente la puerta de la mansión Greycliffe. Jacob, el lacayo, se levantó de un salto.

—Milord, el señor Braxton ha estado buscándole —le informó.

—Oh, ¿y por qué? —preguntó, intentando ocultar su disgusto.

—Se trata de lord Ned, milord. Está en la biblioteca. El señor Braxton dice que necesita verle —insistió el lacayo.

—Muy bien, iré directamente allí —respondió.

Podía permitirse tomar una copa de *brandy* o dos antes de subir y cambiarse para el maldito evento que tocase esta tarde. Ah, sí. El baile de los Easthaven, eso era.

Avanzó por el pasillo. Por Dios. ¿Cómo era posible que aún no hubiese averiguado la identidad del Degollador? Era una auténtica locura. Tenía su reloj, pero era casi peor que no tener nada.

Hubiera jurado que había visto ese reloj en las manos de alguien, pero probablemente solo se engañaba a sí mismo. Todos los relojes parecían iguales. Y no podía ir por Londres comprobando los bolsillos de todos los hombres para averiguar si llevaban reloj o no, aunque sí que se había atrevido a preguntar la hora a Botsley y a Ruland. Los dos habían sacado sus relojes. Por supuesto, aquello no demostraba nada. Podían haberse comprado unos nuevos. Si él perdiera su reloj, lo reemplazaría de inmediato. Un hombre tenía la obligación de ser puntual.

Abrió la puerta de la biblioteca también con un fuerte tirón.

—Traiga aquí el *brandy*, Braxton —dijo una voz mal articulada, que era la de Ned.

—No soy Braxton y no tengo *brandy* —dijo Jack, cerrando la puerta tras de sí. No hacía falta ser un genio para darse cuenta de que la conversación que se avecinaba no sería agradable. Mejor evitar testigos.

Ned se volvió a mirar desde el sillón orejero que estaba frente a la chimenea. Estaba tirado de cualquier manera y tenía el pañuelo medio descolocado. También tenía el pelo muy revuelto, como si un vendaval le hubiera pasado por la cabeza.

—Vete, déjame en paz —espetó.

Jack tomó un vaso y se acercó a su hermano. El decantador que había en la mesita estaba prácticamente vacío.

—Ya veo que has dejado un poco para mí. Muchas gracias —dijo Jack.

—N... no, no te he dejado nada —farfulló Ned.

Ned intentó alcanzar la botella, pero tal como estaba actuaba de forma lenta y torpe. Jack se hizo con ella antes de que su hermano ni siquiera pudiera acercar la mano.

—Devuélvemela —le ordenó frunciendo el ceño e intentando arrebatarle el decantador, pero Jack lo puso fuera de su alcance—. Maldita sea, pide *brandy* para ti, no me quites el mío. ¡Braxton!

—No puede oírte, he cerrado bien la puerta —dijo Jack.

—Pues le llamaré con el timbre —dijo Ned intentando levantarse del sillón para tirar de la cuerda de la campanilla de aviso.

Jack observaba cómo se movía con torpeza. Estaba borracho.

—Sabes bien que por la mañana te vas a encontrar fatal —le dijo suavemente.

—Llama a la campanilla para que venga el condenado mayordomo, ¿quieres? —dijo Ned dejándose caer otra vez en el sillón.

—Braxton está preocupado por ti, Ned. Por eso estoy aquí —le informó Jack.

—Maldita sea, pues entonces me iré a White's —dijo Ned.

—Me gustaría ver cómo lo intentas. Si eres incapaz de mantenerte en pie para tirar del llamador, ya me contarás cómo vas a llegar a la puerta de la biblioteca. Olvídate de White's —razonó Jack.

Ned le miró enfadado durante un rato, y después gruñó y escondió la cabeza entre las manos.

—Padre ya ha intentado hablar conmigo, ¿sabes? Tú puedes ahorrarte el intento, vas a perder el tiempo —dijo Ned acremente.

Jack miró la parte de atrás de la cabeza de su hermano. Creía saber el porqué del estado en el que se encontraba, pero nunca convenía dar por sentado nada.

—¿Por qué no me explicas cuál es la tremenda pena que hace que te comportes así? No es habitual que te refugies en el *brandy* sin querer hablar con nadie —le pidió Jack.

Ned había bebido bastante más de lo que tenía por costumbre en la fiesta de San Valentín, pero aquello fue antes de darse cuenta de lo que de verdad sentía por Ellie.

De repente, su hermano sufrió un fuerte estremecimiento.

—Ellie está embarazada —le informó Ned casi con un gemido.

—¡Ah! —Justo lo que Jack había sospechado. El embarazo no era una sorpresa precisamente. Todo el mundo en la casa sabía que su hermano y ella se habían estado acostando desde la noche en la que anunciaron su compromiso.

—¿Qué pasará si Ellie también se muere, Jack? —preguntó Ned, y su voz sonó a pura desesperación. Su mirada estaba traspasada por el dolor, y Jack se estremeció al verla—. ¿Qué haré?

Lo que su hermano necesitaba no eran promesas falsas de esas que no están en la mano de nadie que se cumplan. No haría caso de ellas. Era cierto que la mayoría de las mujeres sobrevivían al embarazo y al parto, pero Ned había aprendido la terrible lección de que entre «la mayoría» y «todas» había una diferencia sustancial.

—Pues que volverás a estar destrozado. Y todos contigo —dijo.

Los ojos de Ned se abrieron como platos. Echó la cabeza hacia atrás como si hubiera recibido un puñetazo.

—Nadie puede predecir el futuro, Ned, nadie. Y tú tampoco desde luego —insistió Jack.

—Ya lo sé. Yo... —balbuceó Ned.

—Pero igual que yo no puedo asegurarte que tu esposa no va a tener ningún problema, eso no quiere decir que vaya a tenerlo. Nadie lo sabe —razonó. No podía hacerle promesas vacías a su hermano, pero tampoco alimentar su innecesaria preocupación—. Lo que tenga que ser, será. Mientras tanto, vive cada día según venga y confía en que todo salga bien.

Ned le miró mientras que su cerebro, afectado por el alcohol, procesaba las palabras de Jack.

—Pero me siento tan inútil —dijo.

—Lo sé —corroboró Jack.

Realmente sabía, y demasiado bien, la frustración, el miedo y la angustia que llevaba consigo el hecho de no tener control sobre la vida. Había aprendido a convivir con ello, al menos hasta cierto punto.

Sabía que no todos los bebés que rescataba de los bajos fondos sobrevivirían aunque, gracias a Dios, Úrsula le había mandado esta mañana un informe en el que le contaba que el pequeño William Shakespeare estaba saliendo adelante.

Tenía que volver pronto a Bromley para ver por sí mismo como evolucionaban William y todos los demás niños. Si no hubiera estado tan condenadamente ocupado, habría ido por lo menos una o dos semanas antes. Había contestado a Úrsula de inmediato, diciéndole que iría a visitar a los niños tan pronto como pudiera.

¿Pero cuándo? Había empleado cada minuto libre recorriendo Londres, para identificar al Degollador antes de que el muy canalla asesinara a otras mujeres y no le había servido de nada. Se sentía como si persiguiera a una maldita sombra.

¿Y si aquel desgraciado quería matar a Frances?

Sintió una oleada de pavor incontenible.

Debería...

Apretó los dientes. No debía dejarse llevar por el pánico.

—El pánico nunca ayuda —dijo, dirigiéndose a Ned y también a sí mismo, y poniendo la mano sobre el hombro de su hermano—. Ni tampoco la desesperación. Y está claro que no puedes pasarte los próximos ocho meses en un estado de sopor etílico.

—Ya lo sé —dijo Ned cerrando los ojos y dejando caer la cabeza sobre el respaldo del sillón—. Pero ¿qué puedo hacer?

—Anímate a ti mismo diciendo que todo va a salir bien y actúa como si te lo creyeras —le sugirió Jack.

—No puedo —respondió Jack manteniendo los ojos cerrados.

—Claro que puedes. Además, tienes que hacerlo —le dijo con énfasis al tiempo que apretaba más la mano sobre el hombro, lo que hizo que Ned le mirara fijamente—. Ellie depende de ti, se lo debes.

La expresión de Ned se aclaró algo, y apretó fuerte los dientes.

—Sí, tienes razón. Estoy comportándome como un maldito cobarde —dijo casi con desprecio.

Vaya por Dios. Que se flagelara tampoco ayudaría a su cuñada.

—No, tu reacción es muy normal y humana. Pero ahora tienes que recomponerte por tu bien y por el de tu esposa —dijo Jack, sabiendo que Ned la amaba profundamente y que haría lo que fuera por ella.

Ned asintió torpemente, separó de su hombro la mano de Jack y se las arregló como pudo para ponerse de pie.

—Voy a ir a pe... pedirle perdón inmediatamente —dijo balbuceando.

—Dile solo que estás muy feliz por el bebé que espera y por lo bien que la ves. Porque lo estás, ¿verdad? —le preguntó Jack para que tomara conciencia de ello.

La cara de Ned se mantuvo inexpresiva y ausente durante un momento, pero después sonrió.

—Sí, sí, claro que estoy feliz. Estoy aterrorizado, pero también feliz —acertó a decir.

—Pues díselo —insistió Jack.

—Lo haré —confirmó Ned.

Ned recorrió la habitación tambaleándose, abrió la puerta y salió.

Jack sonrió, se sirvió lo poco que quedaba de *brandy* y se sentó en el sillón que antes ocupaba su hermano. Así que Ellie estaba embarazada. Sería estupendo convertirse en tío. Y el bebé, ¿se parecería a Ned o a Ellie?

Pasó una pierna por encima del brazo del sillón y movió el vaso para impregnarlo con el aroma del *brandy*. Ellie sería una madre estupenda.

Bebió un sorbo de *brandy* y movió la pierna colgante arriba y abajo. ¿Qué clase de madre sería Frances? Soltó una risita. Cuando tuvo que sostener en sus brazos al pequeño William en su alocado viaje hasta Bromley lo sujetaba como si fuera una serpiente venenosa, pero al llegar ya lo tenía entre los brazos con firmeza y seguridad. Y se había comportado maravillosamente con Eliza, que por lo general no se relacionaba con extraños.

Puede que, de entrada, fuera un poco torpe, pero la duquesa ayudaría…

Cambió de postura de manera tan abrupta que estuvo a punto de hacer que el *brandy* se saliera de la copa.

Por Dios bendito, ¿en qué estaba pensando? No había hecho otra cosa que intercambiar unos cuantos besos bastante castos con la mujer, ¿y ya estaba imaginándola como la madre de sus hijos?

Su cerebro se rebelaba, pero su miembro saltó entusiasmado. Miró su entrepierna con el ceño fruncido. El matrimonio era mucho más que una unión física. Su verga, cargada de razones, argumentó que por supuesto que sí, pero que el aspecto físico era muy importante, y Frances tenía unas piernas largas y magníficas.

Sí, en efecto era así. Era incapaz de alejar de su memoria aquellas piernas cubiertas con pantalones. Y además tenía unos preciosos y enormes ojos verdes, y un pelo rojo y rizado que ya empezaba a alcanzar la longitud que debía.

Y una voz que le recordaba el rumor del viento.

Y una sonrisa extraña, pero adorable.

Y…

Y ella le necesitaba.

No se sentía capaz de explicarlo. Ella no tenía nada que ver con las chicas de Covent Garden, por supuesto, pero en cierto modo era algo semejante. La vida la había herido, estaba perdida y desorientada, y no tenía a nadie. Quería compartir sus cargas y aportarle felicidad.

Ya no había necesidad social de casarse con ella. Sus padres y los abuelos de Frances estaban comprobando que su reputación se recuperaba a pasos agigantados y pronto la habría recobrado por completo. Él era libre y ella también.

Sin embargo, tal vez sí quisiera casarse con ella. No tenía intención de establecer una familia propia tan pronto, pero estaría muy bien que el hijo de Ned tuviera un primo con el que jugar...

No. No debería pensar en el matrimonio. Solo tenía veintiséis años, era demasiado joven para esas cosas. Pero también era mayor que su padre cuando se casó. Y mayor que Ash y Ned cuando ellos lo hicieron. Quizá ya tuviera edad suficiente. La verdad es que se sentía maduro. Había visto muchas cosas del lado oscuro de la vida durante los últimos cuatro años.

Un hombre no podía programar el momento en el que el amor entraría en su vida. Si de verdad amaba a Frances, y honestamente no estaba seguro de que así fuera, tendría que modificar la planificación racional que había realizado sobre el momento adecuado para el matrimonio.

Además, primero tenía que ocuparse del Degollador. Después ya vería qué pensaba Frances sobre bodas y bebés. Aunque la verdad es que ya sabía lo qué pensaba. Lo que tenía que hacer era comprobar si era posible lograr que cambiara de opinión.

Su miembro volvió a intervenir en la conversación, pidiéndole que fuera a convencerla en ese mismo momento, y en todo caso antes de encontrar al asesino. Si se casaran y compartieran vida y, sobre todo, cama, estaría en condiciones de vigilarla de cerca.

Muy de cerca.

Y si lo que le había dicho a Ned era verdad y el Degollador solo buscaba víctimas de dudosa reputación, el matrimonio evitaría que Frances estuviera en peligro.

Se puso de pie y se ajustó los pantalones para acallar a uno de los interlocutores de la conversación. Nada impedía que pasearan un rato esa noche entre los arbustos durante el baile de los Easthaven. No hacía mucho frío y, según podía recordar, la mansión de lord Easthaven tenía un jardín muy agradable, con diversas zonas de arbustos y árboles colocados estratégicamente para que una pareja de enamorados pudiera darse uno o dos besos sin prisas.

Capítulo 17

La precaución es recomendable, pero a veces el valor es mejor.
—de las *Notas de Venus*, duquesa de Greycliffe.

—Gracias por convencer a tu hermano de que nos visitara, Frances —dijo *lady* Rothmarsh apretando con fuerza la mano de la joven—. Ni te imaginas lo que ha significado para tu abuelo y para mí conoceros por fin a los dos.

Estaban sentadas en un canapé, en un rincón más o menos tranquilo de la sala de baile de lord Easthaven, que estaba tan atestada que Frances tenía que inclinarse hacia su abuela para poder entender lo que le decía.

Ella también apretó la mano de la anciana.

—Me parece que no tengo nada que ver con la decisión de Frederick, abuelita —dijo Frances, a quien todavía se le hacía rara la denominación—. Sospecho que fue su esposa quien le convenció, pero en cualquier caso me alegro mucho de que os visitara.

Al empezar el baile había visto a Frederick por primera vez desde su terrible encuentro en el salón amarillo. Le presentó a su mujer a regañadientes, mirando con recelo a Frances, como si esperara que fuera a hacer o decir alguna inconveniencia.

Unas semanas antes es probable que hubiera dicho algo desagradable y cortante. Ahora solo se sentía triste. No por el matrimonio de Frederick —María, su esposa, parecía una persona sumisa y algo simple, pero estaba claro que estaba enamorada de Frederick y su hermano de ella—, sino por las conclusiones a las que había llegado acerca de su propia vida. No estaba segura de si podría arreglar alguna vez las cosas con Frederick, pero al menos le gustaría intentarlo.

Su abuela movió la cabeza, de forma que el impresionante tocado de plumas de avestruz que llevaba osciló como batido por el viento.

—Tonterías. Nos dijo que fue tu carta la que le persuadió —afirmó convencida.

—¿De verdad? Me alegro mucho —dijo Frances muy sorprendida.

En su carta de disculpa había mencionado lo amables que habían sido con ella lord y *lady* Rothmarsh, pero en ningún momento le había urgido, ni siquiera mencionado, que fuera a visitarlos. Ya estaba bien de darle consejos a su hermano, o más bien órdenes, dada la opinión que tenía sobre ella y sus actitudes.

—Nosotros también —dijo su abuela, y suspiró—. Nos quedó un enorme vacío en nuestras vidas desde que Diana huyó. El hecho de conoceros, a tu hermano y a ti, ha sido un consuelo. Es como si hubiéramos recuperado una parte de nuestra queridísima hija —dijo volviendo a apretar con fuerza la mano de Frances—. La familia es muy importante.

—Sí... sí —balbuceó Frances.

Su familia, o al menos la que había tenido antes de su viaje a Londres, estaba rota sin remedio. Incluso en el improbable caso de que se reconciliara con Frederick, le resultaba inconcebible que la brecha abierta con su padre y su tía pudiera cerrarse.

Había escrito a su tía antes que a Frederick, preguntándole sin tapujos por qué había mentido de una forma tan flagrante acerca de sus abuelos, y Viola había contestado con una carta muy desagradable y en su habitual tono egoísta, diciendo que sabía que si Frances hubiera ido a Londres se habría dejado deslumbrar por la riqueza y el nivel social de la familia de su madre. Lo único bueno de aquella carta era que a Frances le había quedado muy claro qué era lo que de ninguna manera debía mencionar en su carta de disculpa a Frederick.

Y por lo que se refería a su padre, resultaba imposible recuperar lo que nunca había existido.

—No te sientas tan afligida —le dijo su abuela dándole un golpecito en la rodilla—. *Lady* Amanda lleva persiguiendo durante años a lord Jack, pero nunca lo atrapará.

—¿Cómo? —preguntó desconcertada. No había notado antes en su abuela rastro alguno de demencia senil, pero esa afirmación le hizo dudar—. ¿Quién es *lady* Amanda?

—La mujer que está con lord Jack —dijo su abuela señalando al grupo que estaba bailando—, a la que mirabas hace un momento como si fuera a robarte tu tesoro más preciado.

Los ojos de *lady* Rothmarsh brillaron por un momento con una expresión divertida. La mujer movió las cejas para dar énfasis al gesto.

Frances notó como, a su pesar, se sonrojaba. Miró hacia la pista de baile, esta vez prestando atención. Oh, Jack estaba allí, bailando, y también charlando y sonriendo, con una mujer rubia y muy guapa.

Su ánimo se hundió todavía más. La abuela podía estar convencida de que esa mujer no atraparía a Jack, pero, en cambio él parecía estarse dejando cazar sin que aquello le disgustara.

—La duquesa me ha dicho que piensa que vosotros dos haríais una buena pareja —dijo su abuela haciendo un guiño—, y la madre de Jack es la duquesa del amor, ya sabes, entiende mucho de eso.

Si la rubia seguía moviendo las pestañas a esa velocidad, el pelo de Jack iba a empezar a encresparse.

—Oh, no. Debes de haber entendido mal. Lord Jack temía verse obligado a casarse conmigo debido al escándalo. Esa fue la razón por la que la duquesa vino tan deprisa a Londres. Ella y el duque, igual que tú y el abuelo, habéis hecho una excelente labor para conseguir que yo recobrara mi buena reputación. Su excelencia comentó precisamente el otro día que absolutamente nadie me había excluido de las listas de invitados.

—No, hija, no. Yo misma he visto cómo te mira lord Jack. No hace falta que la duquesa me diga nada más —dijo la abuelita, y sus ojos ya no solo brillaban, sino que reían.

—¿Como si fuera un problema engorroso que necesita una solución limpia y rápida? —dijo Frances, recobrando una pizca de su acidez.

—En absoluto, querida, haz caso de mi experiencia. Él... —empezó a decir su abuela, pero se paró en seco al ver algo por detrás de Frances—. Oh, vaya por Dios, lord Ruland viene hacia aquí.

El hombre no se había aproximado siquiera a Frances desde el baile de boda de Ned y Ellie, aunque le había visto mirándola más de una vez en algunos de los eventos sociales a los que había acudido.

—Lo más probable es que esté yendo a otro sitio y solo pase por aquí —sugirió esperanzada.

—No, me temo que no tendremos tanta suerte. No entiendo como es posible que todavía se le invite a actos a los que acuden personas civilizadas —dijo *lady* Rothmarsh hablando lo suficientemente alto como para que la oyeran quienes estaban cerca, al tiempo que ponía cara de que no le apetecía nada su compañía.

Dado que lord Ruland llegaba en ese mismo momento a la altura del canapé en el que estaban sentadas, tuvo que oírlo por fuerza, pero se comportó como si no hubiera sido así.

—*Lady* Rothmarsh, señorita Hadley, buenas noches —bufó.

—Hasta este momento, la noche era muy agradable, y doy por hecho que seguirá siéndolo en cuanto se marche usted —dijo *lady* Rothmarsh con tono muy cortante.

—Eso haré en cuanto me acompañe su nieta —dijo lord Ruland, que parecía estar divirtiéndose—. He venido a pedirle que baile conmigo. Por favor, se... señorita Hadley.

¿Había bebido demasiado lord Ruland? Sus palabras sonaban un tanto difusas, y los ojos le brillaban en exceso, estaban inyectados en sangre y no parecía poder fijarlos con facilidad.

—Mi nieta y yo estábamos en plena conversación, lord Ruland —dijo *lady* Rothmarsh, haciendo aún más evidente su desagrado.

—Sí, pero quiero bailar con ella de todas formas —dijo Ruland con una sonrisa excesivamente amplia.

—Me temo que está usted bebido, caballero —dijo *lady* Rothmarsh empezando a alarmarse.

—No —respondió lord Ruland estirándose la manga—. Solo un poquito alegre.

Su abuela se enervó muchísimo, deseando echar con cajas destempladas al desagradable individuo. Pero si el hombre estaba un poco borracho, podía descuidarse y decir algo que demostrara que era el Degollador Silencioso.

Jack estaría encantado y aliviado si descubría a ese canalla. Y también quedaría impresionado por la astucia de Frances, lo que sería estupendo. Parecía que la situación no era peligrosa en absoluto. Lord Ruland no podía hacerle ningún daño en mitad de una sala de baile atestada de gente.

—No te preocupes, abuela. Bailaré una pieza con lord Ruland —dijo, para asombro de *lady* Rothmarsh.

Antes de que su abuela pudiera protestar puso su mano sobre el brazo del hombre. El gordo y fatuo personaje sonrió con suficiencia, hizo una reverencia a su abuela y condujo hacia la zona de baile a Frances, que apenas podía esperar para intentar sacarle alguna información.

—Lleva un precioso vestido de mujer —murmuró Ruland conforme avanzaban por el salón—. No obstante, es una pena que no deje admirar sus piernas.

—No sea impertinente —dijo ella, dirigiéndole la mirada más fría de la que fue capaz.

¿Cómo podría llevar la conversación hacia los asesinatos? «¿Ha matado usted a alguna mujer últimamente, milord?» No, probablemente eso no funcionaría. Mientras, Ruland se reía entre dientes.

—¿Impertinente yo? Eso está bien. Era us... usted quien se paseaba por la ciudad en pan... pantalones en compañía del mayor sinvergüenza de la buena sociedad —dijo el hombre con voz algo insegura.

—Si va a insultarme, no quiero tener nada que ver con usted —dijo Frances.

¿Cómo se atrevía? Apretó con fuerza los dedos de su mano libre, pero se obligó a sí misma a relajarse. Tenía que controlar su enfado si es que quería obtener alguna información de ese borracho asqueroso. De todos modos, era difícil imaginar que Ruland fuera el Degollador Silencioso, pues ninguna mujer que no hubiera perdido el juicio pararía más de cinco segundos con él.

—Al principio pensé que Rothmarsh exigiría a Jack que se casara con usted —dijo, sonriendo de nuevo con aires de superioridad—, pero después me di cuenta de que eso sería lo último que haría. La boda con un mujeriego no resultó nada conveniente para su madre, ¿no es así?

No lo fue, pero el maldito lord Ruland no era quién para decir eso.

—Mi madre no dijo nunca que se arrepintiera de su matrimonio —respondió Frances intentando mantener la calma.

Se había comportado como si lamentase el haberse casado con su padre pero, que Frances recordara, de su boca jamás salió ni una palabra insultante contra su despreciable marido.

—No, claro. Ella jamás habría admitido su error, ¿verdad? —gruñó Ruland.

Habían llegado a la zona del salón que se abría hacia los jardines y Ruland se dirigió hacia ellos.

—Aquí hace un calor infernal —afirmó—. Si bailamos será peor. Mejor vamos a dar una vuelta fuera.

Oh, no, de ninguna manera saldría a la zona oscura con este individuo.

—Me parece bien que no bailemos, milord. Si tiene calor, podemos permanecer junto a alguna ventana —dijo.

Él se paró y levantó las cejas con gesto teatral.

—¿Me tiene usted miedo, señorita Hadley? —preguntó.

No le tenía ningún miedo siempre que permanecieran en una zona bien iluminada.

—No sea ridículo —contestó—. Tiene usted edad suficiente como para ser mi padre.

—Sí, tengo edad suficiente como para ser su maldito padre —contestó de repente—, y si su madre hubiera tenido algo de sentido común, lo habría sido.

Frances no sabía si llorar, reír o buscar un sitio donde poder vomitar. Hizo un ruido a medias entre un jadeo y un ataque de hipo. ¿Este tipejo gordo y asqueroso casado con su madre? Quizá hace veinticinco años fuera algo menos repulsivo. Intentó imaginárselo con pelo y con algo menos de barriga.

¿Pero qué mas daba su apariencia, ahora o antes? Cualquier hombre hubiera sido mejor padre que el que tenía...

Bueno, quizá no Ruland. Su padre no había rebanado ningún cuello, al menos que ella supiera.

Lord Ruland de repente pareció más bajo y bastante más viejo. Introdujo el dedo índice bajo su pañuelo y carraspeó para aclararse la garganta, volviéndose a mirar por la ventana con aire ausente.

—Fue culpa mía que su madre huyera de Londres, ¿sabe? Yo, eh, quizá fui demasiado lejos en mi ardor amoroso —musitó Ruland.

¿Cómo? A Frances se le heló la sangre en las venas.

—¿Qué quiere decir? —preguntó entrecerrando los ojos— ¿Usted la forzó?

Ruland se quedó boquiabierto. La conmoción y el enfado rebosaron por sus ojos y por sus palabras.

—¡Por Dios bendito, no! ¿Por quién me toma? —dijo.

La verdad es que no podía decirle que había pensado que tal vez fuera un asesino en serie de mujeres, así que prefirió no decir nada.

—Demonios, hubiera sido mejor para todos que yo hubiera forzado realmente a su madre —dijo arrugando el entrecejo y mirando a Frances fijamente y muy serio. Parecía que, de repente, se había recuperado de la borrachera—. Eso la hubiera salvado de Hadley. Yo la amaba de verdad, al fin y al cabo.

Sapo arrogante.

—¿Quiere decir que la amaba a pesar de sí misma? —espetó Frances.

Las cejas de Ruland se movieron hacia arriba como si tuvieran resortes, pero inmediatamente volvieron a bajar en un gesto de abatimiento.

—Usted no sabe nada del asunto —dijo con pesadumbre.

—Oh, vamos, lord Ruland. ¿Qué iba a usted a hacer con una mujer «cabezota y salvaje»? ¿Meterla en una caja? —dijo Frances desafiante.

Tras la sorpresa, Frances había recuperado su agresividad. Quizá sí que debería salir al jardín con él. Le apetecía practicar algunas de las técnicas defensivas que le había enseñado lord Jack, empezando por la que implicaba utilizar la rodilla para golpearle con todas sus fuerzas en...

—Señorita Hadley —dijo Jack, que acababa de llegar a donde ellos estaban—. Ruland.

—Has venido para llevarte otra vez a la chica, como tienes por costumbre, ¿no? —dijo el hombre en un tono muy duro.

—Pues la verdad es que sí —dijo levantando las cejas. Parece que aquello le estaba divirtiendo.

—Espero que disfrutes de ella —bufó Ruland—. Sospecho que es igual que su madre.

—¿De qué hablabais? —preguntó. Jack intentó por todos los medios mantener un tono calmado mientras llevaba a Frances al exterior. Al verla con Ruland junto a la puerta, había tenido que hacer acopio de toda su capacidad de control para no salir corriendo a través de la sala de baile para llegar hasta ellos de inmediato. De haberlo hecho, los cotilleos se habrían disparado. Y ahora la habría abofeteado por correr tamaño riesgo... o la habría besado porque estaba a salvo.

Estaba claro que ya no podía controlar las emociones que producía en él la presencia de aquella fémina furiosa que andaba, o más bien casi corría, a su lado.

Había otras tres parejas en el jardín, por lo que se dirigió a unas escaleras de la zona más alejada. Dado el estado de ánimo tempestuoso y poco controlado en el que parecía estar Frances, lo mejor sería que no hubiera testigos de la conversación.

Easthaven, teniendo en cuenta la tarde-noche templada y el probable deseo de bastantes de los invitados de salir de la sala de baile en algún momento para tomar el aire, había colocado fanales diseminados para alumbrar los jardines. Aunque no demasiados, por supuesto. El duque seguro que sabía que, para favorecer ciertas situaciones, las sombras eran las mejores aliadas. Lástima que, en ese momento, Jack no pudiera aprovecharlas para lo que realmente le apetecía.

Su intención desde el primer momento había sido llevar a Frances fuera, entre los arbustos, pero no había tenido la ocasión. Además del escándalo que ello hubiera producido, tampoco estaba del todo seguro acerca de cómo habría reaccionado ella a sus avances.

Aunque pensaba que bien. Al fin y al cabo, no le había abofeteado cuando la besó en el parque, y hubiera jurado que, desde aquel momento, sus ojos le seguían cuando coincidían en algún lugar. Y cada vez que captaba su mirada, ella se ruborizaba y miraba para otro lado.

A lo largo de su vida, montones de chicas habían mostrado interés por él, por lo que creía conocer los signos del interés de una mujer.

Pero ahora que, finalmente, se dirigían a los jardines, Frances estaba furiosa, maldita sea. No era momento de actividades amorosas, aunque quizá debería intentar besarla. Darle la ocasión de abofetearlo o de que le soltara un rodillazo. Tal vez así la pobre señorita Hadley se relajaba un poco.

—Lord Ruland es un idiota de los pies a la cabeza —dijo Frances, casi masticando cada palabra.

—Desde hace tiempo que no me cabe la menor duda. ¿Ha hecho ahora mismo alguna idiotez especialmente digna de mención? —preguntó Jack en tono neutro.

Por suerte, habían llegado a un lugar del jardín lo suficientemente alejado como para que nadie les viera o les oyera, sobre todo a Frances. De todas maneras, convenía ser cauto, y por eso la condujo a una zona todavía más escondida. Los arbustos eran adecuados para muchas cosas, entre ellas para mantener oculta a una airada señorita Hadley.

—Sí —dijo Frances mirándole fijamente—. Ha dicho que amaba a mi madre pese a que era cabezota y salvaje. Que lo único que necesitaba era una firme mano de hombre que la llevara al redil. ¿Te lo puedes creer?

—Eh... —balbuceó, mientras imaginaba su mano acariciando las largas y hermosas piernas de Frances.

Jack dio un traspiés. Por Dios bendito, estaba decidido a casarse con ella, ¿verdad? No tendría esos pensamientos tan lascivos si no fuera así, ¿no?

—Cuidado con las raíces de los árboles —le advirtió Frances.

—Gracias. A partir de ahora pondré más atención sobre dónde pongo los pies —contestó.

Pero ¿le gustaba a ella siquiera? Aunque aquel beso en el parque fue...

La condujo por un camino lateral. Iba a besarla. Se arriesgaba a recibir un bofetón, pero podría evitar que le hiciera mucho daño, porque se lo esperaba. Se paró en una zona muy oscura y se volvió para comprobar si alguien se acercaba o podía verles.

—Si lo que quería era una mujer dócil, no debería haber cortejado a mi madre —dijo Frances, y después hizo una pausa. Cuando volvió a hablar, su tono era triste—. Pero durante el poco tiempo que conviví con ella, no me pareció ni salvaje, ni cabezota. Estaba siempre triste y en silencio —afirmó, al tiempo que se quedaba mirándolo. Después su voz volvió a sonar más fuerte, y con tono acusatorio—, y todo porque se casó con un vividor, un mujeriego que la dejó embarazada de gemelos y la abandonó para ir saltando alegremente de cama en cama.

La pasión de Jack se enfrió. Maldita sea, ¿estaba volviendo a decirle que era un mujeriego?

—Iba a decirle a Ruland exactamente lo que pensaba de él, pero llegaste y me interrumpiste —dijo Frances levantando la cabeza y mirando para otro lado.

Menos mal que lo había hecho. Precisamente esa era la razón por la que se había dado tanta prisa.

—Todos los cotillas se lo habrían pasado estupendamente si hubieras puesto a Ruland en su sitio —le aseguró.

Los vejestorios que recordaran que Ruland cortejó sin éxito a la madre de Frances ya habrían empezado a soltar sus lenguas viperinas. Pero ella levantó aún más el mentón.

—Me da la impresión de que tu llegada, tan precipitada e impetuosa, ha desatado las lenguas más que cualquier otra cosa que yo hubiera podido hacer —afirmó molesta.

Aunque había intentado ser lo más discreto posible, suponía que ella estaba más o menos en lo cierto.

—Y, en todo caso, mi intención era salir al jardín con él antes de decirle... —empezó Frances, pero él la interrumpió de inmediato.

—¿Cómo dices? —exclamó Jack.

¡Por todos los demonios! ¿Acaso esta mujer tenía ganas de morir? Ya le había demostrado en el salón amarillo la imposibilidad de ganar a un hombre en una pelea cuerpo a cuerpo, y ahí estaba ella pensando en meterse en una zona oscura con un individuo que tal vez fuera, aunque no estuviera seguro, un asesino sin escrúpulos.

—Eso es lo más irresponsable, lo más... —dijo mirándola fijamente, y se contuvo apretando los labios.

—No pensaba ir muy lejos —se justificó ella, sin poder sostenerle la mirada.

—Un solo paso habría sido ir muy lejos —dijo en un tono muy duro, aunque sin gritar.

Le sujetó la espalda para que no pudiera huir de él, y Frances suspiró enojada.

—Oh, ¿por qué no lo dices? Piensas que yo también soy cabezota y salvaje, ¿verdad? —le preguntó.

Sí.

Pero, pese a su enfado y a su deseo frustrado, si contestaba tenía que ser con la verdad. Por eso no dijo nada.

—Eres igual que Ruland, igual que todos los hombres. Hacéis todo lo que queréis, solo pensáis con los co... —empezó, pero se tapó la boca con las manos.

Su miembro dio un salto, al parecer deseando mostrarle a la señorita Hadley qué era lo que pensaba en estos momentos.

Maldito miembro.

Él estaba todavía muy enfadado como para hablar a impulsos de su cerebro, por lo que se limitó a mirarla. Sus ojos brillaban enormes en la oscuridad.

—Lo siento, he sido muy grosera —dijo, pero volvió a elevar el mentón—. Pero tengo razón, ¿verdad? Tú eres un mujeriego, igual que mi padre.

Su enfado se convirtió de repente en desesperación.

—¿De verdad piensas eso? —dijo, y su voz reflejó toda la tristeza que sentía.

Ella abrió la boca, al parecer para asentir, pero entonces movió la cabeza de lado a lado.

—No —dijo con voz queda—. La verdad es que no.

Ah. Notaba su dolor y su desesperación. Le necesitaba.

—No me parezco en nada a tu padre, Frances —dijo acariciándole la mejilla, y aunque siempre que pensaba en el maldito Hadley se ponía furioso, procuró hablar con mucha calma—. Yo jamás te abandonaré.

Ella se encogió de hombros, como si aquello no importase.

—Frederick me dijo que nuestro padre se fue de Landsford porque Viola fue muy cruel con él cuando era niño, igual que lo fue con el propio Frederick —aclaró.

Qué excusa tan fútil y lacrimógena.

—¿Y de verdad tu hermano piensa que el comportamiento de Viola justifica el de vuestro padre? En absoluto. Frances, tu padre se fue y dejó a su mujer y a sus dos hijos abandonados, o mejor dicho, en compañía de una mujer que él sabía perfectamente que era fría e insufrible. Eso es una crueldad —afirmó convencido.

Frances puso cara de asombro. Estaba claro que no había analizado la cuestión desde ese punto de vista. Jack la agarró suavemente por los hombros para que se volviera a mirarlo.

—Los actos de tu padre fueron inexcusables, Frances. Como me dices muchas veces, esta sociedad confiere a los hombres capacidades de actuación de las que las mujeres no disponen. En el momento en el que heredó, pudo librarse de Viola sin ningún problema. Debió hacerlo cuando llevó a tu madre a su casa. Y jamás debió dejar que su hermana se inmiscuyera en la educación y la crianza de sus hijos —dijo casi sin respirar.

—Pero... —empezó a decir Frances, pero él le puso los dedos en los labios con mucha suavidad.

—No, déjame acabar. Cuando tu madre murió, tu padre pudo haberos enviado con vuestra familia materna. Con toda seguridad sabía que, pensaran lo que pensasen de él, Rothmarsh, o Whildon, o cualquiera de los parientes cercanos de tu madre, os hubieran acogido y os hubieran querido mucho —continuó Jack.

—Eso sin duda habría sido lo mejor para Frederick —dijo ella.

—Y para ti también —dijo acariciándole la mejilla con el pulgar. Su piel era extraordinariamente suave—. Frederick tiene algo de culpa también en todo esto, y lo sabes. Sin duda lo pasó muy mal siendo niño, pero ahora es un hombre. Debería haber intentado que tu padre te escribiera o que fuera a verte. Pero, después de todo, tu padre es el que más culpa tiene, y se lo diré cuando lo tenga delante. Tiene mucho de lo que responder.

Los labios de Frances esbozaron una ligerísima sonrisa.

—No creo que tengas ganas de conocer a mi padre —dijo.

—No, no las tengo. Pero como tengo la intención de casarme con su hija, creo que debo —dijo muy serio.

—¡Que vas a casarte...! —dijo Frances pestañeando.

Contempló el momento preciso en el que ella se dio cuenta de lo que quería decir. Abrió la boca asombrada, y esa era la única invitación que Jack necesitaba.

Los labios de Jack se posaron suavemente sobre los suyos durante un momento y después se retiraron. El beso le resultó tan agradable como el del parque, incluso más. Se apretó contra él.

Y entonces su boca regresó. Esta vez no se separó de la suya y el fuego que había desatado dentro de ella el primer beso volvió, pero multiplicado por diez, por cien...

Su lengua le tocó los labios. ¿Quería que ella abriera la boca? Lo hizo.

¡Oh!

Él buscó ávidamente, acariciándolo todo, sobre todo su lengua.

Se apretó aún más contra él. Quería tenerlo muy cerca, mucho más. Deslizó sus dedos bajo el abrigo y el chaleco, tocándole la camisa...

Jack levantó la cabeza, agarrando sus manos y colocándoselas sobre el pecho. Respiraba entrecortadamente.

—Tenemos que volver al salón de baile, Frances. Hemos estado demasiado tiempo fuera, alguien se habrá dado cuenta —acertó a decir Jack.

¿Volver al baile? ¿Estar tranquilamente entre todo ese montón de engreídos y que solo son educados por fuera una hora más? ¿O tal vez dos? Le daban ganas de gritar.

—Piensa en otra cosa —le dijo Jack.

Había estado contemplando su pecho, y ahora sus ojos se levantaron para encontrarse con los de él.

—¿Sabes lo que estoy pensando? —le preguntó.

¡Oh, Dios! Una oleada de rubor le explotó en la cara y, con toda seguridad, en todo el cuerpo.

Él se rió entre dientes, aunque el ruido que produjo al hacerlo sonó algo contenido.

—Sí, porque yo estoy pensando exactamente lo mismo —dijo, y sus labios dibujaron una sonrisa tensa—, aunque probablemente con mucho más detalle.

¿Así que sabía las locuras que le pasaban por la cabeza?

—Dime —le pidió ella.

Los ojos de Jack se abrieron confundidos, y después bajó los párpados para esconder su brillo.

—¿Que te diga qué?

—Dime qué me está pasando, por qué me siento tan... agitada —preguntó Frances con franqueza.

Ella contempló en sus ojos la lucha que se producía entre el honor y el deseo. Y, maldita sea, ganó el honor. Su gesto se endureció un tanto.

—No debía haberte traído al jardín, ni tampoco hasta este rincón tan oscuro —dijo en tono de reproche hacia sí mismo.

—Pero el caso es que me has traído, y ahora quiero que termines lo que has empezado —dijo, y se apretó contra él, y sobre todo contra el gran bulto que se había formado bajo sus pantalones—. Termine usted lo que ha empezado, milord. En el estado en el que me encuentro, sería incapaz de pensar en otra cosa. Ni de dormir esta noche ni las siguientes.

Él la apartó con suavidad y resopló luchando consigo mismo.

—Te dormirás al mismo tiempo que yo —dijo mirándola fijamente—. ¿Pero que me estás preguntando en realidad, Frances? ¿Estás preparada para renunciar a tu sagrada independencia y a tu sueño de vivir sola y por tu propia cuenta en una casa de campo y casarte conmigo?

El calor de la pasión se enfrió de repente. ¿En qué estaba pensando?

—Frederick no me dejará vivir sola —se oyó decir a sí misma—. Va a condenarme a compartir esa casa de campo con Viola.

Ella había descubierto en el parque, el día que Jack la enseñó a bailar, la enorme fuerza que tenían los besos de un hombre. Revolvían el cerebro de las mujeres. Seguro que así fue como su padre embaucó a su madre para que huyera con él.

Ahora entendía mucho mejor el error que su madre había cometido.

—Oh —gruñó Jack frunciendo el ceño—. Así qué voy a ser el mal menor... —dijo dando un paso hacia atrás—. Puede que sea muy egoísta por mi parte, Frances, pero creo que no deseo ser una mera alternativa a tu enormemente desagradable tía. Solo me casaré contigo en el caso de que me quieras y así lo desees de verdad.

¡Cielos! Ahora se estaba comportando como el típico hombre, cuya masculinidad se sentía ultrajada porque ella no se arrastraba a sus pies. Él...

Su corazón se rebeló contra sus pensamientos.

Eso no era lo que sentía en realidad. Él no era un hombre cualquiera, y desde luego no era como su padre. Era Jack, que había sido paciente, amable, leal y desprendido. Era su amigo...

¿Pero le amaba? ¿Estaba dispuesta a renunciar a su libertad para casarse con él? ¿Y qué ocurriría si se casaba con él y después la abandonaba? ¿Y si no lo hacía? ¿Y si se quedaba con ella pero terminaba odiándola? No sabía nada acerca de los hombres, ni del matrimonio.

Le entró un escalofrío.

—Vamos, tienes frío. Hemos estado demasiado rato en el jardín. Nos deben de estar echando de menos —dijo tomándola del brazo y empezando a andar hacia la sala de baile.

No debía dejar las cosas así. Tenía que explicarse pero, ¿qué podía decir? No se entendía a sí misma. Siempre había estado segura de lo que pensaba, pero ahora su mente estaba confusa y las emociones la superaban.

—Lo siento mucho —acertó a decir.

—No lo sientas —dijo Jack apretándole suavemente los dedos—. Te sientes abrumada. Con el tiempo las cosas se asentarán y sabrás qué hacer. No hay ninguna prisa.

No, no la había, pero parecía que le era imposible estar cerca de él sin sentir esa gran atracción, que todavía inundaba su piel. Y se dio cuenta de que no le gustaba nada el nuevo tono amigable pero despegado que él utilizaba para dirigirse a ella.

—¿De verdad quieres casarte conmigo o simplemente has cedido a tus instintos masculinos? —le preguntó con crudeza.

Jack rió entre dientes, pero no con los ojos.

—Frances, llevo controlando mis «instintos masculinos» durante años, y hasta ahora nunca le había pedido matrimonio a ninguna mujer —le informó con absoluta seriedad.

—¿Pero por qué quieres casarte conmigo? No necesitas una esposa —dijo Frances desconcertada.

—Pues parece que, aunque no la necesite, quiero tener una. Y parece que quiero que esa esposa seas tú —le dijo, sonriendo esta vez—. Me gustas. Eres hermosa y apasionada, inteligente y muy, muy valiente —dijo, y le guiñó un ojo—, y has aprendido a besar muy bien.

Ella se quedó con la boca abierta. Enseguida cerró la mandíbula y apretó los labios.

—Ahora entra en el salón de baile. Yo me quedaré fuera unos minutos más para refrescarme, eh, la cabeza, que está algo recalentada —le dijo.

Ella echó un breve vistazo hacia abajo. Sí, perecía que todavía tenía la «cabeza» algo recalentada.

—Vete, Frances, por favor, o me avergonzaré de mí mismo —le rogó.

Se fue. Estuvo a punto de tropezar con el señor Pettigrew junto a la puerta.

—Usted estaba en los jardines con lord Jack, ¿verdad? —le dijo Pettigrew, mirándola de forma amenazadora.

—Estaba fuera, tomando el aire —contestó desabrida.

Al señor Pettigrew no le concernía dónde y con quién había estado. Siguió andando sin detenerse junto a él. ¿Quién más había visto sus movimientos? ¿Quizá *lady* Rothmarsh o la madre de Jack? Echó un vistazo a su alrededor.

Oh, Dios.

La abuelita y la duquesa estaban juntas. Sonreían y la saludaban agitando la mano.

Capítulo 18

Confía en tus instintos.
—de las *Notas de Venus*,
duquesa de Greycliffe.

—Puedes quedarte aquí, Sam —dijo Frances, atándose las cintas del sombrero según pasaba por la puerta de entrada, donde *Shakespeare* la esperaba sentado muy formal—. Solo voy a llevar al perro a dar un paseo por el parque.

El chico estrujó su gorra con nerviosismo.

—Esta mañana lord Jack me dijo que me pegara a usted como si fuera pegamento —informó.

Su corazón sufrió un espasmo al oír el nombre de Jack. ¡Estúpida!

—Pero estoy segura de que no se refería a un paseo como este: voy a estar muy cerca y bajo control. Recuerda que cuando salí el otro día a pasear con *lady* Edward no ocurrió nada.

Deseaba casi desesperadamente estar a solas, del todo. Hubiera aducido un dolor de cabeza, aunque seguro que la duquesa no se habría dejado engañar con una excusa tan nimia, para encerrarse en su habitación hasta que todo el mundo se hubiera ido. Por lo menos Jack se había marchado muy pronto. Posiblemente no quería encontrarse con ella. ¿Se habría arrepentido de lo que pasó anoche?

Estaba cansada y muy nerviosa. Esa noche apenas había dormido y las pocas veces que había logrado conciliar el sueño fue para recordar nítidamente la cara de Jack y sentir su cuerpo, sus manos, sus labios, su lengua...

Maldita sea, aquel sentimiento cálido y frenético volvía a inundarla.

—*Shakespeare* me protegerá de cualquier canalla, ¿verdad, *Shakespeare*?

El can ladró para mostrar su acuerdo, golpeando el suelo con la cola para enfatizar su compromiso de defenderla de cualquier malhechor.

—Pero su señoría me dijo que permaneciera junto a usted —insistió Sam.

Tenía que estar sola. Se inclinó para atar la correa de *Shakespeare*.

—He oído que la cocinera está haciendo galletas de jengibre —dijo Frances.

Acababa de pasar por la cocina para llevarse a *Shakespeare* de su lugar favorito, debajo de la gran mesa de trabajo. Era un sitio estupendo para observar y lanzarse hacia cualquier resto de comida que cayera al suelo.

La cara de Sam se iluminó.

—¿En serio? —dijo ilusionado.

—Sí, y además creo que estaba a punto de sacar una bandeja del horno —afirmó Frances, que sabía que Sam, por encima de todas las cosas, adoraba las galletas de jengibre—. Si te das prisa, podrás hacerte con alguna mientras todavía están recién horneadas.

—¡Oh! —exclamó Sam mirando hacia la cocina. El pobre chico estaba claramente indeciso.

—No voy a estar en el parque ni siquiera media hora. Lord Jack nunca lo sabrá —le animó Frances.

—Pero lord Jack dijo... —volvió a insistir Sam mordiéndose el labio.

—Sí, lo sé, pero estoy segura de que quería decir que vinieras conmigo si me iba lejos de casa. Salir al parque de la plaza no puede considerarse como irse lejos de casa —explicó Frances.

—¿Usted cree? —dijo Sam esperanzado.

—No lo creo, lo sé —dijo, y disparó la última bala—. Y si Jack habla de ello, le diré cuánto insististe en acompañarme y que fui yo la que te pidió que te quedaras aquí.

Eso fue definitivo.

—¿Me promete que se lo va a decir? —preguntó el chico, aprestándose a correr hacia la parte de atrás de la casa.

—Por supuesto que sí —dijo ella sonriendo—. Y lo entenderá del todo porque sabe lo decidida que puedo llegar a ser.

—Sí —dijo asintiendo con la cabeza—. Todo el mundo dice que es usted muy cabezota —indicó, y se arrepintió de inmediato de lo que había dicho; abrió mucho los ojos, carraspeó y la miró algo avergonzado—. Eh, todo el mundo dice que es usted muy decidida.

—Exactamente —dijo ella, pensando que no era el momento de entrar en discusiones semánticas con Sam: la libertad esperaba—. Vamos, las galletas están a punto de salir del horno.

No se lo tuvo que decir dos veces. Salió corriendo por el pasillo en dirección a la cocina antes de que ella terminara de hablar.

—¡Por fin! —exclamó mirando a *Shakespeare*—. Vayámonos antes de que alguien más venga a detenernos.

Shakespeare ladró y se colocó junto a ella, husmeando la puerta, así que Frances le empujó suavemente para poder abrirla. De inmediato, el perro tiró de ella. Les aguardaba el sol de marzo y el esplendor primaveral del pequeño pero hermoso parque de la plaza.

Respiró con intensidad el aire puro y algo fresco, e inmediatamente se sintió mucho mejor. Esto era lo que necesitaba. Las cuatro paredes de su habitación se le caían encima y el resto de la casa le recordaba demasiado a Jack. Necesitaba salir, moverse en un espacio abierto, como siempre había hecho, y encontrarse a sí misma sin interferencias, por agradables que fueran.

Una vez que hubo cerrado la puerta del parque soltó la correa de *Shakespeare*. En cuanto el perro estuvo libre, salió corriendo detrás de una ardilla, claro. Sonrió. ¿Se daba cuenta el animal de lo inútiles que eran sus persecuciones? Jamás atraparía ninguna.

Caminó hacia el interior del parque, hacia el lugar en el que había bailado un silencioso vals con Jack y en el que la había besado por primera vez. Se sentó en el banco. El silencio y la paz solo se quebraban con el rumor de los movimientos de *Shakespeare* entre los arbustos. Cerró los ojos, dejando que la invadieran los recuerdos: Jack reconfortándola en la posada tras su huida de Landsford, después de aquel horrible encuentro con Littleton; Jack llevando al pequeño William con absoluta decisión y seguridad a través de la suciedad y la basura de la calle Hart; Jack rodeado de una multitud de críos felices y ruidosos en la casa de Bromley. Esas imágenes, vívidas como si estuvieran ocurriendo en ese momento, no se correspondían a las de un calavera, mujeriego y canalla.

Pero los hombres eran autoritarios, egoístas, condescendientes y también poco de fiar.

Jack no era así.

Ella quería vivir sola.

Pero echaría de menos a Jack.

Le quería mucho. Si se casaba con él, se perdería a sí misma. Se convertiría en alguien a quien no podría reconocer.

Aunque tal vez eso no fuera tan malo. Puede que se convirtiera en alguien mejor.

Ellie era feliz con Ned. La madre de Jack y su abuela estaban felizmente casadas con hombres que daban la impresión de amarlas y valorarlas mucho.

Quizá solo se perdería a sí misma si se dejaba perder.

¿Pero por qué quería Jack casarse precisamente con ella? El día en el que discutieron en el salón amarillo, Frederick le había dicho verdades como puños. Era odiosa, cruel y malvada, o al menos lo había sido. ¿Qué era lo que Jack veía en ella?

Sus pensamientos todavía iban de acá para allá, sin rumbo fijo. *Shakespeare* salió de repente de entre los arbustos y pasó por delante de ella a todo correr.

—¿Ya te has cansado de perseguir ardillas? —dijo levantándose para seguirlo—. Si ya has hecho lo que debías, podemos volver a casa. El parque no está tan en calma como esperaba.

Shakespeare tampoco estaba en calma. Se había detenido y gruñía con la garganta, mirando la puerta. Un hombre de gran tamaño entraba en ese momento. Tenía agachada la cabeza, intentando torpemente abrir el pestillo, y no lo identificó de primeras.

—¿Qué ocurre, *Shakespeare*? —dijo deteniéndose para atarle la correa, aunque quizá debiera dejarlo libre para que pudiese defenderla mejor.

¡Estúpida! Estaba dejando correr su imaginación. ¿Qué clase de malhechor se atrevería a hacer de las suyas en un tranquilo y pequeño parque del barrio residencial más distinguido de Londres? El hombre iba bien vestido, estaba claro que no era un vagabundo de los barrios bajos. Probablemente era un vecino de la zona.

—¡Calla y estate quieto, *Shakespeare*! ¡Compórtate! —dijo en voz baja para que el individuo no pudiera oírla mientras terminaba de atar a *Shakespeare*. Probablemente se sentiría mal si descubriera que había causado alguna molestia.

Shakespeare tenía el pelo absolutamente erizado, y su gruñido sordo se había transformado casi en un rugido. Estaba claro que era el momento de marcharse. En cualquier caso ya se había esfumado su privacidad.

El hombre miró hacia arriba y sonrió.

—Señorita Hadley —dijo haciendo una reverencia.

—Señor Pettigrew, no sabía que vivía usted en este barrio —dijo Frances ya relajada, pero ¿por qué *Shakespeare* no paraba de gruñir? Era muy raro en él, pues siempre se portaba bien, como un buen perro.

—No vivo por aquí —dijo cerrando la puerta del parque. El golpe del pestillo sonó excesivamente alto.

¡Estúpida! Ahora el extraño comportamiento de *Shakespeare* la estaba enervando.

—¿Entonces está usted de visita? —le preguntó.

Shakespeare perdió el control por completo y enseñó los dientes. Tenía que admitir que el señor Pettigrew parecía comportarse de forma un tanto... extraña. Había algo en su cara, tal vez en sus ojos, que podía calificarse de raro e inhabitual.

—¿Se siente bien, caballero? —le preguntó de nuevo.

El recién llegado hizo caso omiso de esta pregunta y le contestó a la primera que le había hecho.

—Sí, estoy de visita —dijo.

El hombre estaba a unos cuatro metros de ella, pero le bloqueaba el paso hacia la puerta del parque.

—¿Y a quién desea ver? —preguntó Frances empezando a alarmarse.

—A usted —dijo él sonriendo, si es que se podía calificar de sonrisa aquella mueca grotesca.

Jack torció hacia la calle Southampton. La noche anterior no había pegado ojo por una razón más que obvia. En más de una ocasión había estado a punto de salir corriendo por el pasillo hasta la habitación de Frances para «terminar lo que había empezado» en el jardín de los Easthaven. Podía haberla seducido allí fácilmente y seguro que ambos se habrían sentido mucho mejor.

Pero habría sido una equivocación. Frances había soportado una traición detrás de otra: de su padre, de su tía, de su hermano. No quería convencerla de aquella manera para hacer algo de lo que después se podría arrepentir. Tenía que llegar hasta él por su propia voluntad, gracias a su raciocinio y debido a sólidos sentimientos, y no solo a una explosión puntual de deseo.

Pero, maldita sea, era muy doloroso, en todos los aspectos, actuar con tanta nobleza. Su cabeza le decía que hacía bien, pero su corazón, y sobre todo aquel otro órgano tan insistente, le empujaban a hacer alguna locura. No paró de dar vueltas en la cama en toda la noche y tuvo que marcharse de la casa a primera hora de la mañana. No quería encontrarse otra vez con Frances hasta haber logrado controlar su imponente deseo.

Pero era algo más que deseo.

Maldita sea, tenía otras cosas de las que ocuparse, aparte de pensar en las suaves curvas de Frances, en su carácter indomable y en su sutil aroma a limón.

¡Yumm! Su boca sabía a...

Por todos los demonios, estaba en Covent Garden para investigar un asesinato, no para pensar en el matrimonio ni nada parecido. Otras dos mujeres habían aparecido con la garganta rebanada, pero como ambas eran prostitutas, los periódicos prácticamente ni habían mencionado los hechos. Jack tenía en el bolsillo el reloj de oro del Degollador. Se lo había enseñado a mucha gente desde que Nan se lo hizo llegar, pero nadie lo había reconocido. No obstante, siempre había alguien nuevo en la ciudad. Volvería a intentarlo.

No tenía ninguna otra pista que seguir.

Rodeó la plaza sorteando a los que querían venderle todo tipo de mercancías y se dirigió a la calle James.

Henry llegó corriendo en cuanto paró ante Nag's Head.

—Buenos días, milord —le saludó el chico.

Jack se bajó y le dio las riendas. Henry veía a todos los que iban de acá para allá y sabía que Jack estaba intentando descubrir al asesino.

—¿Algo nuevo que puedas contarme? —le preguntó.

—Puede ser —susurró el chico.

—¡Ah! ¿Qué has averiguado? —preguntó Jack.

Le invadió una oleada de expectación, pero mantuvo un tono de voz bajo y neutro. Probablemente no sería nada, y no quería que Henry se preocupase. Se notaba que el chico estaba nervioso.

—Nada, en realidad —dijo Henry bajando la cabeza.

Jack esperó, intentando mostrarse paciente. A veces el silencio era más eficaz que las preguntas cuando se pretendía que alguien contase algo. Henry le miró y después volvió a mirar a los caballos.

—Dick Dutton ha vuelto. Ha estado preguntando por *Shakespeare*.

—Muy bien —dijo Jack.

¿Eso era todo? No, Henry no actuaría de esa forma si eso fuera todo lo que tenía que decir.

—¿Crees que debo hablar con el señor Dutton para asegurarle que *Shakespeare* está perfectamente? —preguntó Jack.

—Dutton tiene miedo —dijo Henry mirando alrededor para ver si había alguien, pero era demasiado temprano como para que hubiera parroquianos en la taberna.

—¿De qué? —dijo Jack, a quien le empezaba a resultar difícil dominar la incertidumbre.

—No me lo ha dicho, pero creo que vio algo relacionado con el Degollador —dijo el chico encogiéndose de hombros.

—Ah —suspiró Jack—. Me gustaría hablar con él. ¿Puedes llevarme a donde se encuentre?

Seguramente no era nada. Las esperanzas que le había despertado el comentario inicial de Henry empezaban a esfumarse.

—No puedo dejar sueltos los caballos —dijo el chico, negando con la cabeza.

—Puedes meterlos en el establo —dijo Jack, aunque sabía que eso podía resultar sospechoso. Nunca se quedaba demasiado tiempo en esa zona.

Henry lo pensó durante un momento, y probablemente llegó a la misma conclusión que él.

—Mejor no. Vaya al teatro y llame a la puerta roja. Dígale a la señora que abra que quiere hablar con Romeo —le indicó Henry.

—¿Romeo? Yo creía que tenía que hablar con Dick Dutton —dijo Jack sorprendido.

—Sí, es que le da miedo utilizar su verdadero nombre. Está convencido de que alguien quiere cargárselo —explicó Henry moviendo la cabeza.

Interesante. Henry solo era el chico que se hacía cargo de los caballos, pero Jack sabía por experiencia que la gente más insignificante generalmente era la que más enterada estaba de lo que pasaba en la calle.

—¿Y tú qué opinas? —le preguntó.

—Pues que podría ser. A veces un hombre quiere matar a otro por muy poca cosa —dijo Henry encogiéndose de hombros.

Por desgracia era verdad lo que decía el pequeño, y sobre todo en esa zona.

—Muy bien —dijo Jack dándole un chelín a cambio de la ayuda—. Cuida de mis caballos mientras voy a hacerle una visita a Romeo.

Encontró fácilmente la puerta roja y llamó con fuerza.

Nada.

Volvió a llamar. De nuevo nada.

Ya tenía la mano levantada para llamar una tercera vez, más fuerte que las anteriores, cuando la puerta se abrió de repente y asomó una mujer mayor, bastante baja, pero con una voz profunda y poderosa.

—¿Qué es lo que quiere? —dijo mirándole de arriba abajo, y después soltó una risa que dejó ver unos cuantos agujeros en su dentadura—. Hace cincuenta años los jóvenes como usted llamaban a mi puerta a todas horas y era capaz de ocuparme de tres o cuatro en una sola noche. Por desgracia, esos días ya pasaron —se rió de su propia broma y subió y bajó las pestañas—. Pero aún puedo intentarlo. Con los años he aprendido unos cuantos trucos, ¿sabe?

Jack hizo una reverencia. Había aprendido hace tiempo a controlar las expresiones, así que si lo que esperaba ver la vieja era una cara de horror o de consternación, no fue así.

—¡Vaya por Dios! Mi prometida me ha prohibido que vuelva a implicarme en ciertas actividades —informó. Frances aún no era oficialmente su prometida, pero sería una cuestión de tiempo, o al menos eso esperaba.

—¿Y usted permite que una mujer controle su comportamiento? —le preguntó la vieja.

—Tengo que confesarle que solo de pensar en su ira me echo a temblar —asintió, pensando que Frances tenía unos prontos terribles—. En todo caso, estoy aquí por asuntos que no tienen nada que ver con el placer. Necesito hablar con un hombre que se hace llamar Romeo.

De repente, la expresión de la vieja cambió de la ironía lasciva a la precaución, y empezó a cerrar la puerta.

—Aquí no hay nadie que se llame así —dijo.

Jack impidió que cerrara la puerta colocando el pie.

—Tengo a su perro, *Shakespeare* —le hizo saber Jack.

Durante un instante abrió más los ojos, pero enseguida se controló. Levantó las cejas.

—¿Un perro que se llama *Shakespeare*? Eso es ridículo —dijo.

—Es marrón, de tamaño medio, con una marca en una de las orejas. Tiene mucho talento, además. Sabe hacer todo tipo de trucos —explicó Jack.

—Si hubiera aquí un hombre que se hiciera llamar Romeo, cosa que no es cierta, ¿quién lo busca? —preguntó la vieja con el ceño fruncido.

—Lord Jack Valentine.

La cara de la vieja se relajó un tanto.

—Oh, lord Jack. He oído hablar de usted, por supuesto —dijo mirándole con absoluto descaro—. No había tenido el placer de verle tan de cerca y realmente sí que es un placer... Entre, veré a ver si por aquí hay algún Romeo.

Jack pasó y la mujer cerró la puerta con cerrojo.

—Toda precaución es poca —dijo.

—Sin lugar a dudas —confirmó Jack.

La mujer avanzó por el pasillo y desapareció por una puerta. Jack escuchó una conversación en susurros que le pareció algo tensa, aunque no pudo entender lo que se dijo. Enseguida la mujer asomó la cabeza por a puerta.

—Entre —dijo con una mueca irónica—. Romeo accede a recibirle.

—Muchas gracias —dijo Jack.

Entró rápido, no fuera a ser que el individuo cambiara de opinión de repente, a lo que era una especie de estudio extremadamente abigarrado y que olía a humedad. Todas las superficies horizontales, y una buena parte del suelo, estaban cubiertas de libros, periódicos y otros papeles, mientras que de las paredes colgaban varios cuadros de una mujer hermosa y joven, tal vez la vieja que le había abierto la puerta pero en sus buenos tiempos, con diferentes atuendos teatrales. En un carrito había un tetera, mientras que en la mesa descansaba una taza vacía y un bocadillo a medio comer. Desde una butaca y tras unas lentes le miraban dos acuosos ojos azules y ligeramente inyectados en sangre.

—¿El señor Dutton? —preguntó Jack.

—Romeo —dijo mirando a Jack y después a la mujer mientras se levantaba, mostrando una figura ligeramente encorvada, algo barriguda y con bastantes entradas en la cabeza—. Mi nombre es Romeo.

—Vamos, no seas ridículo —dijo la mujer—. Lord Jack sabe que no te llamas Romeo. Nadie se llama Romeo.

—Romeo, como tú bien sabes, Olivia, fue uno de mis mejores papeles —dijo el hombre con cierto orgullo.

—Que pudiste representar solamente porque Jasper había comido pescado en mal estado y echó hasta la primera papilla —dijo la vieja con mala intención.

La conversación no estaba yendo por los derroteros que Jack esperaba.

—Creo recordar que tuve ocasión de presenciar su espléndido trabajo en *El mercader de Venecia*, con el señor Kean, ¿no es cierto, señor? —dijo Jack con tono admirativo.

—No estuve mal en esa obra, ¿verdad? —afirmó Dutton sacando pecho.

—Estuvo usted magnífico —corroboró Jack.

—Pues ahora acabas de admitir que eres Dick Dutton —dijo la mujer—, así que ya puedes dejar de fingir que te llamas Romeo. Desde el principio te dije que era un disparate.

—Maldita sea, Olivia, yo... —dijo Dutton apretando los dientes.

Jack carraspeó. No tenía tiempo para contemplar a estos dos discutiendo de bobadas.

—Tal vez fuera mejor que nos dejara solos, señora... —dijo Jack.

—Señora Bottomsley —dijo la vieja poniéndose colorada.

Dutton resopló y abrió la boca para hablar, quizá para impugnar ese apellido de casada, lo que era probable que llevara a nuevas y poco productivas discusiones.

—Muchas gracias, señora Bottomsley —dijo Jack señalando la puerta.

La mujer dirigió un gesto de desprecio a Dutton, sonrió a Jack y se fue por la puerta con toda la prisa que le permitieron sus muchos años y su bastón. En cuanto cerró la puerta, Jack se dirigió a Dutton.

—¿De qué tiene usted tanto miedo, señor? —le preguntó.

Dutton se volvió a sentar en el sillón, de modo que entre ambos había una silla.

—Olivia me ha dicho que usted tenía a *Shakespeare* —afirmó sin contestar a la pregunta.

—Sí, lo tengo. Iba a traerlo conmigo, pero decidí que era mejor que se quedase con mi prometida. Debo confesar que estoy preocupado por su seguridad, con el Degollador todavía suelto y haciendo de las suyas —explicó.

—*Shakespeare* es muy listo —corroboró Dutton asintiendo con la cabeza—. No dejará que ese canalla le haga nada a su prometida si puede evitarlo de alguna forma —afirmó, pero se hundió un poco más en su sillón—. Aunque no sé si el pobre *Shakespeare* sería capaz de detenerlo.

Quizá por fin iba a averiguar algo.

—Dígame, ¿sabe usted quién es el asesino? —le preguntó Jack sin más preámbulos.

—No.

¡Maldita sea!

—Pero lo vi, más o menos —dijo Dutton suspirando y negando con la cabeza—. Hace más o menos un mes, una noche yo salía de la taberna Bucket of Blood después de tomarme unas cuantas pintas y oí un ruido extraño que venía del callejón. *Shakespeare* estaba conmigo y empezó a ladrar y a gruñir. Hubiera entrado en el callejón a investigar si no lo hubiera agarrado por la correa. Vi a un tipo grande como un oso y eché a correr. Al día siguiente me enteré de que a Martha la habían encontrado muerta allí mismo.

Maldición, había concebido ciertas esperanzas, y esto era peor que nada. ¿Grande como un oso? Era ridículo. Dutton debía de estar completamente borracho en ese momento.

—Y entonces, ¿por qué salió de estampida y no se llevó a *Shakespeare*? —preguntó Jack.

—Yo no reconocí al Degollador, pero estoy seguro de que él sí que me vio a mí. Me daba la luz de la taberna y *Shakespeare* estaba conmigo —dijo mirándose las manos—. Tenía miedo de que pensara que le había reconocido y me rebanara el pescuezo. Tenía que irme rápido, sabía que el perro se las apañaría —dijo resoplando—. Y tanto que se las ha apañado: ahora está rodeado de lujos, ¿no?

Sin ninguna duda, la mansión Greycliffe era un lugar bastante más lujoso que ese.

—¿Quiere que se lo devuelva? Aunque la verdad es que le hemos tomado mucho cariño —dijo Jack.

—No, no, así está bien. Puede quedárselo. Estábamos juntos, pero era algo más o menos profesional, no sé si me entiende —explicó Dutton—. No era un perro de compañía, trabajaba para mí y se ganaba el sustento. Solo quería saber si se encontraba bien.

Dutton no parecía echar mucho de menos al perro, pero había vuelto para ver cómo estaba.

—Si lo desea, puede venir a verle. O yo puedo traérselo —le ofreció Jack.

—No, mejor no, al menos mientras el Degollador siga merodeando por las calles. Creo que voy a irme otra vez de Londres. Tal vez me vaya a Brighton o a York. Creo que cuanto más lejos de la maldita ciudad, mejor para mí —dijo. Estaba aterrorizado.

—De acuerdo —dijo Jack—. Si recuerda usted algo, aunque sea el más mínimo detalle, por favor hágamelo saber. Estoy decidido a atrapar a ese asesino loco.

Jack se volvió hacia la puerta. Se había sentido muy esperanzado después de hablar con Henry. Ahora... pero, un momento. Era improbable que Dutton lo reconociera, pero tampoco se perdía nada por intentarlo. Se volvió y sacó del bolsillo el reloj.

—¿Había visto usted antes este reloj?

—Oh, sí. Es de Pettigrew. ¿Cómo es que lo tiene usted? —preguntó Dutton algo asombrado.

El estómago de Jack se volvió del revés y un sentimiento de pavor hizo que los brazos le pesaran como el plomo. Ese hombre había estado con Frances varias veces, la última de ellas la noche anterior.

—¿De Pettigrew? —dijo muy alterado—. Pero si las iniciales que lleva grabadas son H. E. B. No puede ser suyo.

—El reloj es suyo, sin lugar a dudas. Lo llevaba en la taberna la noche de la que le he hablado. Le pregunté la hora, y cuando sacó el reloj del bolsillo por poco se le cae. Dijo que tenía que arreglar la cadena, porque no quería perderlo. Lo había heredado de su abuelo materno, Horace Edgar Blant, un oficial del ejército bastante mujeriego y, según las historias que cuenta Pettigrew, también muy violento.

Por todos los demonios.

—¿Y dónde estaba Pettigrew cuando usted se fue de la taberna? —le preguntó, intentando mantener la calma.

Dutton se quedó mirándole de hito en hito y empezó a entender el porqué de todas aquellas preguntas.

—Se había ido. Se marchó unos diez minutos antes que yo. A mí todavía me quedaba media jarra de cerveza cuando se levantó, pero no tardé mucho en terminármela. Se estaba haciendo tarde —dijo, y se pasó a mano por la incipiente calva—. La verdad es que Pettigrew tiene cierta pinta de oso...

—Así es, en efecto —dijo Jack. Tenía que irse a casa inmediatamente y asegurarse de que Frances estaba a salvo—. ¿Me perdona, por favor?

Ya estaba en el pasillo, fuera de la habitación, cuando oyó débilmente la voz de Dutton.

—Buena suerte.

—¿Y por qué desea verme, señor Pettigrew? —preguntó Frances. Era la conversación más forzada que había mantenido en toda su vida. En realidad, no era una conversación, sino una forma de ganar tiempo, y no le importaba nada lo que le contestara. Lo único que deseaba era irse de allí, pero él seguía bloqueando el paso.

—Calla, *Shakespeare* —ordenó sin mucha convicción.

El señor Pettigrew bajó la vista hacia el perro.

—¿Por qué tiene usted el perro de Dick Dutton? —preguntó.

—El señor Dutton se fue de Londres y *Shakespeare* necesitaba un hogar —respondió Frances.

—Ah, claro —dijo Pettigrew asintiendo con la cabeza—. Ya sabía yo que me había visto.

Lo que decía no tenía sentido para ella, y ahora *Shakespeare* intercalaba los gruñidos con ladridos, mientras trataba por todos los medios de soltarse de la correa. Tenía que marcharse como fuera.

—Bueno, como ve tengo que irme, pues *Shakespeare* se ha puesto insoportable. ¿Hará el favor de excusarme? —le pidió.

No sabía si esperar a que el hombre se hubiera apartado del camino. Si *Shakespeare* decidía pasarse del todo de la raya e intentaba morder a Pettigrew, debía impedírselo.

—No.

—¿Perdón…?

—He dicho que no. No voy a excusarla —dijo mirándola fijamente con ojos algo desorbitados—. Llevo semanas esperando poder estar a solas con usted —dijo con voz plana—. En los bailes, usted nunca ha querido salir conmigo a los jardines.

—Por supuesto que no. No hubiera sido apropiado —dijo Frances mientras miraba alrededor.

La plaza estaba desierta. Todas las niñeras debían estar en sus casas, con los niños durmiendo y las sirvientas descansando un rato ante una taza de té.

¿Por qué habría convencido a Sam de que la dejara sola?

—Anoche fue usted al jardín con lord Jack. Eso no fue nada apropiado —dijo, y avanzó un paso.

Ella hubiera retrocedido si *Shakespeare* la hubiera dejado. Al menos el señor Pettigrew se encontraba a una distancia prudencial de las mandíbulas del perro.

—Y lo que hizo usted con él allí fuera, en la oscuridad, tampoco fue apropiado, ¿verdad? —añadió Pettigrew.

Debía tener presente que el señor Pettigrew no tenía la menor idea de lo que había ocurrido en los jardines de lord Easthaven, e incluso si lo sabía, no era en absoluto de su incumbencia.

—Lo que yo hiciera o dejara de hacer es cosa mía y de lord Jack. Y ahora, por favor, hágase a un lado. Quiero volver a la mansión Greycliffe.

Pettigrew rió entre dientes, o al menos emitió un sonido que quizá pretendiera ser una risa. Dadas las circunstancias, toda diversión estaba fuera de lugar.

—Tienes que ser una puta muy caliente. ¿No puedes esperar siquiera a volver a Greycliffe para que Jack te meta mano? Me sorprende que la duquesa no se haya dado cuenta de tu estratagema, pero me imagino que piensa que su maravilloso hijo no es capaz de hacer nada malo. Bueno, en todo caso no volverás a abrirte de piernas para él —espetó casi de un tirón.

El estómago de Frances se volvió del revés ante tanta grosería. A *Shakespeare* tampoco le gustaron las palabras, ni el tono, y empezó a ladrar mucho más fuerte y de forma amenazadora. Apenas podía impedir que atacase al hombre.

—Hágase a un lado de inmediato, señor. Déjeme pasar —repitió Frances.

Negó con la cabeza y metió la mano en el bolsillo del abrigo.

—De eso nada. No te vas a ir.

—Señor Pettigrew, lord Jack, y también su padre, el duque de Greycliffe, van a enfadarse mucho si no se hace a un lado inmediatamente —dijo Frances.

¡Dios bendito! ¿Era un cuchillo de caza lo que estaba sacando del abrigo?

—Guarde eso, señor —dijo elevando la voz.

Shakespeare ladraba con tal fuerza que, si hubiera habido alguien por los alrededores, con toda seguridad habría acudido y hubiera podido pedir ayuda.

—Si, lo guardaré, pero después de que te haya rebanado el cuello. Me has causado ciertas dificultades. Prefiero matar de noche, pero me ha sido imposible quedarme a solas contigo. Gracias a Dios que por fin estás sin ese chico que te sigue a todas partes —dijo sonriendo con malicia.

—Señor, Dios no tiene nada que ver con esto, salvo para condenarlo al fuego eterno por sus actos —dijo Frances.

Aquello no podía estar pasando de verdad. El señor Pettigrew era muy desagradable, pero no como para esperar esto de él...

—Entonces gracias al diablo —dijo riendo—. Dale recuerdos de mi parte cuando te encuentres con él, maldita puta.

Sacó el cuchillo de la funda y el sol destelló sobre el acero curvo de su hoja. Estaba claro que el momento de las palabras había pasado. ¿Qué era lo que le había dicho Jack? No te confíes. No dudes. Muévete deprisa e intenta hacer daño al maldito canalla.

Era el momento de permitir que *Shakespeare* hiciera lo que tanto deseaba. Frances soltó la correa.

El perro lanzó directamente hacia la mano de Pettigrew que sostenía el cuchillo. Observó como los dientes del perro se cerraban con fuerza sobre la muñeca del loco y entonces Frances se sujetó las faldas y salió corriendo. Si conseguía abandonar del parque, casi seguro que alguien la vería y podría detener al canalla.

Tras ella, Pettigrew gritaba como un poseso. Confiaba en que *Shakespeare* le hubiera mordido hasta llegar al hueso. Y de repente oyó el aullido del perro, seguido de un horrible sonido de algo que caía con fuerza contra el suelo. ¡Oh, Dios mío, *Shakespeare*! Pero no debía pararse, ya casi estaba llegando a la puerta del parque...

Una mano grande y potente la agarró del brazo y tiró de ella hacia atrás. Una oleada de terror surgió de sus entrañas y le cortó la respiración. Por un momento la dejó paralizada, y de repente se acordó de la cara de Jack, y volvió a oír su voz cuando le decía lo que tenía que hacer si un hombre la sujetaba por un solo brazo.

Maldita sea, no dejaría que aquel canalla la matara. Quería ver otra vez a Jack y abrazarle.

Todas las emociones y sensaciones que había experimentado desde que salió huyendo de Landsford, la culpa, la frustración, la rabia y el dolor, se fundieron en una sola: su amor por Jack. El miedo y la duda se desvanecieron. Cuando Pettigrew tiró de ella para darle la vuelta y ponerla frente a él, Frances concentró toda su energía en el brazo y le golpeó la parte baja de la mandíbula con la base de su mano.

La cara de Pettigrew retrocedió, gruñó de dolor, y aflojó la sujeción del brazo de Frances, aunque sin soltarlo. Ella le lanzó un tremendo rodillazo a la entrepierna y el asesino volvió a gritar, esta vez mucho más fuerte. Cuando se dobló, ella suponía y esperaba que sintiendo un dolor insoportable, Frances juntó las manos y le golpeó en la base del cráneo con todas sus fuerzas. Pettigrew cayó todo lo largo que era y no hizo ademán de levantarse. Si hubiera llevado las botas de Frederick, le hubiera dado una patada en la cabeza.

—¡Frances! —exclamó una voz muy conocida y esperada.

Ella volvió la cabeza. Jack se estaba bajando del carruaje a toda prisa, dejando los caballos en la calle, y corría hacia la puerta del parque.

Él estaba aquí. Ahora todo iría bien.

Capítulo 19

Siempre merece la pena correr riesgos para conseguir el amor.
—de las *Notas de Venus*, duquesa de Greycliffe.

No deseaba bajo ningún concepto que se repitiese un día como aquél. Jack acercó los pies al fuego para que entraran en calor con las zapatillas puestas y bebió un largo trago de *brandy*. Normalmente, estar solo en su habitación le relajaba, pero esta noche estaba tenso como la cuerda de un arco.

Gracias a Dios que había ido directo a casa después de hablar con Dutton. La verdad es que hasta se sorprendió a sí mismo por haberlo hecho. Estando en Covent Garden, habría tenido sentido informar a Nan, y después mandar a Jeb para que a su vez informara a Trent y a todos los demás que le estaban ayudando a investigar quién era el Degollador. Pero algo le dijo que tenía que volver a casa. No pudo pensar en otra cosa que en Frances.

Se pasó la mano por la cara. Frances. Cuando, al llegar a la plaza, oyó los gritos de Pettigrew y después el aullido de *Shakespeare*, pensó que el corazón iba a salírsele del pecho. Había azuzado a sus pobres caballos como nunca antes para que corrieran a toda velocidad hacia el parque y después los obligó a parar de repente.

Llegó justo en el momento en el que Frances derribaba a Pettigrew, un hombre que pesaba casi el doble que ella. Había sido impresionante, parecía una de las Furias, absolutamente desatada.

Pero ¿cómo estaría ahora?

Dio otro trago a la copa.

Afortunadamente, Sam estaba mirando por la ventana. Jack ya había tenido unas palabras con él por haber permitido que Frances fuera sola al parque, pero tampoco fue demasiado duro con el chico. La joven tenía una voluntad férrea. Cuando Sam le vio salir del carruaje a toda prisa dio la alarma y todos los hombres del servicio salieron corriendo hacia el parque y llegaron poco después que Jack.

Menos mal, no quería dejar a Frances sola bajo ningún concepto y necesitaba ayuda. Puso a Richard y a William, los dos lacayos más fuertes, a vigilar a Pettigrew, diciéndoles que se sentaran sobre él si recobraba el conocimiento. Envió a Sam para que avisara a las autoridades y a Jacob a llamar al médico. Braxton había recogido a *Shakespeare* con mucho cuidado y lo había llevado a casa. El perro dormía ahora tranquilamente en la cama de Jack. Y Frances... Tras una breve discusión, pues Jack insistía en llevarla en el carruaje y ella insistió en ir andando, la había acompañado a su habitación.

Miró fijamente al fuego. Esa era la última vez que la había visto. Mamá y Ellie habían subido corriendo cuando volvieron de las compras e insistieron en hacer compañía a Frances. El médico llegó, mientras Pettigrew estaba siendo arrestado y llevado a prisión, y administró a Frances una dosis de láudano.

Tenía que ver cómo estaba. El láudano a veces producía pesadillas. El maldito médico había dicho que estaría bien, que no era necesario que nadie se sentara junto a ella, y mamá le había dicho hacía una hora que Frances estaba descansando tranquilamente y que ella se iba a la cama. Y Ellie no podía quedarse, claro, pues estaba embarazada.

Se movió inquieto en la silla. Frances no necesitaba el láudano para tener pesadillas; se las produciría el ataque de Pettigrew.

Puso la copa de *brandy* en la mesita auxiliar con tal fuerza que derramó algunas gotas.

Maldita sea, iría a su habitación. Hoy había estado a punto de perderla. Aunque estuviera durmiendo profundamente, necesitaba verla.

La habitación de Frances no se encontraba junto a la suya. Por una vez, su madre no había procurado forzar el emparejamiento. No obstante, tampoco quedaba muy lejos y el pasillo estaba desierto. Ned y Ellie dormían, pues iban a regresar al campo a la mañana siguiente, y parecía que sus padres también se habían retirado a descansar. En un momento llegó a la puerta de Frances.

La abrió con cuidado y se deslizó en la habitación. Estaba tenuemente iluminada por los rescoldos de la chimenea.

—Frances —dijo muy bajito, para no despertarla si estaba durmiendo—. Soy Jack.

Oyó el ligero crujido de la ropa de la cama al moverse, después la voz de Frances, apenas un susurro.

—Jack, ¿qué estás haciendo aquí?

—Necesitaba saber cómo estabas —dijo acercándose—. Quería estar seguro de que te encontrabas bien.

—Estoy bi... bien —dijo ella con voz temblorosa.

La verdad es que no parecía estarlo. Jack tomó una vela y la prendió con el rescoldo de la chimenea. Quería verla con claridad.

Su pelo, todavía demasiado corto para formar melena, estaba muy revuelto, como si hubiera movido mucho la cabeza contra la almohada. Tenía la cara pálida y los ojos muy abiertos.

—¿Has tenido pesadillas? —preguntó Jack.

—No... no.

Él levantó las cejas y esperó. Ella miró hacia abajo, hacia las sábanas revueltas.

—Bueno, alguna... —terminó reconociendo.

—A veces el láudano las provoca —afirmó Jack.

Vio como Frances sufría un escalofrío y le miraba a los ojos. Se mordió el labio.

—Sí, ya lo sé. ¿Te importaría...? —empezó a decir, pero se interrumpió—. No, no importa.

—¿Que si me importaría qué? —dijo él acercándose y sonriendo con dulzura— ¿Quieres que me quede un rato para que puedas hablar de lo que ha pasado? Ya sabes, a veces hablar ayuda.

Ella se arrebujó entre las sábanas.

—No...

Hizo una pausa y después habló, en un susurro tan tenue que no la habría entendido si la habitación no hubiera estado tan silenciosa.

—¿Te importaría abrazarme?

Tuvo miedo de mirar a Jack cuando pronunció esas palabras. ¿Se quedó asombrado? Pero había venido a su habitación, así que tenía que saber que lo necesitaba. Y lo necesitaba de verdad. Él tenía razón, había tenido unas pesadillas horribles. Seguía viendo la cara de Pettigrew, sintiendo la mano que agarraba con fuerza su brazo y el impacto cuando le golpeó con la base de la mano en la mandíbula.

Volvió a estremecerse. No paraba de temblar y las mantas no lo impedían, ya que el frío, helador, provenía de sus entrañas.

Notó cómo el colchón se hundía e, inmediatamente, la rodearon los brazos de Jack.

—Estoy aquí, todo está bien —susurró él.

Apiló las almohadas junto al cabezal y se apoyó sobre ellas. Después la arrastró junto a él. Ella puso un brazo sobre su pecho, apoyó la cabeza en su chaleco de Banyan y aspiró con fuerza. Olía a jabón, a *brandy* y a Jack.

Una de sus anchas manos empezó a acariciarle la espalda con suavidad. De muy adentro surgió un sollozo, y después otro, y muchos más, cada vez más intensos, y a veces tan tensos que no producían ruido alguno, solo un temblor.

Odiaba llorar. Las lágrimas eran para las mujeres débiles. Pero era incapaz de parar este llanto. Esas lágrimas, incontenibles, hacían que se desgarrara por dentro.

En principio lloraba por el horror acumulado tras su terrible encuentro con Pettigrew, pero enseguida todos sus fracasos se le vinieron encima para destrozarla. Lloraba por la traición de su tía, por el alejamiento de su hermano, por la muerte de su madre, por el rechazo de su padre. Lloró hasta que no le quedaron lágrimas dentro.

—Siento haberme comportado como una llorona —se excusó, finalmente exhausta.

¡Ja! Una llorona, no era una comparación adecuada. Más bien había llorado a mares. Se secó los ojos y la cara con la manga del camisón.

—Te he mojado el chaleco —dijo contrita.

—Necesitabas echar fuera todo lo malo —dijo Jack, acariciándole el pelo con los dedos.

Apoyó la cabeza en su pecho y escuchó el firme latido de su corazón.

—Qué suerte tuve de que vinieras esta mañana —dijo.

—No me necesitabas. Te habías salvado tú sola —contestó Jack.

Sí, así había sido, ¿verdad? Un sentimiento de orgullo la invadió.

—Pero jamás lo habría logrado si no me hubieras enseñado cómo hacerlo y si *Shakespeare* no hubiera mordido al señor Pettigrew no se le habría caído el cuchillo al suelo —recordó.

Se le revolvió de nuevo el estómago. Levantó la cabeza para mirar a Jack. Oír cómo *Shakespeare* se estrellaba contra el suelo había sido terrorífico.

—¿*Shakespeare* está bien? —preguntó algo asustada.

—Sí, está muy bien —dijo Jack sonriendo—. Probablemente un poco magullado, pues debió de recibir un buen golpe. Pero la cocinera recompensó su valentía con un montón de caprichos diferentes, a cual más apetitoso, entre los que estaba la carne que se suponía iba a ser mi cena. Ahora ronca en mi propia cama como un bendito.

—Gracias a Dios —dijo Frances aliviada.

Volvió a poner la cabeza en su pecho y cerró los ojos. El calor de su cuerpo empezaba a derretir el hielo que parecía invadir su interior. ¿Podría convencerle de que se quedara toda la noche? No quería estar sola.

Sus dedos seguían moviéndose entre su pelo de forma lenta y muy tranquila, pero ella no se sentía relajada ni somnolienta. Se sentía más bien seca y vacía. Como muerta.

No. Había estado a punto de morir hacía unas horas, y ahora tenía muchas ganas de vivir. Quería disfrutar sentimientos muy diferentes a la pena y el remordimiento.

Cuando se enfrentó a Pettigrew, el amor que sentía por Jack había sido la fuente de toda su fortaleza.

No era capaz de adivinar lo que depararía el futuro, solo podía vivir en el presente. Necesitaba tener el valor de elegir hoy, sabiendo que mañana todo podía cambiar.

Y hoy sabía que amaba a Jack.

Quería que él llenara sus vacíos. Su cuerpo bullía por dentro. Que llenara todos sus vacíos. Y quería formar parte de su vida hasta que la muerte los separara.

—¿Recuerdas la otra noche, cuando estuvimos en el jardín de los Easthaven? —le preguntó.

—Sí —contestó él, y ella notó que su mano se quedaba helada de repente.

—¿Recuerdas lo que dijiste? —dijo levantando la cara para mirarle. Su expresión parecía un tanto recelosa.

—Dije muchas cosas... ¿A cuál te refieres?

Ella tenía miedo de decirlo... ¡No, no tenía miedo!

—¿Todavía quieres casarte conmigo? —preguntó al fin.

—Sí —contestó él sonriente, y le sujetó la cara para que no dejara de mirarle—. Pero ¿tú quieres casarte conmigo?

—Sí.

Quizá su madre había hecho una locura por casarse con un mujeriego, pero Jack no lo era, ni tampoco un calavera o un vividor. No obstante, en algún momento podría dejar de amarla. El futuro podía deparar cualquier tipo de sinsabores. Pero también podía traer la alegría y la felicidad de la que disfrutaban sus abuelos. No podría lograr la felicidad si no era capaz de arriesgarse a que llegara el sufrimiento.

No volvería a tener miedo.

—Te amo, Jack —afirmó, sincerándose por completo—. Al menos eso es lo que creo. Nunca he aprendido a amar. Tendrás que enseñarme, igual que me enseñaste a bailar —dijo mirándole a los ojos, y en ellos solo vio ternura y amor—. Me enseñarás, ¿verdad? Tengo muchísimas ganas, me hace mucha falta aprender.

—Por supuesto que lo haré —contestó Jack. Le acarició las mejillas con los pulgares. Le invadía una forma de felicidad que no había sentido en su vida. Por fin Frances había dejado atrás su pasado y había decidido permitir que compartiera su presente y su futuro. Le estaba ofreciendo el regalo de su amor.

Ella había estado sola demasiado tiempo, toda su vida en realidad. Pero él también lo había estado, aunque tenía hermanos y padres. Ahora tendría una esposa, una mujer con la que compartir su vida, una compañera, una amiga, una amante.

—Y tú también tienes que enseñarme a mí —le dijo.

—Pero...

—Creo que sabes amar, Frances, pero el amor, como todo, se hace más fuerte con la práctica —dijo sonriendo—. Vamos a practicar juntos durante toda nuestra vida.

—¿Estás seguro, completamente seguro, de que quieres casarte conmigo? —le preguntó ella sin devolverle la sonrisa—. Creo que no soy la novia que tu madre habría escogido para ti.

Puede que tuviera razón, pero con mamá no se podía estar seguro de nada. Mamá era enrevesada... y muy inteligente.

—Lo único que quiere mi madre es que yo sea feliz, Frances. Y si tú me haces feliz, eres precisamente la novia que ella habría escogido para mí —le dijo, y la besó en la frente con suavidad—. Su éxito como duquesa del amor se basa en que sabe que las personas deben escoger sus parejas por sí mismas. Simplemente se asegura de que las personas se encuentren.

Frances no parecía convencida del todo.

—¿Y qué pasa con mi padre y con la tía Viola? —preguntó frunciendo el ceño.

No le gustaban nada, por supuesto, pero formaban parte de la familia de Frances y su intención era compartirlo todo con ella. No podía escoger unas cosas y dejar otras.

—Bueno, no me voy a casar con ninguno de los dos, ¿no?

—No, claro —respondió Frances riendo entre dientes—, pero no podrás evitar que sean mis parientes.

—Cierto, pero no creo que los veamos mucho, y te prometo que intentaré ser amable y educado durante nuestra boda y en los bautizos de nuestros hijos —dijo con ironía.

—¡Oh! —dijo Frances, y notó que tragaba saliva— ¿Hijos?

—Sí, claro —susurró Jack moviendo una mano a lo largo de su espalda con suavidad mientras ella volvía a apoyar la mejilla en su pecho—. Quiero tener unos cuantos. Uno o dos niños y una niña. ¿Tú cuántos quieres?

—No... no lo sé. Nunca he pensado en eso —respondió en un tono como de susto.

El miembro de Jack se mostraba ardientemente deseoso de iniciar el proceso de consecución del primer bebé. Su insistencia era tal que casi le impedía concentrarse en ninguna otra cosa.

Mejor sería que intentase averiguar si Frances estaba dispuesta a ir por ese camino. En caso contrario, seguiría acompañándola, pues así se lo había prometido, pero sentado en una silla lo más incómoda posible y con un bloque de hielo en el regazo.

Un suave susurro de Frances aclaró la situación.

—¿Te gustaría enseñarme en la práctica cómo se hacen los niños? —dijo, con la cara tan colorada como su pelo— ¿Implica besarse?

—Sí, besarse muchísimo es fundamental. Y por todas partes —dijo Jack sonriendo—. Incluso en sitios que tal vez no te imaginas —añadió con ironía en tono de profesor.

—¡Oh! —exclamó ella, tan nerviosa que por un momento pensó que el corazón iba a salírsele del pecho. Una vez dado este paso, ya no había posibilidades de volverse atrás...

Pero ella no deseaba volverse atrás de ninguna manera. Pasara lo que pasase en el futuro, ahora amaba a Jack.

Su cuerpo deseaba seguir adelante, ardía. Recordaba los besos en el parque y los del jardín de los Easthaven, sobre todo estos últimos. Sus labios, sus pechos, incluso su entrepierna parecían suplicar que le permitiera a Jack seguir adelante.

—También puedo esperar a que te sientas preparada. No quiero forzarte, Frances. Jamás lo haré —dijo él.

Ella notó un mínimo rastro de decepción en su voz. Había dos personas en la cama. Debía dejar de pensar solo en sí misma. Y además, ella estaba dispuesta a que ocurriera. Solo estaba siendo prudente, aunque a veces la prudencia no era más que otra forma de nombrar el miedo.

Sería valiente una vez más. Empezó a desatarle el chaleco. Él la tomó de las manos.

—Frances, vas a cruzar una línea a partir de la cual no hay retorno posible. ¿Estás completamente segura de que quieres hacerlo? —preguntó Jack ansioso y serio.

Los escasos recelos que aún le quedaban se esfumaron por completo, barridos por el intenso deseo que se había encendido dentro de ella.

—Sí, estoy segura.

Cuando se desnudó del todo, el miembro viril se levantó reclamando atención. Tenía un aspecto muy extraño e inusual. Fue a agarrarlo... pero se detuvo.

—¿Te dolerá si te lo toco? —aquello tenía un aspecto casi tumefacto.

—No —dijo Jack con voz gutural.

Pareció como si ya le estuviera haciendo daño solo con mirarlo. Bueno, lo acariciaría con suavidad. Lo tocó con precaución, con la punta de los dedos, y notó como si latiera. Miró por un momento a Jack.

Él sonrió, aunque con expresión algo tensa.

—Sigue —dijo, otra vez con voz grave. Se aclaró la garganta—. Estaría bien que lo... envolvieras... con la mano... y lo acariciaras.

Así lo hizo. Estaba duro, pero al mismo tiempo suave. Deslizó su mano por toda su extensión, arriba y abajo, y también por esos saquitos tan raros que había en la base, y acarició la cabeza del miembro con la yema del dedo índice.

Notó que daba una especie de saltito. Ella se rió y, siguiendo un antojo incontrolable, se inclinó para besarlo. Las caderas de Jack se contrajeron, e hizo un ruido muy extraño, como un gruñido.

—¿Has...? ¿Terminado...? —le preguntó como mordiendo las palabras.

—Me dijiste que no te haría daño. Debiste avisarme de que te...

—No me estabas haciendo daño. Me estabas torturando. Cualquier otro día disfrutaré lo que has estado haciendo cómo se merece, pero esta noche no. Hoy no quiero terminar antes de empezar, ni de que tú empieces —explicó. La ronquera no había desaparecido.

Ahora Jack empezaba con acertijos. ¡Qué irritante!

—No tengo la menor idea de a qué te refieres —dijo Frances, un tanto molesta.

—Por favor, confía en mí sobre esto y déjate guiar. ¿Harías el favor de quitarte el camisón? Creo que es mi turno —le indicó, y se quitó la casaca con urgencia, arrojándola al suelo.

—Puede que yo no haya terminado todavía con mi turno —dijo.

O sí. Se mordió el labio al contemplar el espléndido pecho y la espalda de Jack.

—¿Haces el favor, Frances? Te lo ruego, de verdad —imploró él.

Parecía bastante desesperado. Y ella sentía cierto calor, pero dudó. Desnuda ella no era tan impresionante como él.

—¿Estás seguro?

—Sí, estoy seguro, del todo. Nunca he estado tan seguro de algo en toda mi vida. ¿Me dejas que te ayude?

Su cuerpo parecía indicarle que cediera, que él tenía razón en lo que decía. Sus pechos... y otras zonas también... le rogaban que fuera valiente.

—Muy bien —dijo—. Yo... ¡Oh!

Jack no le dejó decir más cosas. Le bajó el camisón y, muy despacio, deslizó las manos por todo su cuerpo, apartando la prenda. Le tocó con suavidad los muslos, las caderas, la cintura y los pechos, dejando tras cada caricia un rastro de calor y deseo. Aquello borró por completo cualquier rastro de duda o de vergüenza.

Ansia no era ya una palabra lo suficientemente expresiva para describir lo que sentía.

Sus manos y sus labios volvieron a posarse sobre sus pequeños y nada extraordinarios pechos, que de repente sintió como si fueran mucho más grandes y turgentes. Sus pezones se irguieron, convirtiéndose en puntos de placer y, también, de cierto dolor. Se dejó caer sobre las almohadas, curvando un poco el cuerpo para animarle a que emprendiera nuevas exploraciones. Necesitaba que le tocara...

Era como si le leyera la mente. Le acarició la parte alta de los muslos y sus caderas se retorcieron, después de notar una sacudida en un punto de su cuerpo que ni siquiera sabía que existiera hasta ese preciso momento.

—Eres preciosa, Frances.

El deseo nublaba su mente de tal forma que no discutió, aunque ella jamás se había considerado a sí misma preciosa. Y después sus labios empezaron a besarle, más bien chuparle, los pechos, provocando que no pudiera pensar en otra cosa que no fueran sus besos y caricias.

La mano de él bajó por todo su cuerpo. Cada toque, cada beso, la acercaba a... algo, ¿pero qué?

Para. Perderás el control. Te estás entregando al poder de un hombre. Nunca volverás a ser la misma.

Eran una especie de susurros mentales de preocupación, pero las necesidades de su cuerpo los acallaron. De su cuerpo y también de su corazón. Amaba a Jack. Quería aprender a hacerlo, puede que no lo amara tan bien como otras mujeres, pero lo haría lo mejor que pudiera. Quería entregarse a él. Él la cuidaría, la libraría de cualquier peligro. Permanecería con ella, a su lado y en su corazón. Lo sabía con absoluta certeza, no le cabía ninguna duda.

Pero aunque no lo hubiera sabido, y si el futuro deparaba algo distinto, en este momento lo estaba eligiendo a él, y lo que él estaba haciendo.

Él había alcanzado un punto clave situado entre sus piernas. Cerró los ojos, pues le avergonzaba ver su cabeza escondida entre sus muslos, pero eso trajo como consecuencia el que se concentrara aún más en sus sensaciones y en el sonido de su respiración cálida contra ella, y entonces...

Jadeó, y sus caderas se contrajeron. La lengua de Jack había tocado... estaba tocando... ¡Oh! Con cada toque se acercaba más a dónde fuera que la estuviera llevando. Más cerca, más cerca, hasta que no pudo soportarlo más...

Y de repente allí estaba. De aquel pequeño punto surgieron oleadas de placer, una detrás de otra, que le llegaban al vientre, a los pechos, al corazón.

Inmediatamente, Jack la cubrió con su cuerpo. Sintió cómo empujaba poco a poco, abriéndose camino, penetrando...

Contuvo el aliento, y algo dentro de ella fue surgiendo con un primer espasmo de dolor, pero después la llenó por completo de placer. La sensación fue indescriptible.

—¿Estás bien?

—Estoy de maravilla.

¿De maravilla? Estás completamente a merced de un hombre, atrapada por su peso, empalada por su cuerpo.

Y él también estaba bajo el control de ella. Tenía tensa la cara, con una necesidad que reconoció perfectamente. Le estaba dando amor, el mismo amor que él le había dado a ella. Era un intercambio de regalos entre ambos cuerpos, del que también participaban los corazones y las mentes.

Frances movió las manos desde la estrecha cintura de Jack hasta sus anchos hombros, y después las bajó hasta sus nalgas, que seguían presionando su vientre.

—Te quiero, Jack.

Él la miró a los ojos, en los que la pasión dio paso por un momento a una mirada tierna y personal; así se dio cuenta de que iba a hablar con ella, no simplemente con una mujer que estaba satisfaciéndole por un rato.

—Y yo te quiero a ti, Frances —dijo, y la besó—. Pronto serás mi esposa y, quizá, la madre de nuestro primer hijo.

Sus caderas se movieron rítmicamente, entrando y saliendo una y otra vez, hasta que finalmente llegó muy dentro, lo más dentro que podía, hasta alcanzar su corazón. Jack se detuvo e hizo un ruido, una especie de jadeo o de gemido, no podría decirlo, y ella sintió en su interior la calidez de su semilla, tal vez el comienzo de una nueva vida, un hijo que sería querido, educado y cuidado, y al que jamás, jamás abandonarían.

Yacían juntos. El cuerpo de Jack seguía unido al de ella y sus brazos la abrazaban. Las voces de duda de su mente se habían acallado por completo, probablemente tan asombradas como ella del momento de extraordinaria intimidad que había vivido.

Jack comenzó a moverse, pero ella lo retuvo.

—No te vayas —le dijo.

—Te estoy aplastando. No te preocupes, no me iré muy lejos —le dijo sonriendo.

Su peso hacía que tuviera cierta dificultad para respirar, pero se sintió fría y un poco vacía cuando él se apartó, hasta que de inmediato se acomodó en la cama junto a ella, la atrajo hacia sí y la arropó con mimo.

—¿Estás bien?

—Estoy de maravilla —volvió a decir, y era verdad, estaba mejor que bien.

Él la besó en la frente.

—Eres maravillosa —le dijo acariciándole la espalda—. Ahora debes descansar, tienes que dormir.

—¿Te quedarás conmigo? —le urgió.

—Sí, aunque me temo que por la mañana la sirvienta se va a llevar una buena sorpresa —dijo acariciándola de nuevo, ahora en el pecho—. Procuraré marcharme antes de que venga. De todas formas, tengo que levantarme pronto mañana. Voy a ver si consigo una licencia de matrimonio especial.

—Oh —dijo Frances, dándose cuenta de que no le importaban en absoluto las opiniones de los sirvientes—. Tampoco hace falta conseguir la licencia tan deprisa, ¿no? —dijo, pues confiaba ciegamente en que Jack se casaría con ella.

—Sí que hace falta —dijo mientras la besaba—. Mis padres son muy comprensivos, pero hay que organizar la boda lo más rápido posible si voy a dormir contigo siempre de ahora en adelante, cosa que, desde luego, quiero hacer.

Ella también quería, pero...

—¡Oh, cielos! ¿Crees que ya saben que estás aquí conmigo ahora? —le preguntó alarmada. ¡Sus padres estarían absolutamente escandalizados!

—No me sorprendería. De hecho, es como si mamá supiera todo lo que va a ocurrir, incluso antes de que ocurra. Y si no lo sabe en este momento, mañana antes del mediodía ya lo sabrá. Sé desde niño que a ella no se le pueden esconder las cosas.

—¡Ooh! —exclamó Frances, ocultando la cara en su pecho—. Me echarán de la casa y tendrán motivos.

—Tonterías. Mamá y también papá estarán encantados. Mamá estará feliz porque su hijo pequeño se va a casar con la mujer adecuada y papá lo estará todavía más porque por fin no tendrá que aguantar más sus fiestas anuales de San Valentín, cuyo principal y casi único propósito era buscar novias para Ned y para mí —le explicó, y puso la mano sobre su estómago—. Y los dos estarán entusiasmados ante la posibilidad de que haya otro nieto en camino.

—¿Crees que hemos concebido un niño? —preguntó ella, poniendo su mano sobre la de él. Estaba tan asustada como entusiasmada con la idea de que así fuera.

—Quizá —dijo él, con una sonrisa pícara—. Pero pienso seguir intentándolo, y por eso necesito una licencia de matrimonio. Ahora vamos a dormir.

—De acuerdo —dijo ella cerrando los ojos—. Eres un maestro muy sabio.

—Por supuesto que lo soy.

Alguien se movía en su habitación. Venus estiró la mano para tocar a Drew, pero su sitio en la cama estaba vacío. Es verdad, había salido a cabalgar temprano. Pero entonces, ¿quién andaba por ahí?

Consiguió abrir un ojo. Era Drew, que todavía no se había ido. ¿O ya había vuelto? Olisqueó y no notó nada semejante a olor a caballos, así que aún no se había ido. Pero tenía una expresión bastante rara.

Como si guardara un secreto.

Se incorporó enseguida y se arropó. La habitación estaba algo fría. La doncella aún no había entrado para avivar el fuego.

—Estás despierta —dijo Drew.

Una deducción brillante, pero se tragó las palabras. Sabía que no resultaba adecuado empezar con un comentario sarcástico cuando quería sacarle algo a su querido duque. Y solo se sentía un poco molesta porque él no estaba junto a ella en la cama. Ya sabía lo que disfrutaba cabalgando temprano. Odiaba bastante la ciudad y si no hacía algo de ejercicio le resultaba del todo insoportable. Pero a ella le gustaban otro tipo de cabalgadas matutinas.

—Sí —le contestó—. Parece como si tuvieras algo que decirme.

Ahora parecía que dudaba entre fruncir el ceño o reírse.

Decidió reírse.

—Me he encontrado con Jack en el pasillo —soltó Drew.

—Ah, ya. ¿Y qué tiene eso de raro? —preguntó Venus.

—No estaba saliendo de su habitación —declaró.

—¡Oh! —exclamó Venus. Eso sí que era noticia.

¡Maldito frío! Se puso de rodillas encima de la cama y agarró de las solapas a Drew.

—¿Y de qué habitación salía? —preguntó impaciente.

—De la de Ned no...

Iba a estrangularlo. Se contuvo, limitándose a tirarle del abrigo con más fuerza. Aunque, pensándolo bien, solo había una posibilidad.

—¿Ha pasado la noche con la señorita Hadley? —preguntó.

—Eso parece.

—¡Ah! —susurró Venus, conteniendo la alegría. No quería llegar demasiado pronto a la conclusión más obvia—. Probablemente estaba preocupado por su estado. Ayer tuvo una experiencia horrible.

—Desde luego que sí. Sospecho que la ha reconfortado a conciencia. Tan a conciencia que me ha dicho que va a tratar de conseguir hoy mismo una licencia especial de matrimonio.

Esta vez, Venus no pudo contener un grito. Drew la miró fingiendo preocupación.

—Espero que ese sonido sea de alegría, mi querida duquesa.

—¡Pues claro que sí! —exclamó, y volvió a sentarse en la cama. Había un montón de cosas que hacer—. Sé que no elegí a Frances para Jack, pero da igual. Sin duda se quieren mucho. *Lady* Rothmarsh se va a poner muy contenta. ¡Y nuestro Jack va a casarse! —volvió a exclamar mientras saltaba de la cama—. Tengo que vestirme para dar la bienvenida a la familia a la querida Frances.

—Sospecho que eso no sería una buena idea, Venus —dijo Drew agarrándola del brazo.

—¿Por qué no? —le preguntó arrugando la frente—. No quiero que Frances piense que no estamos encantados de que se case con Jack.

—Sí, pero creo que debemos esperar un poco para hacérselo saber. La señorita Hadley podría sentirse un tanto, eh, angustiada, si sus futuros suegros entraran como un huracán en su habitación porque saben perfectamente lo que ha estado haciendo con su hijo esta pasada noche.

—Ah, claro. Entiendo tu punto de vista. Sería un poco torpe por nuestra parte —reconoció Venus.

—Pues sí, y para ella no sería ninguna nimiedad. Se avergonzaría mucho, la pobre —dijo Drew sonriendo. Después deslizó su mano suavemente por el brazo de Venus—. Y, aparte, tengo otra razón para posponer nuestra visita a la señorita Hadley.

—¿Y cuál es? —dijo Venus.

Los dedos de Drew jugaban con el borde de su camisón, lo que impedía que Venus se concentrase en todo el trabajo que tenía por delante.

—Esta mañana no he podido hacer ejercicio, pues he vuelto a toda prisa para contarte las novedades —le dijo.

—Ah, vaya. Lo siento, pero...

—Así que creo que podrías ayudarme a resolver el problema —dijo sin esperar a que ella terminara la frase.

Ahora su mano la acariciaba muy cerca del pecho. Ella humedeció los labios.

—Bueno, quizá todavía puedas cabalgar un poco —sugirió.

—Eso era exactamente lo que esperaba.

La duquesa del amor y su duque no salieron de la habitación hasta el mediodía.

Sally MacKenzie

La duquesa del amor

Era un día muy caluroso y a Venus Collingswood le apetecía darse un baño en el estanque. pero no quería que se le mojara el vestido. Total, ninguno de los habitantes del pequeño Little Huffington iba a pasar por ahí. Además, ese era el entorno perfecto donde pergeñar un plan para que su hermana Afrodita, un ratón de biblioteca, conociera y se enamorara del nuevo duque de Greycliffe, que llegaría a tomar posesión de sus tierras dentro de una semana.

Andrew Valentine, duque de Greycliffe, jamás se imaginó que llegar una semana antes de lo previsto a su casa levantara tanto revuelo. El ama de llaves le confunde con su primo. En realidad, tener la oportunidad de no ser duque por un tiempo le apetece. Puede servirle para interrogar a la encantadora y pequeña ninfa a la que ha descubierto nadando en su estanque... eso si es capaz de articular una sola palabra.

Sally MacKenzie

Una novia para lord Ned

Decidida a encontrar marido, la señorita Eleanor, Ellie Bowman, asiste a un baile organizado por la duquesa de Greycliffe, a la que todos llaman con cariño «la duquesa del amor». Sin embargo, no hace caso de ninguno de los caballeros a los que la anfitriona ha invitado precisamente pensando en ella. En realidad, quien le interesa es su elegante hijo, Ned, lord Edward, que ya hace tiempo le robó el corazón... y la hizo arder de deseo. Es *Sir Reginald*, el gato ladrón de la duquesa, el que le ayuda a hacerse visible al atractivo viudo cuando deja su culote rojo de seda entre los almohadones de la cama de Ned.

Después de cuatro años de luto, Ned no quiere encontrar una esposa. A primera vista, el baile de cumpleaños que su madre ha organizado en su honor no le aporta ninguna candidata interesante. Sin embargo, surge en él un sentimiento inesperado por alguien a quien ya conoce bien, Ellie, que de pronto invade sus sueños y que lo hace de la manera más escandalosa.

SALLY MACKENZIE

Una esposa para lord Ash

Kit, marqués de Ashton, está metido en un lío. Se casó joven y por amor, qué romántico. Se dio cuenta de su error el mismo día de la boda y ahora le han endilgado una esposa en la que no se puede confiar.

Jessica sabe que ha puesto en peligro su matrimonio, aunque haya sido inocentemente. Bien, ya ha tenido bastante de encuentros accidentales con caballeros desnudos y echa de menos tener la oportunidad de explicar lo sucedido a su marido. Ha llegado el momento de levantar el ánimo y recuperarle como sea.

Síguenos:

librosdeseda.com

facebook.com/librosdeseda

twitter.com/librosdeseda